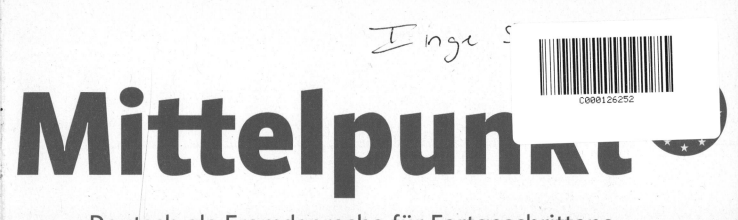

Mittelpunkt

Deutsch als Fremdsprache für Fortgeschrittene

ARBEITSBUCH

Albert Daniels
Stefanie Dengler
Christian Estermann
Renate Köhl-Kuhn
Ilse Sander
Ulrike Tallowitz

Ernst Klett Sprachen
Barcelona Belgrad Budapest Ljubljana
London Posen Prag Sofia Stuttgart Zagreb

Unterrichtssymbole in Mittelpunkt B2

 3   Verweis auf Tracknummer

    prüfungsrelevanter Aufgabentyp: Goethe-Zertifikat B2
→GI

    prüfungsrelevanter Aufgabentyp: telc Deutsch B2,
→TELC ehemals: Zertifikat Deutsch Plus

Mittelpunkt B2
Deutsch als Fremdsprache für Fortgeschrittene
Arbeitsbuch

von Albert Daniels, Stefanie Dengler, Christian Estermann, Renate Köhl-Kuhn, Ilse Sander;
Ulrike Tallowitz (Grammatik)

1. Auflage   1 ⁷ ⁶ ⁵ ⁴ ³ | 2012 2011 2010 2009 2008

Alle Drucke dieser Auflage können nebeneinander benutzt werden, sie sind untereinander
unverändert. Die letzte Zahl bezeichnet das Jahr des Druckes.

Internet: www.klett-edition-deutsch.de, www.klett.de/mittelpunkt
E-Mail: edition-deutsch@klett.de

Redaktion: Angela Fitz, Iris Korte-Klimach
Layout und Herstellung: Jasmina Car
Illustrationen: Jani Spennhoff
Druck: Gutmann + Co. GmbH, Talheim • Printed in Germany

ISBN: 978-3-12-676601-2

9 783126 766012

Arbeiten mit **Mittelpunkt B2**

Mittelpunkt B2 ist der Beginn einer neuen Lehrwerksgeneration. Alle Lernziele und Inhalte leiten sich konsequent aus den Kannbeschreibungen (Niveau B2) des Gemeinsamen Europäischen Referenzrahmens für Sprachen ab. Das führt zu Transparenz im Lernprozess und zu internationaler Vergleichbarkeit der Ergebnisse. Mit diesem neuen Ansatz sollen sich die Neugier auf die andere Kultur und das persönliche Einbringen der eigenen Werte und Vorstellungen verbinden.

Das Arbeitsbuch von **Mittelpunkt B2** dient zur Vertiefung und Erweiterung des Lernstoffs im Lehrbuch und ist analog zum Lehrbuch aufgebaut: In 12 Lektionen, die jeweils in sechs Lerneinheiten aufgeteilt sind, werden die Themen des Lehrbuchs aufgegriffen. Im Unterschied zum Lehrbuch sind diese sechs Lerneinheiten jedoch unterschiedlich lang, je nachdem wie viel Übungsmaterial jeweils der Lernstoff im Lehrbuch erfordert.

Wortschatz, Redemittel, Grammatik und Strategien werden in sinnvollen Zusammenhängen geübt, daneben werden an passender Stelle Grammatikthemen der Grundstufe wiederholt. Am Ende jeder Lektion finden Sie zudem einen Überblick über die wichtigsten Grammatikthemen der jeweiligen Lektion.

Darüber hinaus enthält jede Lektion für die Kommunikation relevante Ausspracheübungen. Eine CD mit diesen Übungen sowie weiteren Hörtexten ist in das Arbeitsbuch integriert.

Der Lösungsschlüssel am Ende des Arbeitsbuchs erlaubt es Ihnen, die meisten Übungen auch im Selbststudium – ganz nach Ihrem Lerntempo und Lernbedarf – zu machen.

Wie im Lehrbuch erleichtern Ihnen die Hinweise in der Marginalspalte das Arbeiten:

Lesen
Schreiben

Formen und
Strukturen
S. 155

Hören ◉ 3

Hören ◉ LB1, 51-60

- Zu jeder Übung finden Sie Hinweise auf die Fertigkeiten, die jeweils trainiert werden, also z. B. Lesen und Schreiben.

- Bei den Aufgaben zur Grammatik erhalten Sie unter dem Stichwort „Formen und Strukturen" einen Seitenverweis auf die entsprechende Erklärung in der Referenzgrammatik im Anhang des Lehrbuchs.

- Bei Hörtexten sowie Ausspracheübungen ist die passende Tracknummer angegeben, z. B. Track 3.

- Wenn für eine Übung ein Hörtext aus dem Lehrbuch noch einmal gehört werden soll, findet man einen Hinweis, dass es sich um einen Hörtext aus dem Lehrbuch handelt, z. B. Track 51–60 von der CD 1 zum Lehrbuch.

Auch im Arbeitsbuch werden Sie mit den Aufgabenformaten der B2-Prüfung des Goethe-Instituts (*Goethe-Zertifikat B2*) und von TELC (*telc Deutsch B2*, ehemals: *Zertifikat Deutsch Plus*) vertraut gemacht: Die prüfungsrelevanten Aufgabentypen finden Sie immer wieder eingestreut, sodass Sie sie wiederholt trainieren können. Um Ihnen die Übersicht darüber zu erleichtern, haben wir solche Aufgaben mit einem Symbol versehen:

→GI →TELC

Darüber hinaus finden Sie im Arbeitsbuch eine Probeprüfung zum Goethe-Zertifikat B2, die Ihnen eine Vorbereitung unter Prüfungsbedingungen ermöglicht.

Viel Spaß und Erfolg bei der Arbeit mit **Mittelpunkt B2** wünschen Ihnen der Verlag und das Autorenteam!

Inhalt

1 Reisen

Reisen

Wortschatz

1 Reisewörter

Was fällt Ihnen zum Thema Reisen ein? Ergänzen Sie das Wortnetz.

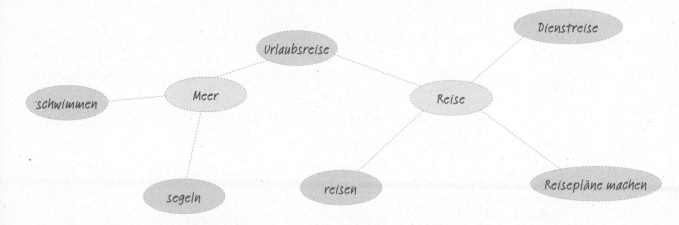

Wortschatz

2 Wie lerne ich neue Wörter am besten?

a Man kann Wörter nach bestimmten Kriterien ordnen, um sie besser zu lernen und zu behalten.

Nomen	Verben	Adjektive	feste Verbindungen	Wortfamilien
die Landschaft	abfahren	pittoresk	Sport treiben	bewegen, die Bewegung, (un)beweglich, bewegungslos
das Panorama	ankommen	malerisch	Ski fahren	
der Ausflug	sich aufhalten	abgelegen	Fallschirm springen	

remote

b Welche anderen Kriterien könnten Sie benutzen, um Wörter und ihre Bedeutungen zu ordnen und sie besser zu lernen? Überlegen Sie und stellen Sie Ihre Kriterien im Kurs vor.

c Welche Techniken benutzen oder kennen Sie noch, um Wörter zu lernen und zu behalten? Tauschen Sie sich im Kurs aus: Sammeln Sie die Tipps und erstellen Sie ein Lernplakat.

Schreiben
Sprechen

3 Sprüche übers Reisen

Lesen Sie noch einmal die Sprüche im Lehrbuch, S. 8, Aufgabe 2.

1. Welcher Spruch hat Ihnen besonders gut oder gar nicht gefallen? Schreiben Sie anonym einen kurzen Kommentar dazu auf ein Blatt Papier.

2. Geben Sie alle Papiere im Kurs so lange weiter, bis ihre Lehrerin oder ihr Lehrer „Stopp" ruft.

3. Lesen Sie den Kommentar auf dem Papier, das Sie in diesem Moment bekommen haben.

4. Wenn Sie in diesem Kommentar Fehler finden, korrigieren Sie sie. Wenn Sie Ideen für bessere Formulierungen finden, notieren Sie sie ebenfalls.

5. Hängen Sie alle Kommentare im Unterrichtsraum auf. Gehen Sie herum, lesen Sie die Papiere und diskutieren Sie zusammen mit Ihrer Lehrerin oder Ihrem Lehrer die sprachlichen Fragen und Probleme.

4 Rund ums Reisen: ein Fragebogen

Schreiben
Sprechen

Bearbeiten Sie den Fragebogen und tauschen Sie sich dann mit einem Partner aus.

1. Mit meinem Urlaubsziel beschäftige ich mich schon Monate vor Beginn der Reise.
☐ stimmt völlig ☐ stimmt etwas ☐ stimmt eher nicht ☐ stimmt gar nicht

2. Meine letzte Reise war (bis zu drei Möglichkeiten)
☐ eine Pauschalreise ☐ eine Campingtour
☐ eine Last-Minute-Reise ☐ eine Wandertour
☐ eine Spontanreise ☐ eine Kulturreise
☐ eine Reise mit Interrail ☐ eine Städtetour
☐ eine Dienstreise ☐ ein Cluburlaub
☐ mit einem Ferienjob verbunden ☐ ein Trainingslager
☐ eine Sprachreise ☐ keine der oben genannten, sondern _____

3. Meine letzte Sommerreise habe ich vorwiegend finanziert durch
☐ Ersparnisse ☐ Jobben ☐ meine Eltern ☐ Sonstiges: _____

4. Das Reiseziel war
☐ in Deutschland ☐ in einem anderen europäischen Land ☐ in Nordamerika
☐ in Südamerika ☐ in Asien ☐ in Afrika ☐ in Australien

5. Ich habe dabei folgende(s) Verkehrsmittel benutzt
☐ Fahrrad ☐ Auto ☐ Zug ☐ Flugzeug ☐ Schiff

6. Ich bin im vergangenen Sommer verreist mit
☐ meinem/r (Ehe)Partner/in ☐ meinen Eltern ☐ Freunden ☐ allein
☐ dem Sportverein ☐ Sonstiges: _____

7. Ich hätte große Lust, einmal in ein Land auf einem anderen Kontinent zu reisen.
☐ stimmt völlig ☐ stimmt etwas ☐ stimmt eher nicht ☐ stimmt gar nicht

8. Wenn ich verreise, dann kommt es mir vor allem darauf an (bitte nicht mehr als 2 Kreuze)
☐ neue Menschen kennen zu lernen ☐ mit Freunden zusammen zu sein
☐ möglichst weit wegzureisen ☐ andere Länder kennen zu lernen
☐ Sonne und Strand zu genießen ☐ zu sehen, ob ich allein in der Fremde zurecht komme
☐ mich zu erholen ☐ meine Sprachkenntnisse auszuprobieren
☐ kulturelle Erfahrungen zu machen ☐ in der Natur zu sein
☐ Theater, Museen u. Ä. zu besuchen ☐ Sonstiges: _____

9. Ich bin neidisch, wenn jemand folgende Art von Reise macht. Beschreiben Sie:
_____

10. Ich finde, dass das Reisen mit dem Auto eingeschränkt werden müsste, um die Umweltbelastung zu verringern.
☐ stimmt völlig ☐ stimmt etwas ☐ stimmt eher nicht ☐ stimmt gar nicht

11. Ich finde es gut, dass heute fast jeder reisen kann.
☐ stimmt völlig ☐ stimmt etwas ☐ stimmt eher nicht ☐ stimmt gar nicht

12. Was für eine Art von Reise möchten Sie auf gar keinen Fall machen? Begründen Sie bitte:
_____

_Hw 30/9/08_

Schreiben
Sprechen

decision

5 Helfen Sie zwei Reisenden mit wenig Geld bei der Entscheidung.

justify

Schreiben Sie zuerst Ihre Vorschläge auf und begründen Sie sie. Tauschen Sie sich dann mit einem Partner aus.

> Ich glaube, … | Ich denke, … | Ich meine, … | Vielleicht könnten sie … | Ich habe den Eindruck, sie … | Es wäre gut, wenn … | Sie können sich nicht einigen, weil … | Sie sollten … | Ich bin der Meinung / Ansicht, dass …   _to: restrict/control_

1. Wegfahren oder zu Hause bleiben? _Ich meine, sie sollten zur Erholung etwas wegfahren._
2. Pension oder Ferienwohnung? _Vielleicht könnten sie … in Süd frankreich ein Ferienwonu mieten_
3. Campen oder Jugendherberge? _Ich bin der Ansicht sie sollten ein Campen ferien mach_
4. Ferienclub oder Privatunterkunft? _Sie sollten ein Ferienclub für 1 woche besuchen._
5. Während der Fahrt Unterkunft suchen oder durchfahren? _Es wäre gut, wenn sie durchfahren_
6. Während der Fahrt im Motel oder im Auto übernachten? _Vielleicht könnten sie im Auto übernachte könnt-_
7. Zwei Einzelzimmer oder ein Doppelzimmer? _Ich bin der Meinung sie könnten ein Doppelzimmer in übernacht_
8. Über Internet oder im Reisebüro buchen? _Ich glaube sie könnten über Internet buchen_
9. Weiter überlegen oder aufgeben? _Sie können sich nicht einigen, weil_
10. Warum können sie sich nur nicht entscheiden? _____

accommodation

Urlaubsreisen

Wortschatz

1 Was ich im Urlaub tun möchte.

Suchen Sie die passenden Verben bzw. Ausdrücke. Schreiben Sie Sätze.

1. Ruhe: _sich ausruhen → Im Urlaub möchte ich mich ausruhen._
2. Bewegung: _sich bewegen_
3. Sport: _treiben_
4. Erholung: _sich erholen_
5. Aktivität: _aktiv sein_
6. Entspannung: _sich entspannen_
7. viele Erlebnisse: _viel erleben_
8. Abenteuer: _Abenteuer erleben_
9. Bekanntschaft mit neuen Leuten: _neue Leute kennen lernen / Bekanntschaft mit neuen Leuten schließen_

Wortschatz

2 Welches Wort passt nicht in die Reihe?

Streichen Sie das unpassende Wort.

1. ein Zimmer: bestellen – buchen – ~~ausziehen~~ – reservieren
2. eine Urlaubsreise: planen – buchen – ~~erholen~~ – stornieren _reverse/cancel_
3. den Aufenthalt: verlängern – verkürzen – ausdehnen – ~~aufhören~~ _extend, prolong._
4. einen Ort: kennen lernen – erfahren – erkunden – besichtigen ?
5. die Lage eines Ortes ist: verkehrsgünstig – malerisch – überlaufen – wunderschön
6. in einer Pension: übernachten – sich aufhalten – unterkommen – verbringen   _find accommodation_
7. einen Ausflug: tun – unternehmen – machen – vorbereiten
8. Urlaub: haben – gehen – nehmen – bekommen ?

3 Das sollten Sie schon kennen.

completely replenish

Ergänzen Sie die fehlenden Wörter in der richtigen Form. Einige Wörter bleiben jeweils übrig.

> beziehen   auschecken   eine Nachricht hinterlassen   Rezeption
> Empfangspersonal   einen schönen Aufenthalt   ~~einchecken~~

Reisen mit Hindernissen. Nach einer 20-stündigen Reise kamen wir gegen 14 Uhr todmüde im Hotel an. Wir wollten so schnell wie möglich die Formalitäten erledigen, also [1] _einchecken_, und dann nichts als schlafen! Aber leider teilte man uns an der [2] _Rezeption_ mit, dass unser Zimmer noch nicht fertig war. „Sie können erst ab 15 Uhr Ihr Zimmer [3] _beziehen_, und wenn Sie abreisen, müssen Sie bis 11 Uhr [4] _auschecken_. Wir wünschen Ihnen [5] _einen schönen Aufenthalt_." Das fing ja gut an!

cancel

> Anschluss   Terminal   Charterflug   Landung   pünktlich   Verspätung
> ausfallen   streichen   Flugbegleiter   einen angenehmen Flug   Abflug

blow/caress

Ende gut, alles gut. Wir hatten einen [1] _Charterflug_ nach Chile gebucht, der ist natürlich viel billiger als ein Linienflug. Aber manchmal passiert es, dass ein Flug [2] _ausfällt_ und man auf den nächsten warten muss. Diesmal fing es schon gut an: Unser Flugzeug sollte am [3] _Terminal_ 35 stehen, sodass wir durch den ganzen Flughafen laufen mussten. Der [4] _Abflug_ sollte um 17 Uhr sein, aber leider hatte das Flugzeug eine Stunde [5] _Verspätung_ und wir mussten geduldig warten. Aus der einen Stunde wurden zwei, dann drei und schließlich wurde der Flug ganz [6] _gestrichen_. Das nächste Flugzeug ging erst fünf Stunden später. Das war Gott sei Dank pünktlich, und wir freuten uns, als es losging und der [7] _Flugbegleiter_ sagte: „Wir wünschen Ihnen [8] _einen angenehmen Flug_!"

> Fensterplatz   Zollkontrolle   zollfrei   Schließfächer
> zurück   Waggon   Tunnel   Station   Verspätung

clasp/buckle : fächer - fan = lock up

Am Bahnhofsschalter. Bitte einmal Wien hin und [1] _zurück_, möglichst in einem der vorderen [2] _Waggons_. – Ach wie schade, es gibt keinen [3] _Fensterplatz_ mehr, ich hatte mich so darauf gefreut, die Landschaft zu genießen! – Gibt es in Wien [4] _Schließfächer_ am Bahnhof? Ich möchte nicht mit dem schweren Koffer durch die Stadt laufen. – Gibt es im Zug eine [5] _Zollkontrolle_? Wie viele Zigaretten darf man [6] _zollfrei_ mitnehmen? Wissen Sie nicht?! Na ja, was soll's!"

4 Nachfrage per E-Mail

→TELC

Schreiben Sie eine E-Mail an das Hotel Fantasia.

Sie möchten einige Tage im Hotel Fantasia verbringen. Im Internet haben Sie ein günstiges Angebot gefunden, aber einige Dinge gehen aus der Internetseite nicht hervor. Fragen Sie nach, die Redemittel unten helfen Ihnen.

- ruhiges Zimmer?
- Kabelfernsehen?
- Verkehrsmittel für die Anreise?
- Möglichkeiten zur Verlängerung des Aufenthalts?

Überlegen Sie sich noch einen weiteren Punkt, zu dem Sie Informationen wünschen.

> **Tipp zum E-Mail-Schreiben:**
> Eine E-Mail wird häufig in einem etwas informelleren Stil geschrieben. Hier handelt es sich aber um eine offizielle Anfrage, sodass Sie Anrede- und Grußformeln wie in einem Geschäftsbrief benutzen sollten.

heading/subject matter

> Vielen Dank im Voraus | Sehr geehrte Damen und Herren | (Betreff) | Mit freundlichen Grüßen | Sehr geehrter Herr X / Sehr geehrte Frau Y | (Ort, Datum)

5 Die wahren Abenteuer sind im Kopf.

Schreiben
Sprechen

a Was verbinden Sie mit diesen Wörtern? Wählen Sie mindestens ein Wort aus und bereiten Sie mithilfe von Stichwörtern einen ca. zweiminütigen Redebeitrag vor.

wanderlust   *emigration*

> Fernweh   Karawane   Abenteuer   Traumreise   Weltumseglung   Auswanderung
> Seidenstraße   Fantasiereise (Zeitreise?)   Expedition   Gewürzinseln   Himalaya

?Silkroute   *Spice Island.*

b Stellen Sie Ihre Redebeiträge im Kurs vor und geben Sie sich gegenseitig Feedback:

– Was war klar bzw. nicht so klar?
– Welche sprachlichen und nicht-sprachlichen Verbesserungen sind möglich?

Wenn einer eine Reise tut ...

1 Reiseplanung in der Wohngemeinschaft – Gespräch 2

Lesen
Wortschatz

Lesen Sie das Gespräch (vgl. Lehrbuch, S. 12, Aufgabe 1c). Markieren Sie die Ausdrücke, die das Gespräch freundlich machen und helfen, Probleme zu vermeiden, und notieren Sie sie.

Susanne:	Habt ihr was dagegen, wenn ich anfange? Ich muss leider gleich noch weg – mein Ferienjob im Biergarten. Also, wir überlegen ja schon ziemlich lange und sollten versuchen, dass wir heute zu einer Einigung kommen. Okay?
Alle:	Klar! Okay! Dann los!
Susanne:	Wie wär's, wenn wir nach Rom fahren würden. Diese Stadt hat mich schon immer fasziniert. Es gibt so viel zu sehen. Außerdem ...
Carla:	Entschuldige, wenn ich dich unterbreche. Ist es dort jetzt nicht ziemlich heiß? Ich vertrage Hitze nicht so gut.
Susanne:	Das kann ich gut verstehen. Andererseits wäre Rom günstig, weil ich dort Freunde habe, die etwas außerhalb wohnen und bei denen wir unterkommen könnten.
Carla:	Sei nicht böse, wenn ich dich noch mal unterbreche. Es wäre natürlich super, wenn wir umsonst wohnen könnten, aber verlieren wir nicht sehr viel Zeit, um in die Stadt zu kommen?
Susanne:	Dein Einwand ist sicher berechtigt, aber ...
Peter:	Entschuldigung. Susanne, wärest du damit einverstanden, wenn die anderen jetzt erst einmal ihre Vorschläge vortragen würden?
Susanne:	Klar, das Wichtigste habe ich ja schon gesagt. Wohin möchtest du denn?
Peter:	Also, ich würde eigentlich gern nach Frankreich – vielleicht in die Bretagne, aber Rom wäre auch keine schlechte Idee. Was meinst du, Jens?
Jens:	Ich würde am liebsten wandern – raus in die Natur und Bewegung. Wir sitzen doch sowieso viel zu viel während des Semesters. Also wär' Wandern schon deshalb optimal! Außerdem ...
Susanne:	Entschuldige, wenn ich dir widerspreche. Aber Wandern ist nicht gerade mein Hobby. Als Kind musste ich mit meinen Eltern immer stundenlang durch den Wald latschen – stinklangweilig! In Rom ...
Peter:	Sorry, Susanne. Jens ist dran.
Susanne:	'tschuldigung!
Jens:	Wir könnten zum Beispiel in einer Gegend wandern gehen, wo wir auch zu schönen Städten kommen, die wir dann besichtigen können. Ich denke da zum Beispiel an die Provence. Was meint ihr?
Carla:	Das würde mir schon sehr viel besser gefallen. Wäre es nicht möglich, dass wir irgendwohin fahren, wo das Meer in der Nähe ist? Ich möchte so gern mal richtig relaxen: Sonne, Strand, Wasser ...
Susanne:	Wenn ich dich richtig verstehe, möchtest du nichts Anstrengendes machen, wie Stadtbesichtigung oder Wandern?
Carla:	Genau. Aber ...

slippen/wandern *latschen*

accommodation

Peter: Entschuldige, Carla, eigentlich ist die Idee von Jens doch sehr gut. Wir könnten eine Unterkunft mit einem schönen Pool suchen. Von dort aus könnten wir unsere Ausflüge machen. Dann kämen alle auf ihre Kosten. Außerdem müssten wir ja nicht immer alles zusammen unternehmen.

Susanne: Ich glaube auch, die Provence ist keine schlechte Idee! Allerdings: Ein kleines Problem habe ich noch. Seid mir bitte nicht böse, wenn ich mich nicht an den Vorbereitungen beteiligen kann – mein Ferienjob ist mega anstrengend. Manchmal geht es bis 3 Uhr morgens, und vormittags muss ich ja noch meine Hausarbeit für die Uni fertig kriegen. Aber ich kann dann mehr im Urlaub übernehmen.

Alle: Okay! Kein Problem!

Habt ihr was dagegen, …

2 Schreiben Sie die folgenden Gesprächsteile so um, dass sie höflicher werden.

Wortschatz
Schreiben

Benutzen Sie dazu die Ausdrücke aus Übung 1 und aus dem Lehrbuch, S. 12, Aufgabe 2 . Denken Sie auch daran, Ihre Argumente zu begründen.

direkte Formulierung

höfliche Formulierung

1. A: Wir fahren mit dem Bus. Das ist …

   Ich finde, wir sollten mit dem Bus fahren. Das wäre …

2. B: Auf keinen Fall mit dem Bus!

   Entschuldige, wenn ich dich unterbreche. Das geht leider nicht, denn im Bus wird mir immer schlecht.

3. A: Das Beste ist, wir fliegen.

   Ich bin überzeugt, dass wir fliegen sollten

4. B: Das ist doch viel zu teuer!

   Ich bin der Meinung es ist viel zu teuer.

5. A: Das stimmt doch gar nicht. Wir buchen einen Billigflug.

   Entschuldige, wenn ich dich unterbreche aber …

6. B: Den musst du aber suchen. Ich habe keine Zeit.

   wie wäre est dann, wenn du est suchst, weil ich keine Zeit habe

7. A: Ich auch nicht.

   leider habe ich auch keine Zeit, aber

8. C: Diesmal will ich aber in die Berge. Letztes Mal …

   Ich bin der Meinung wir sollten diesmal in die Berge fahren + wandeln – das letztes mal waren wir in ein Stadt

9. D: Stimmt. Aber ich will an die See.

   Ich will gehrne wieder am See weil es uns alle gefählt

10. C: Gegen deine Erkältungen hilft das sowieso nicht, da ist Bergluft viel besser.

    Entschuldigung aber Bergluft is besser als seeluft – und wir bekommen weniger Sonnenbrannt

11. D: Das stimmt nicht. Der Arzt hat gesagt, Seeluft ist am besten.

    Entschuldigung aber dass hängt vom Arzt ab !

12. C: Frag doch mal einen anderen Arzt. Mal sehen, was der meint.

    Meiner Ansicht nach frage ein andere Arzt .

3 Eigentlich denke ich etwas anderes ...

Schreiben
Sprechen

a Bereiten Sie sich auf ein kontroverses Gespräch vor, bei dem Sie Ihre Meinung verteidigen. Formulieren Sie Sätze wie im Beispiel.

> Du hast zwar Recht, aber ich meine trotzdem, dass ... | Ich verstehe, was du sagst, aber ... | Das stimmt zwar, aber ... | Dein Vorschlag ist nicht schlecht, aber ... | Ich würde gern ..., weil ... | Das ist ja einerseits nicht schlecht, andererseits ... | Der Grund, warum ich ... | Ich möchte darauf bestehen, denn ... | Ich verstehe, dass ..., aber ...

Ihr Partner / Ihre Partnerin möchte ...

1. höchstens zwei Wochen in Urlaub fahren. – Sie aber länger.
2. in die Berge. – Sie wollen an die See.
3. zelten. – Sie wollen im Hotel übernachten.
4. mit dem Auto fahren. – Sie wollen mit dem Zug fahren.
5. Wanderungen machen. – Sie wollen faulenzen.

> *1.* *Ich verstehe, dass Du nicht länger als zwei Wochen in Urlaub fahren willst, aber das reicht mir einfach nicht. Ich brauche wirklich länger, um mich zu erholen.*

b Führen Sie jetzt das Gespräch. Versuchen Sie Ihre Meinung zu verteidigen. Benutzen Sie wieder die Redemittel aus Übungsteil a.

4 Ein Streitgespräch

Sprechen

a Führen Sie ein Gespräch.

- Bilden Sie Dreiergruppen: Zwei Personen führen ein Streitgespräch, eine dritte Person beobachtet das Gespräch und macht sich dabei Notizen über den Verlauf.
- Situation: Sie wollen mit einer Freundin / einem Freund in Urlaub fahren und haben vereinbart, dass Sie sich die Vorbereitungen teilen. Ihr Partner / Ihre Partnerin, hat den Eindruck, dass Sie fast nichts getan haben und beschwert sich bei Ihnen. Sie begründen, warum Sie nicht dazu gekommen sind.
- Bereiten Sie vor dem Gespräch Ihre Rollen vor: Notieren Sie jeweils auf Kärtchen die Kritik am Partner bzw. die Motive und Hintergründe Ihres Handelns.
- Führen Sie nun das Gespräch. Hören Sie Ihrem Gesprächspartner konzentriert zu und wiederholen Sie mit Ihren eigenen Worten, was er / sie gesagt hat. Fragen Sie, ob er / sie sich richtig verstanden fühlt.

b Werten Sie nun das Gespräch zusammen mit der beobachtenden dritten Person aus.

5 Tipps: Was ist typisch für eine mündliche Erzählung?

Lesen
Sprechen

Lesen Sie die folgenden Tipps. Machen Sie sich dann Stichwörter für die Erzählung, die Sie im Kurs vortragen wollen (vgl. Lehrbuch, S. 13, Aufgabe 3d).

- Sie beginnen mit den drei wichtigsten W-Fragen: Wer? Was? Wo?
- Dann gibt es oft etwas Unerwartetes, z. B. eine Komplikation, die sich am Ende der Erzählung auflöst, und die Sie dann kommentieren.
- Auch während des Erzählens können Sie Kommentare einfügen oder Ihre Zuhörer direkt ansprechen.
- Beim Erzählen ist nicht das Wichtigste, Informationen weiterzugeben, sondern anschaulich und unterhaltend zu erzählen und die Zuhörenden auch emotional zu erreichen.
- Sie können die indirekte, aber auch die direkte Rede benutzen und Ausrufe (Ach! Oh! etc.) einfügen.
- Wenn Sie über Vergangenes sprechen, können Sie im Perfekt oder im Präsens (sogenanntes „historisches Präsens") erzählen.

Mobilität im globalen Dorf

Wortschatz

1 Nomaden der Neuzeit

Suchen Sie im Text im Lehrbuch, S. 14, Aufgabe 1c, alle Wörter, die Bewegung oder Ortsveränderung ausdrücken, und tragen Sie sie in die Tabelle ein. Sie können auch mit dem Wörterbuch arbeiten, um die Liste zu ergänzen.

Nomen	Verben	Adjektive	Synonyme	Antonyme	feste Verbindungen
Mobilität	mobil sein	mobil	beweglich	immobil unbeweglich	–
–	–	–	–	–	auf Achse sein
Umzug	umziehen	–	–	–	nach (Stadt) (um)ziehen

Schreiben

2 Einladungen

a Marion will ein Fest für ihre alten Freunde geben. Schreiben Sie Marions Einladungsmail mithilfe der folgenden Stichwörter.

1. hoffen / ihr / gut / gehen
2. ihr / lange / hören / nichts / leider / wegen Umzug
3. Hamburg / inzwischen / gut / einleben / und / viele / schon / haben / Kontakte
4. mit Kollegen / sehr gut / sich / verstehen / auch
5. sich fühlen / nicht / deshalb / einsam
6. ihr / fehlen / trotzdem / sehr
7. deswegen / euch / einladen / mögen / besuchen / kommendes Wochenende / gemeinsam / feiern
8. toll / Zeit haben / Wir
9. antworten / schnell
10. ich / vermissen / euch

Lieber Torsten, lieber Peter, liebe Nadja,

ich hoffe, dass es euch gut geht.

b Sie haben eine neue Arbeitsstelle. Schreiben Sie eine Einladung, in der Sie Ihre Kolleginnen und Kollegen zum Feiern einladen.

Wandernde Wörter

Formen und Strukturen S. 155

1 Die Satzklammer

Tragen Sie die folgenden Sätze in die Tabelle ein. Erweitern Sie den Satz jeweils um die Elemente in den Klammern.

1. Andreas und Michael ziehen um. (nach Berlin, nächste Woche, spätestens)
2. Michael muss jobben. (in einer Kneipe, an zwei Abenden, in der Regel)
3. Andreas spielt Gitarre. (in einer Rockband, häufig, am Samstag Abend)
4. Sie haben über Musik gesprochen. (viel, schon immer, mit ihren Freunden)
5. Sie arbeiten viel. (besonders in der Woche, sehr)

Position 1	Position 2	Mittelfeld	Satzende
1. Andreas und Michael	ziehen	spätestens nächste Woche nach Berlin	um.
2. ...			

1 Reisen

Hören 🔊 1
Aussprache

2 Eine „Jobnomadin" berichtet

a Hören Sie die Sätze 1 bis 10 einmal ganz. Hören Sie sie dann noch einmal und nummerieren Sie die einzelnen Satzteile in der Reihenfolge ihres Auftretens.

	2	*3*	*4*	*1*			
1.	bin	ich	Fernpendlerin	im Moment			
2.	heutzutage	und	Beweglichkeit	Flexibilität	das	A und O	sind
3.	von uns	ständig	auf Achse	sind	viele		
4.	häufig	Paare	am Wochenende	sich	sehen	nur noch	
5.	zur Entfremdung	führen	kann	das	schon	manchmal	
6.	die Liebe	oder	umso	wird	größer		
7.	bei uns	so	ist	glücklicherweise	das		
8.	viele	doch	klagen	Zeitmangel	über	finanzielle	Belastungen und
9.	was	man	tun	soll	aber		
10.	muss	schließlich	ja	arbeiten	man		

b Hören Sie noch einmal: Welche Wörter bzw. Silben sind betont? Unterstreichen Sie die Satzakzente und sprechen Sie die Sätze nach.

> *1. Im Mo<u>ment</u> bin ich <u>Fernpendlerin</u>.*

Formen und
Strukturen
S. 155

3 Wo steht was?

a Bilden Sie Sätze und beginnen Sie jeweils mit dem unterstrichenen Wort.

1. immer häufiger / umziehen / <u>junge Leute</u> / wegen neue Arbeitsstelle
2. wichtig / Eigenschaften / Beweglichkeit / Flexibilität / und / sein / <u>heutzutage</u>
3. wichtig / Voraussetzungen / beruflich / Erfolg / <u>sie</u> / sein / für
4. man / schnell / neu / Entwicklungen / sich einstellen können / <u>auf</u> / müssen
5. <u>deshalb</u> / jung / viel / Paare / Distanz / auf / eine Beziehung / führen
6. <u>immer schneller</u> / sich ändern / Lebenspläne
7. an / Verlust / soziale Kontakte / sich beklagen / <u>viele Pendler</u> / über
8. <u>andererseits</u> / Zusammenhalt / einfacher / werden / durch / schnell / billig / Transportmittel / und

> *1. Junge Leute ziehen immer häufiger wegen einer neuen Arbeitsstelle um.*

Schreiben
Aussprache

b Zeichnen Sie in die Sätze im Übungsteil a die Satzakzente ein und sprechen Sie die Sätze nach. Stellen Sie dann ein neues Element an den Satzanfang: Wie verändert sich die Betonung? Sprechen Sie laut.

> *1. Junge <u>Leute</u> ziehen immer häufiger wegen einer neuen Arbeitsstelle <u>um</u>.*
>
> *Wegen einer neuen <u>Arbeitsstelle</u> ziehen junge Leute immer häufiger <u>um</u>.*
>
> *Immer <u>häu</u>figer ziehen junge Leute wegen einer neuen Arbeitsstelle <u>um</u>.*

| 16

Peeling the Onion? (handwritten, unclear)

Aber denn und sondern oder (handwritten)

4 Die Aduso-Wörter

Verbinden Sie die Sätze mit „denn", „aber", „oder", „und" oder „sondern".

1. Marion wurde zur „Jobnomadin". Sie fand keine Arbeit in der Nähe. *denn (=weil)*
2. Dieses Wochenende fährt nicht sie nach Hause, ihr Freund kommt zu ihr. *sondern*
3. Michael spielt in einer Band. Andreas hat auch dort angefangen. *und*
4. Inga hat lange in ihrer Heimatstadt nach einer Arbeit gesucht. Sie hat leider keine gefunden. *aber*
5. Sie kennt jeden Kilometer der Autobahn. Sie ist eine Berufspendlerin. *denn*
6. Sie fährt nicht heute nach Hause. Sie fährt erst morgen. *sondern*

> 1. _Marion wurde zur „Jobnomadin", denn sie fand keine Arbeit in der Nähe._

5 Warum, wieso, weshalb, weswegen?

Lesen Sie den Text und ergänzen Sie die Gründe.

> deshalb   ~~weil~~   nämlich   wegen   aus diesem Grund   da

Marion Nickel, 29, hat noch nie länger als fünf Jahre an einem Ort gewohnt und ist mehr als zehnmal in ihrem Leben umgezogen. Zuletzt ging sie von Konstanz nach Hamburg, [1] _weil_ sie dort die Journalistenschule besuchen wollte. Seit Februar wohnt die freie Journalistin zusammen mit ihrem Freund in Rheinfelden bei Basel. Ihr Freund hat dort [2] _nämlich_ vor kurzem einen Zweijahresvertrag unterschrieben. Davor führten die beiden immer wieder mal eine Fern- bzw. Wochenendbeziehung. [3] „_da_ ich mich sehr schnell einleben kann, haben die Ortswechsel immer gut geklappt. Meine Kollegen haben mir ein Gefühl der Geborgenheit gegeben; [4] _deshalb_ habe ich mich in Hamburg sehr aufgehoben gefühlt. Es war immer jemand da, den man anrufen und besuchen konnte. Es ist aufregend, so viele Orte und Menschen kennen gelernt zu haben. Aber auch anstrengend. [5] _deshalb_ will ich erst mal meine Kisten stehen lassen und ankommen. [6] _wegen_ meiner Zukunft mache ich mir keine Sorgen."

aus diesem grund (handwritten note)

6 Von Innsbruck nach München

wegen + Genitiv! (? Dativ) (handwritten note)

Lesen Sie und ergänzen Sie dann unten die Gründe von Andreas und Michael.

Andreas (20): Ich mache gerade meine Fachausbildung in München. Mit dem Umzug hatte ich kein Problem. 20 Jahre Innsbruck – das reicht vorerst. Es ist spannend, eine neue Stadt und neue Leute kennen zu lernen. An der Schule habe ich gleich Kontakt zu einer Münchner Band bekommen, in der ich nun mitspiele. Auch mit dem Nebenjob hat es gleich geklappt. Ich finde es toll, hier eine eigene Wohnung zu haben und mit meinem besten Freund zusammenwohnen zu können. Da meine Freundin gerade in Irland ist, gibt es nichts, was ich in Innsbruck besonders vermissen würde.

Michael (19): In Innsbruck habe ich mit meinen Eltern und drei Geschwistern zusammengelebt. Da ist es ein befreiendes Gefühl, endlich eigene vier Wände zu haben. Ich mag München, weil die Stadt nicht so distanziert ist wie andere Großstädte. Außerdem liegt mir die bayerische Mentalität. Die Freunde fehlen mir nicht. Die kommen öfter mal zu Besuch, man mailt, telefoniert. Außerdem ist es ganz angenehm, mal Abstand zu haben, mich mal mit anderen Menschen zu umgeben. An den Wochenenden fahre ich hin und wieder nach Innsbruck, um als Tontechniker für Live-Bands zu arbeiten. In der Branche bin ich es gewohnt, viel unterwegs zu sein. Teilweise habe ich dafür bis zu 600 Kilometer an einem Wochenende zurückgelegt. Nach der Ausbildung werde ich dorthin gehen, wo mich die Arbeit hinführt.

1. Andreas ist nach München gezogen, weil _er eine Fachausbildung in München macht._
2. Er ist gern umgezogen, denn _es ist spannend_.
3. Da er an der Schule _Kontakt an einer Schule hat_, fühlt er sich sehr wohl.
4. Michael hat immer in einer großen Familie gelebt, deshalb _ist er froh endlich 4 wände zu hab..._
5. Er mag München, denn _die Stadt ist nicht so distanziert_.
6. Die Freunde vermisst er nicht, weil _sie öfter mal zu besuch kommen_. *ich werde mich daran...*
7. Er arbeitet als Tontechniker für Live-Bands, deswegen _ist er viel unterwegs_. *fahrt*
8. Aber es macht ihm nichts aus, viel unterwegs zu sein, denn _er ist es gewohnt._
in der Branche ist ist gew...

Arbeiten, wo andere Urlaub machen

1 Wie bitte? Wann war das?

Formen und
Strukturen
S. 160

a Die unterstrichenen Wörter drücken eine temporale Bedeutung aus. Analysieren Sie: Welche Wörter sind Subjunktionen? Markieren Sie alle Nebensätze.

Das Ehepaar Müller fährt [1] seit der Wiedervereinigung jeden Sommer ins Ostseebad Prerow. [2] Davor fuhren die beiden übrigens immer an die Nordsee, aber die Müllers sagen: „[3] Damals war es noch schön an der Nordsee, aber heute …" Wie die Menschen eben so sind … [4] Während ihres Aufenthalts mieten Müllers immer einen Strandkorb. Heute kommt Herr Müller mit Frau Jahnke ins Gespräch. Herr Müller ist schon ein bisschen schwerhörig; [5] während er sich mit Frau Jahnke unterhält, muss er manchmal nachfragen.

Fr. J.: [6] Nach der Wiedervereinigung haben wir uns selbstständig gemacht.
Hr. M.: Wie bitte? Wann war das?
Fr. J.: [7] Nachdem die Wiedervereinigung stattgefunden hatte.
Hr. M.: Aha! [8] Sobald die Mauer gefallen war, haben Sie sich selbstständig gemacht. Das war aber mutig!
Fr. J.: Es war ja nicht sofort. Wir haben zuerst noch in der Kurverwaltung gearbeitet und dabei die Lage beobachtet. [9] Danach haben wir mit dem Verleih angefangen.
Hr. M.: [10] Bevor Sie in der Kurverwaltung gearbeitet haben, haben Sie die Lage beobachtet?
Fr. J.: Nein, nein, [11] als wir dort gearbeitet haben, konnten wir natürlich die Lage sehr gut beobachten. Das war aber [12] vor der Zeit unserer Selbstständigkeit.
Hr. M.: Haben Sie eigentlich immer nur Strandkörbe verliehen, [13] seitdem Sie selbstständig sind, oder machen Sie noch andere Geschäfte?
Fr. J.: Um Himmels willen, nein! Wir haben genug zu tun mit den Körben!

Subjunktionen: _5. während,_ _____

b Der Dialog geht weiter. Welches Wort passt? Markieren Sie. Achten Sie auf den Satzbau!

1. Hr. M.: Wie sind Sie denn auf die Idee mit dem Verleih gekommen?
2. Fr. J.: ☒ Als ☐ Nach wir noch in der Kurverwaltung arbeiteten, haben wir beobachtet, dass es hier immer zu wenig Körbe gab.
3. Hr. M.: Entschuldigung! Wann war das?
4. Fr. J.: Wir haben in der Kurverwaltung gearbeitet, ☐ bevor ☐ damals haben wir das beobachtet.
5. Hr. M.: Ach so, ☐ während ☐ sobald Ihrer Tätigkeit bei der Kurverwaltung war das. Und war es leicht, sich selbstständig zu machen?
6. Fr. J.: Na ja. Es geht so. ☐ Bevor ☐ Vor wir mit dem Verleih anfangen konnten, mussten wir sehr viele Formalitäten erledigen und hatten viel Lauferei. Also die Zeit ☐ nach ☐ nachdem der Eröffnung war schon stressig. Aber ☐ davor ☐ als in der Kurverwaltung war es noch stressiger. ☐ Seitdem ☐ Seit einiger Zeit läuft aber alles richtig gut.
7. Hr. M.: Verzeihung, das letzte habe ich nicht mitgekriegt.
8. Fr. J.: Ich meine, ☐ seitdem ☐ danach wir genug Erfahrung gesammelt haben, läuft alles ziemlich gut. Kommen Sie eigentlich nächstes Jahr wieder hierher?
9. Hr. M.: Das ist noch nicht klar. Aber ☐ sobald ☐ sofort wir das wissen, rufen wir Sie an.
10. Fr. J.: Wunderbar – und gleich ☐ nach ☐ nachdem Sie angerufen haben, reserviere ich Ihnen Ihren Lieblingskorb.

2 Die ungleichen Regenwürmer

Lesen

Lesen Sie den Schluss vom Text im Lehrbuch, S. 19, und vergleichen Sie ihn mit Ihrer Version.

… Doch er war kaum drei Fuß weit gekommen, da entdeckte ihn eine Amsel und fraß ihn auf.
Der zweite Regenwurm hingegen blieb immer in seinem Loch unter dem Boden, fraß jeden Tag seine Sauerampferwurzeln und blieb die längste Zeit am Leben. Aber sagt mir selbst – ist das ein Leben?
PS: Ich bin wiederholt von biologischer Seite darauf hingewiesen worden, dass Regenwürmer keine Wurzeln fressen (wie sollten sie auch, zahnlos wie sie sind?). Trotzdem habe ich mich nie dazu durchringen können, die Geschichte umzuändern, z. B. in „Die ungleichen Feldmäuse" oder „Die ungleichen Maulwürfe". Da sitzt man als Schriftsteller gemütlich in seiner Fantasiestube, lässt sich die schönsten Dinge durch den Kopf gehen, und dauernd klopft die Realität an die Türe – sagt mir selbst, ist das ein Leben? (Franz Hohler)

Grammatik: Das Wichtigste auf einen Blick

1 Wie man Informationen in einem Satz unterbringen kann: die Satzklammer

Formen und Strukturen S. 155

Position 1	Position 2	Mittelfeld	Satzende
(Subjekt / Angabe / Ergänzung)	*(finites Verb)*	*((Subjekt +) Ergänzungen + Angaben)*	*(infiniter Verbteil)*
Nach einer Stunde	haben	**wir** das Hotel mitten in einem Wäldchen	gesehen.
Wir	sind	sofort mit all unserem Gepäck	hingelaufen.

Die Satzklammer umfasst Position 2 und Satzende. Auf Position 1 steht entweder das Subjekt oder eine Angabe. Wenn eine Ergänzung besonders betont werden soll, kann sie auch auf Position 1 stehen. Steht das Subjekt nicht auf Position 1, dann steht es im Mittelfeld, direkt nach dem Verb.

Bei Nomen-Verb-Verbindungen wird die Satzklammer durch das Verb und das Nomen gebildet:
• Er stellt das Thema zur Diskussion.
• Er stellt das Thema heute Abend auf der Versammlung sicherlich zur Diskussion.

2 Wie man Sätze verbinden kann: die „aduso"-Wörter

Formen und Strukturen S. 158

Hauptsatz 1	Hauptsatz 2				
	Pos. 0	Pos. 1	Pos. 2	Mittelfeld	Satzende
Andrea geht gern wandern,	aber	sie	kann	das nur selten	tun.

Konjunktion	Bedeutung	Beispiel
aber	*Gegensatz*	• Ihre Eltern kommen erst morgen, aber sie rufen heute noch an.
denn	*Grund*	• Andrea hat nicht viel Freizeit, denn ihr Baby braucht sie ständig.
und	*Verbindung, Aufzählung*	• Früher kam Andrea oft nach Hause und ging dann wieder aus. • ... die Vor- und Nachteile von Gruppenreisen ...
sondern	*Korrektur*	• Heute geht sie nicht aus, sondern (sie) bleibt meistens daheim.
oder	*Alternative*	• Am Abend sieht sie oft fern oder Freunde kommen zu Besuch.

Die „aduso"-Wörter stehen immer im zweiten von zwei Hauptsätzen. Wenn Subjekt und Verb in Satz 1 und Satz 2 gleich sind, kann man das Subjekt und das Verb in Satz 2 weglassen.

3 Wie man seine Meinung mit Argumenten stützen kann: kausale Nebensätze

Formen und Strukturen S. 159

Kausale Nebensätze geben den Grund für das Geschehen an: **Warum?**

Hauptsatz	Subjunktion	Mittelfeld	Satzende
Die Wohnung ist sehr laut,	weil / da	sie direkt an einer Hauptstraße	liegt.

Besonders die Nebensätze mit „da" stehen oft vor dem Hauptsatz:
• Da ich selber Hunde hatte, störte mich das Hundegebell nicht.

In der Umgangssprache wird heute „weil" auch mit Hauptsatz-Konstruktion gebraucht:
• Ich konnte nicht früher kommen, weil mein Fahrrad ist kaputt gegangen.

Alternative Möglichkeiten, Kausal-Angaben auszudrücken:

Nebensatz	Verbindungsadverb	Präposition + Nomen
• Wir fliegen dieses Mal in Urlaub, weil es ein gutes Angebot gibt. • Wir fliegen, denn es gibt ein gutes Angebot.	• Es gibt ein gutes Angebot, deshalb fliegen wir dieses Mal. • Wir fliegen dieses Jahr, wir haben nämlich ein gutes Angebot gefunden.	• Wegen des günstigen Angebots fliegen wir dieses Mal in Urlaub. • Aus Angst vor dem Fliegen ist Ben aber nicht mitgekommen.
weil, da, insofern als, denn = *Hauptsatzkonjunktion!*	deshalb, deswegen, darum, daher, ...	wegen + G, dank+ G, aufgrund+ G, aus + D, vor + D, ...

2 Einfach schön

Einfach schön

1 Schöne Schlagzeilen aus der Zeitung

Welches Wort passt? Markieren Sie.

1. Ärztevereinigung warnt vor den negativen Folgen des ___Schönheitswahns___.
   a. Schönheitswettbewerbs   **b.** Schönheitswahns   **c.** Schönheitschirurgen

2. Opposition kritisiert _____ der Regierung.
   a. Schönheitsideal   **b.** Schönschrift   **c.** Schönfärberei

3. Angebot des Monats: 10 Tage _____ in Bayern.
   a. auf einer Schönheitsfarm   **b.** bei einem Schönheitsideal   **c.** bei einem Schönredner

4. Von der Abiturientin aus Hildesheim zur _____ von Deutschland. Ein
   Interview mit der neuen Miss Germany.
   a. Schönheitsfarm   **b.** Schönheitskönigin   **c.** Schönheitspflege

5. Schönheitskult ohne Ende: Deutsche geben im Schnitt pro Jahr 130 Euro für _____
   aus.
   a. Schönheitspflege   **b.** Schönfärberei   **c.** Schönheitswettbewerbe

6. Für Menschen mit _____ – die neue S-Klasse von Mercedes!
   a. Schönheitswahn   **b.** Schönheitskult   **c.** Schönheitssinn

2 Schönheit und Stil

Welches Wort passt nicht? Streichen Sie.

1. Natürlichkeit – Arroganz – Authentizität – Echtheit
2. Perfektionismus – Schlampigkeit – Ordnungsliebe – Pedanterie
3. großartig – hervorragend – akzeptabel – umwerfend
4. Selbstbewusstsein – Selbstvertrauen – Souveränität – Unsicherheit
5. modisch – stilsicher – altmodisch – trendbewusst
6. durchschnittlich – außergewöhnlich – extravagant – Aufsehen erregend

3 Testen Sie sich selbst: Mir ist wichtig . . .

a Welche Antwort trifft am ehesten auf Sie zu? Kreuzen Sie auf dem Fragebogen a, b oder c an.

Wie wichtig sind dir dein Aussehen und die Attraktivität deiner Mitmenschen? Wolltest du schon immer wissen, wie du im Grunde deines Herzens auf andere Personen wirken willst? Dann teste dich hier!

1. Wie kleidest du dich?
   a. ☐ Sportlich.   **b.** ☐ Modebewusst.   **c.** ☑ Ganz normal, wie jede(r) andere auch.

2. Was siehst du, wenn du in den Spiegel schaust?
   a. ☐ Eine selbstbewusste Person.   **b.** ☐ Viele Problemzonen.   **c.** ☑ Weiß ich nicht.

3. Welche Behauptung trifft für dich am ehesten zu?
   a. ☐ Ein paar Extra-Minuten im Bad oder vor dem Spiegel schaden nie.
   b. ☐ Pflegeprodukte sind eine Investition in die Zukunft und steigern das Wohlbefinden.
   c. ☑ Warum mehr als die absolut notwendige Zeit für Schönheitspflege verwenden?

4. Wodurch kann man deiner Meinung nach attraktiver wirken?
   a. ☐ Viel Sport treiben.   **b.** ☑ Die richtige Kleidung tragen.   **c.** ☐ Das geht eigentlich nicht.

5. Lässt du dich gerne fotografieren?
   a. ☐ Na ja, ist schon in Ordnung.   **b.** ☐ Ich liebe es!   **c.** ☑ Mag ich nicht besonders.

6. Worauf achtest du zuerst, wenn du gerade dabei bist, jemanden kennen zu lernen?

    a. ☐ Auf das Lächeln. **b.** ☐ Auf das Aussehen. **c.** ☑ Auf die Ausstrahlung.

7. Welche Eigenschaft ist dir bei anderen Menschen allgemein am wichtigsten?

    a. ☐ Verfolgt ähnliche Interessen wie ich selbst. **b.** ☐ Kann sich in der Öffentlichkeit präsentieren.

    c. ☑ Ist ein interessanter Gesprächpartner.

8. Findest du selbst an der schönsten Frau oder dem schönsten Mann noch einen Makel?

    a. ☐ Eigentlich nicht. **b.** ☐ Eher schon. **c.** ☑ Wie soll das gehen?

9. Was siehst du am liebsten im Fernsehen?

    a. ☐ Krimis. **b.** ☑ Herzzerreißende Liebesfilme. **c.** ☐ Mir egal, ich gucke das, was gerade läuft.

10. Wie viel Vorbereitungszeit brauchst du vor dem Ausgehen?

    a. ☐ 5–15 Minuten. **b.** ☐ 15–60 Minuten. **c.** ☑ 0–5 Minuten.

b Wo haben Sie die meisten Kreuze gemacht: bei a, b oder c? Lesen Sie Ihr entsprechendes Ergebnis. Ersetzen Sie dann die unterstrichenen Wörter mit einer passenden Umschreibung aus dem Schüttelkasten. Denken Sie daran, die entsprechende grammatikalische Form zu wählen.

> sich nicht kümmern um   eine Schwäche haben für etwas   schrecklich finden
> ~~es sehr gern haben~~   sehr viel bedeuten   keinen Respekt haben vor   müssen
> sich gut zurechtfinden mit   für wichtig halten   im Traum nicht daran denken

A Typ Sportler/in

Du [1] liebst es sportlich und einfach. [2] Es würde dir nie in den Sinn kommen, dir irgendwelchen Schnickschnack zuzulegen oder dich aufzutakeln, nur um als stilvoll zu gelten. Du bist im Allgemeinen bodenständig (im positivsten Sinne des Wortes) und entspannt. Gutes Aussehen [3] erachtest du zwar für wichtig, aber nicht um jeden Preis. Du weißt, was du vom Leben erwarten kannst, und kümmerst dich nicht darum, andere mit überbordenden Outfits oder dem letzten Schrei in Sachen Mode zu beeindrucken. Du hast eine gesunde Portion Selbstvertrauen und das sieht man auch. Und nichts ist natürlicher als das!

1. _hast es sehr gern_   2. _____   3. _____

B Typ Trendsetter/in

Neue Trends zu kreieren und der Masse immer einen entscheidenden Schritt voraus zu sein, ist nicht leicht. Aber du [4] hast damit keine Probleme. Du [5] kannst nicht anders, als das Beste zu kaufen, und [6] hast ein Faible für teure Dinge. Du weißt genau, was gut an dir aussieht, und du genießt es und hoffst insgeheim auf ein lobendes Wort für dein normalerweise gelungenes Outfit. Das Gefühl, tip-top auszusehen, [7] hat für dich höchsten Stellenwert. Ist an deinem Äußeren etwas nicht perfekt, dann gehst du nicht aus dem Haus. Ganz egal, ob du gerade auf dem Weg zur Arbeit bist, zu einer Party oder nur eben mal schnell zum Supermarkt.

4. _____   5. _____   6. _____   7. _____

C Typ Naturmensch

Das Streben nach Attraktivität und Schönheit [8] findest du unmöglich. Für dich zählt vielmehr alles Beständige. „Nur kein Stress" könnte dein Lebensmotto sein. [9] Für so genannte „Trendsetter" hast du nur Spott übrig. Wozu jedem Trend hinterherhetzen, wenn kurz danach sowieso wieder etwas anderes „in" ist? [10] Dir ist es egal, wenn deine Frisur so aussieht, als kämst du gerade aus dem Bett, oder deine Kleidung ein wenig zerknittert ist. Alles halb so wild, denkst du dir, es gibt Wichtigeres. Wer hat schließlich das Recht, von dir zu verlangen, dass du immer wie aus dem Ei gepellt daherkommst?

8. _____   9. _____   10. _____

4 Wie beteiligen Sie sich an einem Gespräch?

Ordnen Sie die folgenden Sätze der richtigen Situation zu.

> Das sehe ich ganz genauso! | Ich würde dazu gern noch etwas ergänzen. | Tut mir leid, aber da bin ich anderer Meinung. | Darf ich das bitte erstmal zu Ende führen. | Ich habe mich da vielleicht nicht klar ausgedrückt. Ich wollte eigentlich Folgendes sagen: … | Was verstehen Sie genau unter …? | Darf ich bitte kurz nachfragen: …? | Entschuldigung, darf ich Sie kurz unterbrechen? | ~~Entschuldigung, ich möchte dazu gern etwas sagen.~~

1. So können Sie in ein Gespräch einsteigen:
   Entschuldigung, ich möchte dazu gern etwas sagen.

2. So können Sie sicherstellen, dass Sie den Gesprächspartner korrekt verstanden haben:
   _____

3. So können Sie nachfragen:
   _____

4. So können Sie einen Gesprächspartner unterbrechen:
   _____

5. So können Sie zustimmen:
   _____

6. So können Sie höflich widersprechen:
   _____

7. So können Sie etwas ergänzen:
   _____

8. So können Sie sich korrigieren:
   _____

9. So können Sie sich gegen eine Unterbrechung wehren:
   _____

Schön leicht

1 Attraktive Adjektive

a Ordnen Sie die Silben zu Adjektiven. Einige Silben können Sie mehrfach verwenden.

> fantasie   voll   wert   los   erfolg   weilig   durch   um
> lang   reich   werfend   würdig   schnittlich   glaub

> *fantasielos, fantasievoll,* _____

b Wie heißt jeweils das Gegenteil? Ordnen Sie zu.

1. kreativ   A gesellig   1. [C]
2. faul   B hässlich   2. [ ]
3. beliebt   C fantasielos   3. [ ]
4. großartig   D klug   4. [ ]
5. ungesellig   E fleißig   5. [ ]
6. erfolgreich   F fürchterlich   6. [ ]
7. dumm   G unfair   7. [ ]
8. hübsch   H unbeliebt   8. [ ]
9. unattraktiv   I erfolglos   9. [ ]
10. fair   J gut aussehend   10. [ ]

2 Interview mit einer Expertin

Lesen Sie einen Ausschnitt aus dem Interview im Lehrbuch, S. 23. Fügen Sie die richtigen Wörter ein.

> Zeit ~~Definition~~ Schönheit Wahn Idee Bild
> Normen Frage Schönheitsideal Streben Trend

Eine [1] _Definition_ von „schön" ist schwierig, wenn nicht unmöglich, denn [2] _____
bedeutet für jeden von uns etwas anderes. Aber eines lässt sich klar sagen: In der heutigen
[3] _____ werden die [4] _____ für Schönheit von Fernsehstars
und Models definiert. Diese Leute bestimmen ganz klar unser [5] _____, ob wir
das nun wollen oder nicht. …
… Ich würde in diesem Zusammenhang nicht von einem [6] _____ sprechen, aber es
ist doch so, dass viele Menschen von der [7] _____ nahezu besessen sind, schöner und
perfekter auszusehen zu müssen. Dabei haben die meisten ein völlig falsches [8] _____
von ihrem Aussehen. Man sollte diesen [9] _____ jedenfalls kritisch hinterfragen,
denn die entscheidende [10] _____, die wir uns stellen müssen, ist doch: Macht
dieses [11] _____ nach Schönheit die Menschen tatsächlich glücklicher?

3 Tipps vom Experten

a Ordnen Sie die Ratschläge. Manchmal gibt es mehrere Lösungen.

1. Ich empfehle Ihnen,	A täglich an die frische Luft gehen.	1. _D,_____
2. Man sollte	B sich gesund zu ernähren.	2. _____
3. Ich kann nur jedem raten,	C Make-up nur sparsam zu verwenden.	3. _____
4. Jeder sollte darauf achten,	D regelmäßig Sport zu treiben.	4. _____
5. Ich würde vorschlagen,	E Gute Laune hält jung!	5. _____
6. Mein besonderer Tipp:	F dass er nicht zu dick wird.	6. _____

b Formulieren Sie nun selbst schriftliche Ratschläge wie in Übungsteil a.

> ausreichend schlafen ~~regelmäßig zum Friseur gehen~~ viel Obst und Gemüse essen
> sich selbst akzeptieren, wie man ist öfter mal lachen sich möglichst viel bewegen
> dem Schönheitswahn widerstehen mehr Selbstbewusstsein entwickeln

> _Man sollte regelmäßig zum Friseur gehen._ _____

4 Ganz schön einfach?

a Wiederholen Sie die Komparation und ergänzen Sie die Tabelle.

Adjektiv	Komparativ	Superlativ
schön	schöner	am schönsten
leicht		
		am meisten
	besser	
beliebt		
		am liebsten
	teurer	
nah		
	intelligenter	
		am höchsten
dunkel		
	heißer	
groß		

b Hans im Glück auf einem Klassentreffen. Ergänzen Sie die Adjektive in der passenden Form (Grundform, Komparativ oder Superlativ).

| intelligent schnell hoch glücklich ~~groß~~ viel viel |
| elegant teuer klein gut gern niedrig hübsch |

Alle sind da, alle reden durcheinander und zeigen Fotos. Michael hat ein Haus mit acht Zimmern und drei Bädern. Aber das Haus von Andreas ist viel [1] *größer*_____, es hat zehn Zimmer und eine Wellnesslandschaft. Anna und ihr Mann haben drei Pferde. Matthias allerdings hat [2] _____ Pferde, nämlich sieben. Simone liebt die Geschwindigkeit. Sie fährt daher einen Porsche. Christians Auto ist aber [3] _____, er fährt nämlich einen Ferrari. An ihrer Kleidung erkennt man sofort, dass alle sehr gut verdienen. Aber die Designer-Kleidung von Heike ist mit Abstand [4] _____. Dafür ist Monika [5] _____ angezogen. Christa hat fünf Jahre in Madrid gelebt. Sie spricht daher [6] _____ Spanisch als ihr Klassenkamerad Pedro, der in Deutschland aufgewachsen ist. Die berufliche Position von Ernst wiederum ist [7] _____ als die der anderen. Die Kinder von Silke sind dafür [8] _____ als die Kinder der anderen, sie haben nur Einser in der Schule. Bernds Kinder sind mit ihren blonden Locken jedoch [9] _____.
Und Hans? – Sein Haus ist [10] _____ als die der anderen und sein Gehalt ist [11] _____. Aber dafür hat er [12] _____ Zeit, die verbringt er [13] _____ mit seiner Familie. Deshalb ist er auch [14] _____ von allen. Ein richtiger Hans im Glück also.

Schöne Diskussionen

Wortschatz

1 Welche Wörter helfen dabei, eine Vermutung bzw. eine Überzeugung auszudrücken?

Notieren Sie „V" für Vermutung oder „Ü" für Überzeugung.

1. sicherlich	V	7. auf jeden Fall	☐
2. ohne Ausnahme	Ü	8. vielleicht	☐
3. unter Umständen	☐	9. hundertprozentig	☐
4. sicher	☐	10. wahrscheinlich	☐
5. möglicherweise	☐	11. zweifelsohne	☐
6. eventuell	☐	12. vermutlich	☐

Formen und
Strukturen
S. 168

2 Vielleicht, möglicherweise, wahrscheinlich . . .

Was passt besser: a oder b? Markieren Sie und formulieren Sie die Sätze um.

1. Möglicherweise werden Sie oft mit anderen Leuten verwechselt.
   a. wahrscheinlich   **b.** es könnte sein, dass
   Es könnte sein, dass Sie oft mit anderen Leuten verwechselt werden.

2. Dann sehen Sie wahrscheinlich vollkommen durchschnittlich aus.
   a. vermutlich   **b.** vielleicht

3. Durchschnittliche Gesichter werden wohl als besonders attraktiv bewertet.
   a. wahrscheinlich   **b.** bestimmt

4. Gelten gut aussehende Menschen also vielleicht auch als intelligenter, kreativer und fleißiger?
   a. zweifellos   **b.** unter Umständen

5. Genau so ist es. Deshalb werden Schöne es im Leben bestimmt leichter haben.
   a. eventuell   **b.** sicherlich

[handwritten top margin: Te ka mo Lo / Te / Lo + Te kann umstellen]
[handwritten: temporal Kausal modal Lokal / wenn? warum? wie? wo/wohin? / Verb. Pos II]

Schön der Reihe nach

Formen und
Strukturen
S. 155

[handwritten: pg 171. / 21/10/08 / HW]

1 Schönheit ist nicht alles – so macht man sich bei seinen Mitmenschen beliebt!

Ersetzen Sie die Dativ- und Akkusativ-Ergänzungen durch Pronomen wie im Beispiel.

1. Ein aufmerksamer Mann bringt seiner Frau öfter mal Blumen mit.
2. Eine aufmerksame Frau schenkt ihrem Mann sein Lieblingsrasierwasser.
3. Ein netter Nachbar liest den Kindern von nebenan mal ein Märchen vor.
4. Ein freundlicher Passant zeigt den Touristen den Weg ins Zentrum.
5. Eine geduldige Lehrerin erklärt den Schülern die Grammatik noch einmal.
6. Ein guter Verkäufer empfiehlt dem Kunden ein passendes Gerät.

> 1. *Ein aufmerksamer Mann bringt ihr öfter mal Blumen mit.*
> *Ein aufmerksamer Mann bringt sie seiner Frau öfter mal mit.*
> *Ein aufmerksamer Mann bringt sie ihr öfter mal mit.*

2 Verschiedene Informationen im Satz betonen

Formen und
Strukturen
S. 155

a Schreiben Sie die Sätze entsprechend um.

1. Familie Funke hat noch nie Urlaub in Italien gemacht.
   a. Betonen Sie die temporale Angabe: *Noch nie hat Familie Funke in Italien Urlaub gemacht.*
   b. Betonen Sie die lokale Angabe: *In Ital. hat Fam. Fu. noch nie Urlaub gem.*

2. Marion Nickel musste aufgrund ihrer Ausbildung nach Norddeutschland ziehen.
   a. Betonen Sie die lokale Angabe: _____
   b. Betonen Sie die kausale Angabe: _____

3. Herr und Frau Jahnke haben nach der Wende mit großem Erfolg einen Strandkorbverleih eröffnet.
   a. Betonen Sie die temporale Angabe: _____
   b. Betonen Sie die modale Angabe: _____

4. Frau Jahnke hat heute wegen des starken Windes besonders viele Strandkörbe ausgeliehen.
   a. Betonen Sie die temporale Angabe: _____
   b. Betonen Sie die kausale Angabe: _____

5. Carlas Wohngemeinschaft trifft sich zum Diskutieren am liebsten in der Küche.
   a. Betonen Sie die lokale Angabe: _____
   b. Betonen Sie die modale Angabe: _____

6. Carla fährt diesen Sommer mit ihren Freunden nach Griechenland.
   a. Betonen Sie die modale Angabe: _____
   b. Betonen Sie die temporale Angabe: _____

b Lesen Sie Ihre Sätze in Übungsteil a noch einmal. Überlegen Sie dann, ob die folgenden Ergänzungen jeweils besser nach Satz a oder nach Satz b stehen sollten.

	Nach Satz
1. Aber in Frankreich ist sie schon mindestens fünfmal gewesen.	b
2. Vorher hatte sie in Süddeutschland gelebt.	____
3. Nicht funktioniert hat dagegen die Idee, Eis am Strand zu verkaufen.	____
4. Gestern lief das Geschäft allerdings nicht so gut.	____
5. Nur im Sommer ist der Balkon natürlich noch beliebter.	____
6. Letztes Jahr war sie mit ihren Eltern in Österreich.	____

3 Wo im Satz steht die Negation?

a Verneinen Sie die ganze Aussage. „Nicht" steht dann hinten im Mittelfeld.

1. Schönheit sollte man überbewerten.
2. Viele stimmen daher dem modernen Schönheitskult zu.
3. Viele Stars hätten es ohne Schönheits-Operationen geschafft.
4. Das bezweifelt die Autorin.
5. Die Schreiber im Internetforum finden, dass Schönheit das Wichtigste überhaupt ist.

> 1. _Schönheit sollte man nicht überbewerten._

b Überlegen Sie, welches Satzelement verneint werden kann. Markieren Sie dieses und formulieren
Sie die Verneinung.

1. Schöne Menschen sollten bevorzugt behandelt werden.
2. Das Äußere eines Menschen sagt alles über seinen Charakter.
3. Frauen sollten sich immer schminken.
4. Ein schöner Mensch wirkt anziehender als ein „Durchschnittsbürger".
5. Wenn man mit sich zufrieden ist, sollte man nach den Gründen suchen.
6. Wirklich selbstbewusste Menschen streben nach Attraktivität und Schönheit.

> 1. _Schöne Menschen sollten nicht bevorzugt behandelt werden._

4 Schon eine Woche Kopfschmerzen: Welche Elemente sind betont?

a Hören Sie und unterstreichen Sie die Satzakzente.

1. Jan hat seinem Arzt seine Beschwerden beschrieben.
2. Der Arzt hat ihm ein Mittel gegen Migräne verschrieben.
3. Der Apotheker hat Jan die Tabletten gegeben.
4. Der Apotheker hat ihm auch einen Tee empfohlen.

b Hören Sie und unterstreichen Sie die Satzakzente. Wie verändert sich die Betonung im Vergleich
zu Übungsteil a?

1. Jan hat seine Beschwerden seinem Arzt beschrieben.
2. Der Arzt hat das Mittel gegen Migräne auch einer Patientin verschrieben.
3. Der Apotheker hat die Tabletten Jans Freundin gegeben.
4. Der Apotheker hat diesen Tee auch Frau Müller empfohlen.

5 Wo steht was?

a Bilden Sie Sätze und beginnen Sie jeweils mit dem unterstrichenen Wort.

1. Jan / sein Bruder / endlich / erzählen von / seine chronische Kopfschmerzen
2. Jan / nur mit ihm / sprechen / darüber.
3. empfehlen / sein Bruder / ihm / bekannter Heilpraktiker / glücklicherweise / können
4. allerdings / die Behandlung / Jan / müssen / selbst bezahlen

> 1. _Jan hat seinem Bruder endlich von seinen chronischen Kopfschmerzen erzählt._

b Überlegen Sie nun, welche Elemente wohl in den Sätzen 1 bis 4 betont sind. Sprechen Sie.

Schön wohlfühlen

1 Körperliche Redewendungen

Wortschatz

Was ist falsch? Korrigieren Sie die Redewendungen.

1. Er will mit ~~der Schulter~~ *dem Kopf* durch die Wand.
2. Sie reißt sich ~~keinen Schenkel~~ _____ aus.
3. Sie steckt ~~ihren Kiefer~~ _____ überall rein.
4. Er lässt ~~die Ohren~~ _____ hängen.
5. Sie steht mit beiden ~~Händen~~ _____ im Leben.
6. Er ist wie vor ~~das Kinn~~ _____ geschlagen.
7. Sie sieht den Tatsachen ~~auf die Stirn~~ _____.
8. Er zeigt ihr ~~den kalten Kopf~~ _____.

2 Diagnostizieren Sie.

Wortschatz

Welche Symptome passen zu welcher Krankheit?

1. Er hat Kopfschmerzen und großen Durst, außerdem findet er das Licht im Zimmer viel zu hell.
   Er hat einen Kater. _____

2. Ihr Gesicht ist ganz rot und brennt wie Feuer. Die Haut geht langsam ab.
   Sie hat einen ... _____

3. Ihre Augen sind rot und und tränen, und sie sieht nicht so klar wie sonst.
   Das ist eine ... _____

4. Er ist beim Laufen in ein Loch getreten, jetzt ist der linke Fuß ganz dick geworden.
   Das ist sicherlich eine ... _____

5. Sie hat hohes Fieber und Kopfschmerzen.
   Das ist wohl eine ... _____

3 Guter Rat ist teuer!

Wortschatz

> **Konjunktiv II:**
>
> die meisten Verben: würde + Infinitiv →
> ich würde anrufen
>
> Modalverben: ich könnte / dürfte / müsste / sollte /
> wollte + Infinitiv

Ergänzen Sie die fehlenden Wörter.

| solltest   wie wäre es   ~~rate~~   an Ihrer Stelle |
| probieren Sie   sollten   wäre   empfehle |

1. Ich glaube, ich habe mir den Fuß verstaucht. – Ich __*rate*__ Ihnen, erst mal den Fuß hochzulegen.

2. Ich habe schon wieder einen Sonnenbrand. – Sie _____ wirklich nicht so unvorsichtig sein!

3. Mein Kind hat 39° C Fieber. – _____ würde ich mal beim Arzt anrufen.

4. Mir ist ganz unwohl, ich glaube, ich werde krank. – _____, wenn Sie nach Hause gehen würden?

5. Ich habe furchtbare Halsschmerzen. – Da _____ ich Ihnen, in der Apotheke die Tabletten „Lutschinetten" zu kaufen.

6. Ich habe Kopfschmerzen und meine Augen brennen! – Du _____ deine Brille aufsetzen.

7. Ich kriege im Frühling immer diese roten Flecken im Gesicht. – Wenn ich Sie _____, würde ich es mit dem folgenden Geheimrezept versuchen: …

8. Tagsüber bin ich immer müde, aber nachts kann ich trotzdem nicht schlafen. – _____ es doch mal mit Sport, das hilft bestimmt.

Formen und
Strukturen
S. 157

4 Erinnern Sie sich? Der Imperativ

Formulieren Sie Aufforderungen mit „Sie".

Sie – Imperativ:

Imperativ mit Sie = identisch mit der Sie–Form im Präsens. Aber das Verb steht auf Position 1:
Sie lachen → Lachen Sie!

Ausnahme: sein → Seien Sie vorsichtig!

1. öfter mal lachen: _Lachen Sie doch öfter mal._
2. täglich an die frische Luft gehen: _____
3. regelmäßig Sport treiben: _____
4. täglich sieben bis acht Stunden schlafen: _____
5. genügend Vitamine zu sich nehmen: _____
6. nach der Arbeit vom Stress abschalten: _____

Lesen

5 Eine Schönheitsoperation: Wer zeigt für die Situation von Kai Verständnis?

a Notieren Sie (v) = verständnisvoll, (w) = wenig verständnisvoll.

Kai | 28.11., 12:10
Ich bin jetzt 25 und verdiene mein Geld als Musiker. Obwohl es seit zwei Jahren besser läuft, habe ich den Durchbruch als Sänger noch nicht geschafft. Ich glaube, das hängt mit meinem Aussehen zusammen. Deshalb überlege ich mir gerade, mich einer Schönheitsoperation zu unterziehen. Ich bin mir der Gefahren durchaus bewusst – was wenn die OP schief geht oder ich mit dem Ergebnis nicht zufrieden bin? Aber ein solcher Eingriff könnte meine große Chance sein, meinen Kindheitstraum endlich zu verwirklichen und auf den ganz großen Bühnen der Welt zu singen. Was haltet ihr davon? Soll ich es riskieren?
Lg, Kai

Kai
Newbie
Beiträge: 1

1. Wie wär's, wenn du als ersten Schritt psychologische Hilfe in Anspruch nimmst? Deine Entscheidung wird dein zukünftiges Leben für immer beeinflussen, da sollte man sich auf jeden Fall die Meinung eines Experten anhören.   _v_

2. Ich halte von deiner Idee rein gar nichts. Glaub mir, eine Schönheitsoperation ist im Endeffekt immer umsonst. Du kannst dein Inneres, deinen Charakter nicht ändern. An deiner Stelle wäre ich froh, gesund zu sein.   _____

3. Hast du schon daran gedacht, mit der Entscheidung fürs Erste zu warten? Vielleicht könnten dir ein paar Monate Zeit zum Nachdenken helfen. Warum fährst du nicht einfach ins Ausland, um den Kopf frei zu bekommen? Mir hat ein solcher Schritt immer geholfen.   _____

4. Ich denke, ich kann gut nachvollziehen, wie es dir im Moment geht. Aber bevor du diesen Schritt unternimmst, solltest du dich über die Risiken informieren und dir einen anerkannten Chirurgen mit Erfahrung suchen. Meine Schwester wurde vor kurzem an der Nase operiert und es geht ihr den Umständen entsprechend gut. Ich wünsche dir jedenfalls viel Glück.   _____

5. Du meinst die Frage nicht ernst, oder? Du bist 25 und sagst selbst, dass es dir beruflich relativ gut geht. Wie kommst du überhaupt auf die Idee, dir ein neues Gesicht machen zu lassen? Tut mir leid, aber für Leute wie dich habe ich nur Mitleid übrig.   _____

b Was kann man Kai empfehlen? Formulieren Sie Ratschläge an ihn. Benutzen Sie dazu die
Redemittel aus Übung 3.

– zu einer Stilberatung gehen
– an den eigenen Erfolg glauben
– nicht zu selbstkritisch sein
– sich über die Risiken informieren
– eine Reise machen, um in Ruhe nachzudenken
– nicht so schnell aufgeben
– mit einem Experten sprechen
– sich freuen, dass man gesund ist
– selbst akzeptieren, wie man ist
– …

> **du – Imperativ:**
>
> Imperativ mit du = identisch mit der du-Form,
> aber ohne Endung und Personalpronomen:
> du sprichst → Sprich bitte! Ausnahmen: sein →
> Sei ruhig!, haben → Hab eine gute Zeit!
>
> Sonderformen: Unregelmäßige Verben immer
> ohne Umlaut, wie z. B. laufen: du läufst → Lauf!
> Ihr-Form ist identisch mit der 2. Person Plural.

> 1. *Wie wäre es, wenn du mal zu einer Stilberatung gehen würdest?*

c Imperativ mit „du". Formulieren Sie nun die Aufforderungen aus Übungsteil b in der Imperativform.

> 1. *Geh doch mal zu einer Stilberatung!*

d Was ist der Unterschied zwischen den Formulierungen in den Übungsteilen b und c? Diskutieren
Sie im Kurs.

e Was glauben Sie? Wie wird sich Kais Leben in Zukunft entwickeln? Was könnte passieren?
Notieren Sie Ihre Vermutungen.

> Ich nehme an / vermute, dass … | Es kann gut sein, dass … | Ich würde sagen, dass … |
> Wenn man die Vergangenheit betrachtet, dann … | Ich könnte mir vorstellen, dass … |
> Vielleicht | Möglicherweise | Wahrscheinlich | Es könnte sein, dass … | Er könnte …

6 Reif für die Insel – ein Ratgeber für gestresste Menschen

Die Einleitung steht schon da. Bitte schreiben Sie weiter.

> **Aussagen:** Wenn Sie sich das Ziel setzen, … | Grundsätzlich ist es wichtig, dass … | Es empfiehlt
> sich in diesem Fall, … | Dabei gilt die Regel: … | Man muss darauf aufpassen, dass …
> **Aufforderungen:** Bedenken Sie … | Achten Sie auf … | Vergessen Sie nicht … | Sie sollten
> auf keinen Fall / besonders … beachten / darauf achten, dass …
> **Abschluss:** Am besten ist es, Sie … | Zum Schluss noch ein ganz besonderer Tipp: …

> *Wer kennt dieses Gefühl nicht? Sie sind total gestresst und möchten am liebsten alles hinter*
> *sich lassen. Doch Wohlbefinden kann man lernen. Mit folgenden Tipps: …*

Schöne Momente, schöne Worte

1 Positiv oder negativ?

Sortieren Sie.

> herrlich   miserabel   wunderschön   fürchterlich   toll   ~~hervorragend~~
> furchtbar   wundervoll   ~~schrecklich~~   außergewöhnlich   katastrophal

positiv	negativ
hervorragend,	schrecklich,

Wortschatz

2 Beschreibungen

Bitte markieren Sie. Es gibt jeweils zwei richtige Lösungen.

1. Ein gelungenes Geschenk kann sein:
   a. ~~unglaublich~~ ☒   **b.** fürchterlich   **c.** ~~großartig~~ ☒

2. Eine Beerdigung kann man so beschreiben:
   a. ein großartiges Ereignis   **b.** ein bewegendes Ereignis   **c.** ein überwältigendes Ereignis

3. Ein unerwünschtes politisches Ereignis kann sein:
   a. katastrophal   **b.** furchtbar   **c.** speziell

4. Die eigene Hochzeitsfeier ist hoffentlich
   a. schrecklich   **b.** unbeschreiblich   **c.** wunderschön

5. Das verlorene Fußballspiel war für die Fans
   a. fürchterlich   **b.** hervorragend   **c.** miserabel

excellent

Formen und
Strukturen
S. 176

3 Verstärkende Wörter

a Welches Konzert war besser? Bitte markieren Sie.

1. **a.** ein extrem gutes Konzert ☒   **b.** ein recht gutes Konzert
2. **a.** ein relativ gutes Konzert   **b.** ein absolut gutes Konzert
3. **a.** ein äußerst gutes Konzert   **b.** ein ziemlich gutes Konzert
4. **a.** ein ganz gutes Konzert   **b.** ein wirklich gutes Konzert
5. **a.** ein unglaublich gutes Konzert   **b.** ein recht gutes Konzert

b Welches Konzert war schlechter?

1. **a.** ein katastrophal schlechtes Konzert ☒   **b.** ein ziemlich schlechtes Konzert
2. **a.** ein relativ schlechtes Konzert   **b.** ein wirklich schlechtes Konzert
3. **a.** ein ziemlich schlechtes Konzert   **b.** ein schrecklich schlechtes Konzert
4. **a.** ein absolut schlechtes Konzert   **b.** ein ganz schlechtes Konzert
5. **a.** ein unglaublich schlechtes Konzert   **b.** ein sehr schlechtes Konzert

c Kritisieren Sie ein miserables Konzert. Fügen Sie ein: absolut, äußerst, extrem, furchtbar, ganz, katastrophal, schrecklich, unglaublich, wirklich oder ziemlich. Es gibt immer mehrere Lösungen.

1. Ich war gestern bei einem Konzert, das ich _furchtbar_ schlecht und misslungen fand.
2. Die gesamte Show wirkte _____ unprofessionell.
3. Ich fand den neuen Sänger _____ enttäuschend.
4. Seine Texte hörten sich _____ langweilig an.
5. Und die Band im Hintergrund? Deren Anzüge sahen _____ altmodisch aus.
6. Trotzdem waren die Karten für das Konzert _____ teuer. Eine Frechheit!

Schreiben

4 Ein besonderes (positives oder negatives) Erlebnis in Ihrem Leben

Im Kursinterview haben Sie über ein besonderes Erlebnis berichtet. Schreiben Sie nun einen Bericht darüber an einen Brieffreund in Deutschland.

Mögliche Anlässe für Ihren Bericht:
- ein Urlaub, eine Reise
- ein kulturelles Ereignis
- ein Familienereignis
- ein Erfolgserlebnis im Beruf
- ein Wiedersehen
- …

> Einer meiner schönsten / schlimmsten Momente war, als ich … | Das Besondere an diesem Moment war, dass … | Ich wusste (nur), dass ich (nicht) … | Es war äußerst / extrem / besonders … | Es war großartig / schrecklich / …, weil … | Es war unglaublich / überwältigend / … | Es war sicher das Wundervollste / Schrecklichste, das ich jemals … | Mein erster Eindruck war … | Ich fand … | Das Gefühl war … | Ich fühlte nur … | Ich war begeistert / entsetzt, weil …

Grammatik: Das Wichtigste auf einen Blick

1 Dativ- und Akkusativ-Ergänzungen im Mittelfeld

Formen und
Strukturen
S. 154,155, 157

Position 1	Position 2	Mittelfeld	Satzende
Die Psychologin	hat	den Hörern Ratschläge	gegeben.
Die Psychologin	hat	ihnen Ratschläge gegen den Schönheitswahn	gegeben.
Die Psychologin	hat	sie den Hörern in der heutigen Radiosendung	gegeben.
Die Psychologin	hat	sie ihnen kostenlos	gegeben.

Bei zwei Nomen gilt meist: Dativ- vor Akkusativ-Ergänzung.
Pronomen stehen vor Nomen: kurz vor lang.
Bei zwei Personalpronomen gilt: Akkusativ- vor Dativ-Ergänzung.

2 Angaben im Mittelfeld

Formen und
Strukturen
S. 155

temporal: wann? (Zeitangaben)	kausal: warum? (Kausal- und Konzessiv-Angaben)	modal: wie? mit wem? (Modal- und Instrumental-Angaben)	lokal: wo? wohin? (Ortsangaben)
heute, später, danach, jeden Morgen, …	wegen, aufgrund, trotz, ungeachtet, …	mit Freude, gern, leider, wahrscheinlich, …	in München, nach Hause, dort, …

Angaben können entweder auf Position 1 oder im Mittelfeld stehen. Die häufigste Reihenfolge der Angaben im Mittelfeld ist te ka mo lo.

Die temporale Angabe *(wann?)* steht meist vor der lokalen Angabe *(wo?)*: Zeit vor Ort.
• Frau Glaser hat sich letztes Jahr im Krankenhaus untersuchen lassen.

Temporale und lokale Angaben stehen auch oft auf Position 1
• Im Krankenhaus gab es bessere Möglichkeiten, bestimmte Untersuchungen durchzuführen.

Die kausalen Angaben *(warum?)* und die modalen Angaben *(wie?)* stehen oft zwischen den temporalen und lokalen Angaben im Mittelfeld.
• Frau Glaser hat sich letztes Jahr wegen ihrer Schmerzen gründlich im Krankenhaus untersuchen lassen.

Wenn eine Angabe besonders betont werden soll, kann sie weiter hinten im Satz stehen:
• Die Nachuntersuchungen wurden im selben Krankenhaus einige Monate später gemacht.

Wenn eine modale Angabe sehr kurz ist, steht sie oft vorn im Mittelfeld: kurz vor lang.
• Seit ihrer Operation geht Frau Glaser regelmäßig zur Untersuchung ins Krankenhaus.

3 Wie man Eigenschaften vergleichen kann: die Komparation

Regelmäßig ohne Umlaut:			regelmäßig mit Umlaut:		
Grundform	Komparativ	Superlativ	Grundform	Komparativ	Superlativ
lieb	lieber	am liebsten	jung	jünger	am jüngsten
Adjektive auf -s,- ß, -st, -sch, -d, -t, -z :			Ausnahmen:		
Grundform	Komparativ	Superlativ	Grundform	Komparativ	Superlativ
beliebt	beliebter	am beliebtesten	gut	besser	am besten
wild	wilder	am wildesten	viel	mehr	am meisten
hübsch	hübscher	am hübschesten	hoch	höher	am höchsten
heiß	heißer	am heißesten	nah	näher	am nächsten
stolz	stolzer	am stolzesten	gern	lieber	am liebsten

• Ich bin genauso alt wie du. Aber ich bin nicht so fit wie du. *(genauso/so + Grundform + wie)*
• Du bist sportlicher als ich. *(Komparativ + als)*
• Aber Linda ist am sportlichsten. *(Superlativ)*

3 Nebenan und Gegenüber

Nebenan und Gegenüber

Wortschatz

1 Wie Nachbarn so sind – Eigenschaften

Ordnen Sie den Adjektiven jeweils das passende Gegenteil zu und notieren Sie die passenden Nomen.

> **Genus von Nomen:**
>
> Nomen mit den Endungen –anz, –heit, –keit, –ion, –tion, –tät, –ung, –schaft sind feminin.

1.	großzügig	**A**	aggressiv	1. [F]	_die Großzügigkeit, die Kleinlichkeit_
2.	zurückhaltend	**B**	egoistisch	2. [ ]	
3.	offen	**C**	desinteressiert	3. [ ]	
4.	tolerant	**D**	intolerant	4. [ ]	
5.	teilnahmsvoll	**E**	aufdringlich	5. [ ]	
6.	hilfsbereit	**F**	kleinlich	6. [ ]	
7.	freundlich	**G**	verschlossen	7. [ ]	
8.	sanft	**H**	unfreundlich	8. [ ]	

_HW_ ✓

Schreiben

2 Was ist nebenan bloß los?

Stellen Sie Vermutungen über die Gründe für das Verhalten der Nachbarn an.

1. Die Kinder sieht man nie mehr auf der Straße. (den ganzen Tag vor dem Computer sitzen)
   Ich vermute, dass die Kinder den ganzen Tag vor dem Computer sitzen.

2. Herr Schildt kommt nie vor 22 Uhr nach Hause. (jeden Abend in der Kneipe sitzen)
   Vermutlich ... sitzt Herr Schmidt jeden Abend in der Kneipe

3. Clara Schildt hat andauernd einen neuen Freund. (sehr wählerisch sein)
   ... wohl ... Clara Schmidt ist wohl sehr wählerisch ✓

4. Der kleine Peter wird immer dicker. (dauernd Süßes essen)
   Ich nehme an, ... dass er dauernd Süßes isst ✓

5. Das Baby schreit andauernd. (Zähne bekommen)
   Es könnte sein, ... dass das Baby Zähne bekommt ✓

6. Die alte Frau Frank hängt den ganzen Tag im Fenster. (sich langweilen)
   Ich könnte mir vorstellen, ... dass die alte Fr Frank sich langweilt

7. Dafür sieht man den alten Herrn Frank nie. (stundenlang fernsehen)
   Ich vermute, ... dass den alten Herrn Frank stundenlang fern sieht ✓ _Fernsehen guckt_

Formen und Strukturen S. 162 ✓

3 Und was ist jetzt die Folge?

Verbinden Sie die Sätze mit den Wörtern aus dem Schüttelkasten. Es gibt immer mehrere mögliche Lösungen. Achten Sie auf den Satzbau!

> so ... dass   folglich   die Folge ist   infolgedessen   schließlich   am Ende

1. Die Musik war laut. Wir haben uns bei den Nachbarn beschwert.
2. Das Hundegebell war unerträglich. Die Nachbarn riefen die Polizei.
3. Es gab immer Krach um die Treppenreinigung. Keiner redete mehr mit dem anderen.
4. Der Nachbar von gegenüber stellt den ganzen Flur voll. Wir kommen kaum zu unserer Tür.
5. Das Ehepaar in der Wohnung über uns streitet sich dauernd. Wir können keine Nacht mehr ruhig schlafen.
6. Der Nachbar aus dem ersten Stock hat schon zum zehnten Mal sein Auto vor unserer Einfahrt geparkt. Wir sprechen nicht mehr mit ihm.

> 1. _Die Musik war so laut, dass wir uns bei den Nachbarn beschwert haben._

Streit in der Nachbarschaft

complete/supplement

1 Das sollten Sie schon kennen – rund ums Wohnen

Wortschatz

Welche Wörter werden gesucht? Lesen Sie die Definitionen, bilden Sie dann die entsprechenden Wörter aus den folgenden Silben und ergänzen Sie den Artikel und die Pluralform.

-biet -bund Eigen- Eigen- Ein- Erd- -fami- -fami- -ge- -ge-
-ge- Grund- -haus -haus -haus Hause -heim -lien- -lien- -lung
Mehr- -mein- Mie- Mie- -mie- Miets- -nung -nung -schaft
-schoss -sied- So- Stadt- -stück -tel -ter -ter -ter- -tums- Ver-
-vier -woh- -woh- Wohn- Wohn- Wohn- Wohn- -zial- zu

1. ein Haus, das Eigentum des Bewohners ist — *das Eigenheim, Pl. Eigenheime*
2. Parterre — *Stalls / ground floor* — *Erd* — *Grund-schoss* — *das Erdgeschoss Die Erdgeschoss*
3. ein Stück Land, auf das man ein Haus baut — *das Grundstück Die Grundstücke*
4. ein Haus, in dem mehrere Familien wohnen — *n Mehrfamilienhaus. — häuse*
5. ein Haus, in dem eine Familie wohnt — *Eigenfamilienhaus " Einfamilienhaus — häuse*
6. derjenige, der eine Wohnung gemietet hat — *Der Mieter — mieten*
7. derjenige, der die Wohnung vermietet — *n Vermieter — Vermieten*
8. eine Organisation, die die Interessen der Mieter vertritt — *" Mieterbund — bunden*
9. ein Haus, in dem nur Mieter wohnen — *Das Mietshaus — häuse*
10. eine Wohnung, die vom Staat finanziert wird — *Die Sozialwohnung*
11. eine Wohnung, die eine Privatperson gekauft hat — *Die Eigentumswohnung.*
12. mehrere Leute teilen sich eine Wohnung, Abkürzung: WG — *Die Wohngemeinschaft (u)*
13. daheim — *zu Hause*
14. eine Gruppe gleichartiger kleiner Häuser am Stadtrand — *Die Wohnsiedlung*
15. ein Teil einer Stadt, z.B. Kreuzberg in Berlin, Montmartre in Paris — *Das Stadtviertel.*
16. Bereich, der hauptsächlich mit Wohnhäusern bebaut ist — *das Wohngebiet o ä. viertel*

HW 25/Jul/08

2 Die Parmers: Der Traum von der Wohnung im Grünen

Lesen

Nummerieren Sie die folgenden Sätze, sodass sie eine zusammenhängende Geschichte ergeben. Markieren Sie dabei die Wörter, aus denen Sie den Zusammenhang erkennen.

2 Die schauen in letzter Zeit ziemlich unfreundlich.

4 Die Kinder gelten als sehr intelligent und sensibel.

11 Dann hätten alle Sorgen ein Ende!

6 Die Eltern nehmen das als gegeben hin, nicht so der Mieter unter ihnen.

5 Aber sie sind auch sehr turbulent und sind auch während der allgemeinen Ruhezeiten gut zu hören.

8 Und er bezeichnet die Situation im Haus als sehr schlimm.

9 Familie Parmer sieht keine Lösung des Problems und macht die Stadt verantwortlich für die kritische Lage.

7 Er will sogar gegen die Familie Parmer klagen, wenn die Lärmbelästigung nicht aufhört.

1 Jens und Edda Parmer machen sich neuerdings viele Gedanken nicht nur um ihre Kinder, sondern auch um ihre Nachbarn.

10 Ihr Traum ist, so schnell wie möglich in eine einsame Gegend zu ziehen, möglichst aufs Land.

3 Die Parmers haben nämlich vier Kinder und wohnen in drei kleinen Zimmern unterm Dach.

3 Wie erkennen Sie einen guten Text?

a Lesen Sie zuerst Text A und entscheiden Sie, ob die folgenden drei Sätze die Inhalte des Textes richtig wiedergeben.

	steht im Text	steht nicht im Text
1. Bei einem Gerichtsprozess mussten die Richter entscheiden, ob Menschen mit geistigen oder psychischen Handicaps in einem Behindertenwohnheim wohnen dürfen.	☐	☑
2. Die Befürworter des Wohnheims argumentieren, dass Behinderte integriert werden und mit nicht-behinderten Menschen zusammenleben sollten.	☑	☐
3. Die Gegner finden, dass ein Behindertenwohnheim in ihrer Siedlung nicht akzeptabel ist.	☑	☐

A Behinderte in der Nachbarschaft

Ein Gericht in Berlin hatte wegen des Baus eines Wohnheims in einer Wohnanlage zu entscheiden, ob „geistig behinderte" Menschen mit „psychischen Auffälligkeiten" von den Nachbarn in einem reinen
5 Wohngebiet akzeptiert werden müssen.
Die Frage stellt sich, ob man dagegen sein kann, und welche Argumente es gibt, mit denen man potenzielle Gegner zur Vernunft bringen könnte.
Die betreuende Psychologin meint: „Protestiert wird
10 gegen die geplanten Balkone, die in die Richtung der Nachbarn weisen. Es ist immer entsetzlich, wenn gegen den Bau von Wohnheimen für vermeintliche Randgruppen protestiert wird. Man muss sich fragen, warum das so ist." Sie kritisiert, dass behinderte Menschen in speziellen Einrichtungen separiert 15 werden. Sie stellen eine anonyme Masse dar, deren Fremdheit Ängste und Vorbehalte auslöst. Sie sollten nicht an den Rand der Gesellschaft gestellt werden. Sie sollten in der Gemeinde leben und arbeiten. Man könnte sich an den Umgang mit ihnen gewöhnen und 20 ihre Behinderungen als normal akzeptieren.
Die Anwohner behaupten, dass ein solches Heim nicht in die Wohnanlage passe. Der Umbau von behindertengerechten Zugängen würde sehr viel Geld kosten. Sie wären auf keinen Fall bereit dazu. Das müsse der Staat 25 übernehmen.

b Die Autorin des Textes findet die Integration von behinderten Menschen selbstverständlich. Notieren Sie die Zeile und die Formulierung, an der man das ablesen kann.

Zeile _____, Formulierung: _____

c Lesen Sie nun Text B. Worin unterscheidet er sich von Text A? Welcher Aussage auf S. 35 über die beiden Texte A und B stimmen Sie zu? Markieren Sie.

B Behinderte in der Nachbarschaft

Ein Gericht in Berlin hatte wegen des Baus eines Wohnheims in einer Wohnanlage zu entscheiden, ob „geistig behinderte" Menschen mit „psychischen Auffälligkeiten" von den Nachbarn in einem reinen
5 Wohngebiet akzeptiert werden müssen.
Zunächst stellt sich die Frage, ob man überhaupt dagegen sein kann, und welche Argumente es gibt, mit denen man potenzielle Gegner zur Vernunft bringen könnte.
10 Dazu meint die betreuende Psychologin: „Protestiert wird vor allem gegen die geplanten Balkone, die in die Richtung der Nachbarn weisen. Es ist natürlich immer entsetzlich, wenn gegen den Bau von Wohnheimen für vermeintliche Randgruppen protestiert wird. Aber
15 gleichzeitig muss man sich grundsätzlich fragen, warum das so ist." Sie kritisiert vor allem, dass behinderte Menschen weiterhin in speziellen Einrichtungen separiert werden. Dadurch stellen sie eine anonyme Masse dar, deren Fremdheit Ängste und Vorbehalte auslöst. Sie sollten also auf keinen Fall an den Rand der 20 Gesellschaft gestellt werden, sondern vielmehr in der Gemeinde leben und arbeiten. Auf diese Weise könnte man sich an den Umgang mit ihnen gewöhnen und ihre Behinderungen als normal akzeptieren.
Dagegen behaupten die Anwohner, dass erstens ein 25 solches Heim nicht in die Wohnanlage passe. Zweitens würde der Umbau z. B. von behindertengerechten Zugängen sehr viel Geld kosten. Dazu wären sie auf keinen Fall bereit. Das müsse in jedem Fall der Staat übernehmen. 30

☐ Text A ist besser, weil er kürzer und kompakter ist. Die Sätze sind weniger umständlich formuliert als in Text B. Außerdem ist er neutraler: Es gibt weniger Wörter, die die Sachverhalte bewerten.

☒ Text B ist besser; er ist zwar länger als Text A, aber die Zusammenhänge zwischen den einzelnen Sätzen sind besser erkennbar. Dadurch gibt es auch im Gesamttext mehr Kohärenz.

d Unterstreichen Sie in Text B alle Wörter, die in Text A nicht vorhanden sind. Was bewirken diese Wörter? Welche Funktion haben sie im Text? *Verbindungswörter machen*

4 Erörterung mündlich

Sprechen

Üben Sie, ein Thema mündlich zu erörtern.

- Suchen Sie ein Thema, das Sie im Kurs diskutieren wollen, oder bereiten Sie sich auf folgendes Thema vor: „Was ist besser für Behinderte? Sollten sie „unter sich" in speziellen Einrichtungen leben und arbeiten, oder sollten sie in ein Wohngebiet integriert sein, z. B. in einem Mehrfamilienhaus wohnen und dort auch arbeiten?"
- Finden Sie Argumente für beide Standpunkte. Denken Sie dabei an die in Übung 3d unterstrichenen Wörter.
- Diskutieren Sie dann in Arbeitsgruppen oder im Kurs darüber.

Nachbarn lösen Konflikte

1 Aktiv zuhören üben

Lesen
Schreiben

a Ordnen Sie die Redemittel 1 bis 20 den Strategien A bis E zu.

> **Strategie A:**
> Argumente mit eigenen Worten wiederholen, um zu klären, ob man richtig verstanden hat

> **Strategie B:**
> Gefühle des anderen zum Ausdruck bringen

> **Strategie C:**
> nachfragen, weiterführen

> **Strategie D:**
> das Problem klären, abwägen

> **Strategie E:**
> zusammenfassen, resümieren

1. Also, Sie haben gesagt, dass … *Strategie A*
2. Das hat Sie (sehr / unheimlich / …) geärgert / verletzt. _____
3. Nachdem du das gesagt hattest, wie reagierte er / sie da? _____
4. Also kurz gesagt: … _____
5. Du hast gesagt, du hast dich beschwert. War das noch am selben Tag? _____
6. Das hat Sie überrascht. _____
7. Sie meinen also das geht nicht, oder doch? _____
8. Ich fasse zusammen: … _____
9. Sie wünschen sich mehr Verständnis. Und wie hat er / sie darauf reagiert? _____
10. Wenn ich dich richtig verstanden habe, … _____
11. War der Inhalt der Kritik schlimmer oder der Ton, in dem sie vorgebracht wurde? _____
12. Sie sind verärgert. _____
13. Sie mögen wohl lieber, wenn … _____
14. Sie empfinden das als ungerecht. _____
15. Zusammengefasst lässt sich sagen, dass … _____
16. Dann hat dein Chef noch das Gespräch gesucht. Wie hat er sich dabei verhalten? _____
17. Habe ich dich richtig verstanden, … _____
18. Sie möchten von dem ständigen Druck befreit sein. _____
19. Bei mir ist angekommen, dass … _____
20. Sie finden das Verhalten also unmöglich. _____

b Was sagen Sie zu Ihrem/r Gesprächspartner/in? Ergänzen Sie den Dialog mit den Sätzen im Kasten.

> Alles in allem also ein glücklicher Ausgang. | Und wie hat sie darauf reagiert? | Ist dir das denn so wichtig, ob sie dich grüßt oder nicht? | Na ja, stimmt schon. | Du warst also verletzt, aber du hast dich auch gefragt, welche Rolle du selbst dabei spielst? | War das noch am selben Tag? | ~~Und wie hast du darauf reagiert?~~ | Und wie hast du dich danach verhalten? | Und wie ging es dann weiter? | Du hast gesagt, du warst richtig sauer. Was hat dich denn am meisten geärgert?

1. ▸ Meine Nachbarin hat mich heute zum wiederholten Mal nicht gegrüßt.
   ▷ *Und wie hast du darauf reagiert?* _____

2. ▸ Ich habe sie böse angeschaut.
   ▷ _____

3. ▸ Ja, ein mindestens höflicher Umgang sollte schon sein.
   ▷ _____

4. ▸ Und Grüßen ist das mindeste!
   ▷ _____

5. ▸ Dann meinte ich zu ihr: „Heute wohl mit dem linken Fuß aufgestanden, was?!"
   ▷ _____

6. ▸ Sie war auch nicht auf den Mund gefallen und meinte: „Besser mit dem linken Fuß aufstehen als mit dem rechten Fußtritte verteilen."
   ▷ _____

7. ▸ Zunächst war ich richtig sauer, ich habe meine Tür aufgeschlossen und bin einfach gegangen.
   ▷ _____

8. ▸ Dass sie so aggressiv geworden ist. Aber es hat mich doch etwas nachdenklich gemacht.
   ▷ _____

9. ▸ Ich glaube schon. Auf jeden Fall habe ich ihr einen kleinen Blumenstrauß geschenkt und mich entschuldigt.
   ▷ _____

10. ▸ Nein, drei Tage später. Aber sie war richtig erleichtert. Und seitdem vertragen wir uns wieder gut.
    ▷ _____

2 Kommentare, Kommentare

Lesen
Schreiben

Bilden Sie Sätze aus den folgenden Elementen und ordnen Sie sie den drei Kategorien „Einleitung" (E), „Hauptteil" (H) und „Schluss" (S) zu.

1. gehen um – Gespräch – in – Folgendes _____ *E* _____

2. können – man – drei – erkennen – Argumentationslinien. _____

3. meine Ansicht – sein – Argumente – von Frau Stein – besser – insgesamt – weil, … _____

4. Situation – sich lassen – wie folgt – bewerten – zusammenfassend _____

5. während – Frau Stein – entgegnen – Herr Marmor – anführen – dass, … _____

6. Artikel – in – gehen – darum – dass, … _____

7. halten für – ich – dieses Argument – besser als – von Herr Marmor – weil, … _____

8. Frau Stein – deshalb – im Recht – meines Erachtens – sein – weil, … _____

9. Argumente – einleuchtender – finden – von Herrn Marmor – ich – weil, … _____

10. in diesem Bericht – Thema Umwelt – Stellung nehmen zu – Menschen _____

11. stichhaltiger – mir – erscheinen – Gründe – anführen – Frau Stein – weil, … _____

12. wäre – sicher – gut / besser – es – also – wenn, … _____

> *1. In dem Gespräch geht es um Folgendes: …* _____

3 Wie wichtig ist Nachbarschaftshilfe heutzutage? Einige Stellungnahmen

a Unterstreichen Sie die unterschiedlichen Meinungen und Argumente und ordnen Sie sie dann in die linke Spalte des „Kommentar-Baukastens" unten ein. Am besten zeichnen Sie sich einen eigenen Kommentar-Baukasten auf ein Blatt Papier.

Nachbarschaft heute – in Zeiten leerer Kassen ist Nachbarschaftshilfe wichtiger denn je

Jan Börner, Sylt:
Nachbarschaftshilfe ist heute auch nichts anderes als früher. Kleine Gefälligkeiten: Schlüssel austauschen, sich gegenseitig informieren, wenn man in Urlaub fährt, und gewisse Aufgaben während der Abwesenheit der Nachbarn übernehmen, wie z.B. das Entleeren des Briefkastens oder das Hochfahren von Rollläden. Das hat m.E. nicht das Geringste mit leeren Kassen zu tun. Dem Nachbarn helfen ist eine soziale Verpflichtung.

Ida Schnarrenberger, Hamburg:
Aus eigenen schlechten Erfahrungen kann ich nur betonen: Echte Nachbarschaftshilfe gibt es nicht. Ich vertraue niemandem außer der Polizei, der Videokamera vor der Eingangstür und dem Nachbarschaftsbeamten, der täglich mehrmals durchs Viertel geht und alle Auffälligkeiten (fremde Autos, Menschen etc.) der Polizei meldet. Meist steckt hinter Hilfsangeboten nur Neugier oder heutzutage sogar noch Schlimmeres.

Knuth Wampe, Lüneburg:
Warum sollte man sich von den Nachbarn abhängig machen? Deshalb habe ich z.B. keine Blumen. Kleine Hilfestellungen wie den Briefkasten leeren oder jemandem einen Schlüssel geben, falls mal ein Wasserrohrbruch wäre, würde ich noch akzeptieren. Aber für alle anderen Dienstleistungen sollte man jemanden bezahlen und nicht den Nachbarn zur Last fallen, besonders heute nicht, wo jeder genug zu tun hat. „Leben und leben lassen", das ist mein Motto.

KOMMENTAR-BAUKASTEN

Information aus den Stellungnahmen	Passender Kommentar
Worum geht es im Text? _____ _____ _____	Einleitung: _____ _____ _____
Welche Meinungen / Argumente / Ideen gibt es dort dafür? Welche positiven Aspekte? _____ _____ _____	Hauptteil: _____ _____ _____
Welche Meinungen / Argumente / Ideen gibt es dort dagegen? Welche negativen Aspekte? _____ _____ _____	_____ _____ _____
Welches Fazit ziehe ich? Was ist meine persönliche Meinung dazu? Welche Lösung könnte ich mir ggf. vorstellen? _____ _____ _____	Schlussteil: _____ _____ _____

b Ergänzen Sie die linke Seite des Baukastens, indem Sie die Redemittel aus Übung 2 einfügen, die Sie für einen Kommentar benutzen wollen. Denken Sie auch an die Redemittel, die Sie im Lehrbuch, S. 37, kennen gelernt haben.

c Schreiben Sie nun einen kurzen Kommentar zum Thema. Vergleichen Sie dann nach Möglichkeit Ihren Text mit dem eines Partners.

Formen und
Strukturen
S. 166

4 Verrückte Hausordnung

a Erklären Sie, was erlaubt bzw. verboten ist. Benutzen Sie folgende Redemittel.

> Es ist nicht erlaubt | Es wird empfohlen | Es ist nicht gestattet |
> Es ist erlaubt | Es ist verboten | Es ist gestattet

b Formulieren Sie nun die Sätze, indem Sie Modalverben verwenden.

1. Rasen mähen nur sonntags. *Es ist nur sonntags gestattet, den Rasen zu mähen. / Man darf den Rasen nur sonntags mähen.*

2. Parken bitte direkt vor der Haustür! _____

3. Lautes Bohren nur von 13 bis 15 Uhr! _____

4. Partys feiern in der Woche nicht vor 22 Uhr! _____

5. Haustür nachts nicht zuschließen! _____

6. Fahrräder auf dem Dach abstellen möglich. _____

7. Streiten bitte möglichst auf der Terrasse. _____

8. Wohnung bitte nie lüften! _____

Lokal oder global: gute Nachbarschaft

Formen und
Strukturen
S. 180

1 Felix – Nachbarn helfen Nachbarn

a Ergänzen Sie die fehlenden Präpositionen.

[1] *Seit* 20 Jahren besteht die Nachbarschaftshilfe. Unterschiedliche Menschen engagieren sich [2] _____ „Felix". Meist geht es [3] _____ kurzfristige Hilfe. Die Mitglieder helfen [4] _____ Einkaufen, Putzen, Kinderhüten. Sie begleiten Hilfsbedürftige [5] _____ Arzt. Mittlerweile wissen die Helfer Bescheid [6] _____ Fachfragen [7] _____ vielen Bereichen. Sie interessieren sich [8] _____ das, was [9] _____ ihrer Nachbarschaft geschieht.

Wortschatz

b Lesen Sie den Text „Felix – Nachbarn helfen Nachbarn" im Lehrbuch, S. 38, noch einmal und bilden Sie dann zusammengesetzte Nomen aus den folgenden Wörtern.

> ~~Amt~~   Arbeit   Arbeit   Bank   begleiten   Beruf   Dienst   Dienst   ~~Ehre~~   Familie
> Garten   Geschäft   Hauswirtschaft   Hilfe   Hilfe   hüten   Kinder   Nachbarschaft
> Pfleger   putzen   Reparatur   Ruhe   Schluss   Stand   tätig   zusammen

das Ehrenamt, _____

> Zusammengesetzte Nomen:
> Zusammengesetzte Nomen erhalten den
> Artikel des letzten Nomens.

Lesen
Schreiben

2 Eine Geschichte erzählen – Zusammenhänge darstellen

a Lesen Sie die Geschichte und markieren Sie die Ausdrücke, die für den Textzusammenhang sorgen. Tragen Sie die Ausdrücke in einer Liste zusammen.

> Bei einem Dorffest erzählte der Sohn unserer Nachbarn die folgende Geschichte:
> „Kurz nach dem Krieg war das Leben für meine Eltern, wie für fast alle hier, wirklich schwer. Sie mussten sehr hart arbeiten, lebten auf engstem Raum und wussten oftmals nicht, wie sie ihre drei Kinder über die Runden bringen sollten. Ich war damals ein Baby von sechs Monaten, und meine Eltern hatten kaum Zeit, sich mit mir zu beschäftigen. Deshalb schrie ich ziemlich viel. Das nervte die Nachbarn, die neben uns auf dem Hof wohnten, sodass sie sich schließlich beklagten. Nachdem meine Mutter alles Mögliche versucht hatte, kam sie auf eine außergewöhnliche Idee. In einem separaten kleinen Stall stand unser Bulle. Er mochte es wohl nicht, angebunden zu sein, und stieß vielleicht deshalb immer mit den Hörnern gegen die Stalltür, die dadurch hin und her schwang. Nun band meine Mutter meinen Kinderwagen mit einem Gummiband an die Türklinke des Stalls. Auf diese Weise hin und her geschaukelt und von eigenartigen Geräuschen unterhalten, war ich wohl zufrieden, denn von nun an war kein Weinen mehr auf dem Hof zu hören. Die Nachbarn wunderten sich zwar ein wenig, aber letztendlich waren alle glücklich."

b Erzählen Sie eine Geschichte zu den Bildern. So können Sie beginnen: „Es waren einmal zwei Nachbarn …". Denken Sie auch an die verbindenden Ausdrücke aus Übungsteil a.

3 Der Wortakzent

a Im Deutschen sind die Silben der Wörter nicht gleich. Eine Silbe im Wort ist stärker: die Akzentsilbe. Hören Sie und markieren Sie.

Die Akzentsilbe ist:

☐ leiser ☐ tiefer ☐ deutlicher ☐ schneller
☐ lauter ☐ höher ☐ undeutlicher ☐ langsamer

b Sie hören die folgenden Wörter. Wo ist der Wortakzent? Sortieren Sie.

> ~~Dorffest~~ erzählen Nachbarn Geschichte wirklich arbeiten beschäftigen deshalb
> beklagen nachdem außergewöhnlich Idee separat angebunden Kinderwagen
> unterhalten Türklinke Geräusche Gummiband zufrieden überschreiten

Akzent auf der ersten Silbe	Akzent auf der zweiten Silbe	Akzent auf der dritten Silbe
Dorffest,		

c Hören Sie noch einmal und sprechen Sie nach. Welche Regelmäßigkeiten erkennen Sie?

Wie Nachbarn sich verstehen

1 Die Hoppenstedts – verschiedener geht's nicht!

Beschreiben Sie die Unterschiede. Benutzen Sie: während, im Gegensatz zu, hingegen, dagegen, jedoch, aber.

> ~~schlank, klein~~ / ~~groß, dick~~ blondes / dunkles Haar lange Jacke / kurze Jacke tragen
> Schuhe mit hohen Absätzen tragen / barfuß laufen schlecht gelaunt / gut gelaunt
> kleinlich / großzügig ~~gern Musik hören~~ / lieber lesen gern reisen / lieber zu Hause bleiben
> verschlossen / offen Bauwerke fotografieren / Vögel mit dem Fernrohr beobachten
> *telescope*

> *Frau Hoppenstedt ist schlank und klein, Herr Hoppenstedt hingegen groß und dick.*
>
> *Während Frau H. gern Musik hört, …*

3 Nebenan und Gegenüber

Formen und
Strukturen
S. 163

2 Bei den Hoppenstedts ist heute alles anders: Anstatt dass ...

Supplement / complement

a Lesen Sie die Beispielsätze 1 und 2. Ergänzen Sie dann „dass" oder „zu" und die richtige Verb-Endung.

1. Anstatt _dass_ er _nicht_ koch _t_ , übernimmt sie es heute einmal.
2. Anstatt _dass_ Zeitung _zu_ les _en_ , geht er heute länger mit dem Hund spazieren.
3. Anstatt _dass_ er die Hunde _futtert_ fütter____ , muss sie das heute tun.
4. Anstatt _____ wie fast immer Musik _zu_ hör _en_ , sieht sie heute fern.
5. Anstatt _dass_ sie sich _immer_ freu _t_ , ist sie wieder unzufrieden.

b Beschreiben Sie, was die Hoppenstedts stattdessen tun.

1. heute nicht selbst kochen – Restaurant gehen (stattdessen)
2. zu Fuß gehen – mit dem Taxi fahren (anstatt ... zu)
3. den Hund mitnehmen – zu Hause lassen (statt ... zu)
4. seine Eltern zum Essen einladen – sein Vater selbst bezahlen müssen (anstatt ... dass)
5. sich unterhalten – schweigen (anstatt ... zu)
6. fröhliche Runde – traurige Veranstaltung sein (statt)

1. Sie kochen heute nicht selbst. Stattdessen gehen sie ins Restaurant.

3 Meine besondere Methode oder wie ich gelernt habe

Formen und
Strukturen
S. 162

Beschreiben Sie, wie Sie etwas gelernt haben.

1. schnell Fahrrad fahren lernen (indem): mein Vater – jeden Abend – mit mir üben
2. leicht schwimmen lernen (dadurch, dass): als Kind – schwimmen – jeden Sommer – im Fluss
3. schnell Auto fahren lernen (indem): mit Mutter – oft - Übungsplatz – fahren
4. gut kochen lernen (dadurch): jeden Sonntag – kochen – zu Hause – für die ganze Familie
5. ganz gut Haare schneiden lernen (durch): immer neue Versuche
6. tapezieren lernen (dadurch ... dass): vielen Freunden – helfen bei – Renovieren

1. Indem mein Vater jeden Abend mit mir geübt hat, habe ich schnell Fahrrad fahren gelernt.

2. Dadurch, dass

4 Allein oder in einer Wohngemeinschaft wohnen? Tipps aus der Schreibwerkstatt

Schreiben

a Wie kann man etwas hervorheben? Benutzen Sie die folgenden Wörter, um bestimmte Argumente hervorzuheben. Oft gibt es mehrere Möglichkeiten.

> vor allem   speziell   gerade   hauptsächlich   in erster Linie
> besonders   allem voran   überwiegend   zunächst   meistens

1. Für eine Wohngemeinschaft spricht _in erster Linie_ die Tatsache, dass man nicht allein ist.
2. Man hat _____ jemanden, mit dem man reden kann.
3. Den einen geht es also _____ darum, nicht allein zu sein.
4. _____ dies lehnen die anderen ab; sie möchten _____ ihre Ruhe haben.
5. Für sie zählen _____ die finanziellen Vorteile.
6. Es sind _____ sehr junge Leute, die so denken, bei älteren Menschen geht es _____ um den geselligen Aspekt.

b Wie kann man Argumente aufzählen oder ergänzen? Verbinden Sie die Sätze oder Satzteile durch einen der folgenden Ausdrücke. Manchmal passen mehrere Ausdrücke. Welche Ausdrücke passen überhaupt nicht, warum?

> weiterhin außerdem ~~erstens – zweitens~~ darüber hinaus zusätzlich
> sowie auch ferner aber ergänzend nicht nur – sondern auch
> sowohl – als auch einerseits – andererseits nicht allein

Für eine Wohngemeinschaft sprechen viele Gründe: [1a] _Erstens_ zahlt man in der Regel etwas weniger Miete, [1b] _zweitens_ teilt man sich die Kosten für Wasser, Heizung und Müllabfuhr. [2] _____ hat man mehr Platz als in einer Einzimmerwohnung. Denn man hat [3a] _____ sein eigenes Zimmer, [3b] _____ teilt man sich meist eine große Küche [4] _____ manchmal noch ein Wohnzimmer. [5] _____ hat man immer jemanden zum Reden und man kann [6] _____ die geselligen Momente des Lebens teilen. [7] _____ man kann sich auch [8] _____ zurückziehen, wann immer man will.

c Wie kann man Einwände und Gegenüberstellungen einleiten? Welche Verbindung passt? Formulieren Sie.

1. Es ist schön, immer mit jemandem sprechen zu können. Man hat kein richtiges Privatleben. (gewiss / einerseits – andererseits)
2. Man hat praktische Vorteile im Alltag. Man muss Küche und Bad mit den Mitbewohnern teilen. (dennoch / zwar – aber)
3. In einer gemeinsamen Wohnung ist es oft unruhig. Man ist nicht alleine. (umgekehrt / doch)
4. Man ist ungestörter in einer eigenen Wohnung. Man hat mehr Arbeit mit dem Saubermachen. (auf der einen Seite – auf der anderen Seite / sicher)
5. Die Kosten in einer WG sind für den einzelnen niedriger. Manchmal muss man auch Ausgaben der anderen mit übernehmen. (jedoch / trotzdem)
6. Damit gibt es keine Probleme, wenn man allein wohnt. Es kann sehr einsam werden. (natürlich / allerdings)

> 1. _Einerseits ist es schön, immer mit jemandem sprechen zu können. Andererseits hat man kein richtiges Privatleben._

d Schlussfolgerungen ziehen. Was passt? Markieren Sie.

1. Große Wohnungen sind im Verhältnis billiger, _also_ sollten wir eine große WG gründen.
   a. sodass **b.** also **c.** nachdem
2. Eine Mitbewohnerin zieht zum Monatsende aus, _____ müssen wir eine neue suchen.
   a. deshalb **b.** denn **c.** weil
3. Die Nachfrage ist so groß, _____ wir schnell jemand finden werden.
   a. folglich **b.** dass **c.** somit
4. Es gibt aber auch sehr unangenehme Mitmenschen, _____ müssen wir gut auswählen und dürfen nicht irgendjemand nehmen.
   a. während **b.** infolge **c.** deswegen

e Das wurde schon mal erwähnt – Wiederholungen einleiten. Streichen Sie den Ausdruck, der nicht in die Reihe passt.

1. ~~wie schon besprochen~~ – wie bereits erläutert – wie vorhin erklärt
2. wie bereits erwähnt – wie schon ausführlich erörtert – wie vorhin angedeutet
3. wie weiter oben beschrieben – wie bereits dargestellt – wie schon diskutiert
4. wie schon angeführt – wie bereits durchgeführt – wie weiter oben ausgeführt

5 Allein oder in einer Wohngemeinschaft wohnen? Ihre Erörterung

Schreiben Sie jetzt eine Erörterung zu diesem Thema. So können Sie sich vorbereiten.

- Schauen Sie sich noch einmal die Gliederung im Lehrbuch, S. 41, an.
- Machen Sie eine Stoffsammlung: Notieren Sie Stichpunkte zu der Frage „Allein oder in einer Wohngemeinschaft wohnen? Welche verschiedenen Perspektiven gibt es?"
- Gliedern Sie Ihre Stoffsammlung und überlegen Sie sich Beispiele.

Die Kirschen in Nachbars Garten

1 „Ihr Bioladen": Wie war die Einweihungsfeier?

a Die Nachbarin schickt immer wieder eine SMS an ihren Mann.
Was will sie ihm sagen? Formulieren Sie ganze Sätze.

1. SMS 10:30 Uhr: Oh je: menschenleer, sorgenvoll! Aussichtslos?
2. SMS 11:00 Uhr: Geht los. 8 Leute. Hoffnungsvoll.
3. SMS 13:00 Uhr: Brechend voll. Leute supernett od. rücksichtslos: essen hemmungslos.
4. SMS 15:00 Uhr: Regale halbleer. Alkoholfreie Getränke aus. Snacks weg. Ratlos! Nix mit menschenleer!
5. SMS 16:00 Uhr: Großes Los! Nachbarn mit Keyboard und Trommel. Große Tanzparty! Sehnsuchtsvoll: U. ☺

1. Oh je! Es ist noch kein Mensch da. Wir machen uns Sorgen. Das sind keine guten Aussichten.

Risikofreier Einkauf!

NEUERÖFFNUNG
„Ihr Bioladen":

Einweihungsfeier: 10 bis 16 Uhr!
Super Angebote! Tolle Preise!
Abwechslungsreiches Programm!
Kostenlose Biosnacks!

b Was wurde angeboten? Beschreiben Sie die Waren.

1. Marmelade mit vielen Vitaminen
2. Margarine ohne Cholesterin
3. Joghurt mit wenig Fett
4. Tomaten ohne Schadstoffe
5. Brot mit vielen Ballaststoffen
6. Bier ohne Alkohol
7. Kuchen mit wenig Kalorien
8. Säfte mit Fruchtfleisch

1. vitaminreiche Marmelade

2 Hoffnung oder Hoffnungslosigkeit? Los!

a Um welche Aspekte im Leben geht es? Schreiben Sie die Nomen zu den Adjektiven auf.

Wortbildung:
Adjektiv auf –los –> Nomen auf –igkeit

1. Strophe 1, ziellos, ratlos, heimatlos: In der ersten Strophe geht es um
   Ziellosigkeit, Ratlosigkeit und Heimatlosigkeit.

2. Strophe 2, arbeitslos, mittellos, mutlos: In der zweiten Strophe singt sie von

3. Strophe 3, hemmungslos, maßlos, schamlos: Die dritte Strophe handelt von

4. Strophe 3, würdelos, obdachlos, schutzlos: In der dritten Strophe singt sie auch über

5. Strophe 4, glücklos, chancenlos, aussichtslos, machtlos: In der vierten Strophe geht es um

b Und trotzdem sagt sie: „Jetzt geht's los. Mach ma' hin, mach ma' los – los, los!" Worum geht es eigentlich?

Grammatik: Das Wichtigste auf einen Blick

Formen und
Strukturen
S. 163

1 Wie man Gegensätze ausdrücken kann: adversative Nebensätze und Angaben

Adversative Nebensätze drücken einen Gegensatz aus: **Wie war es früher, wie ist es heute? Wie macht es x, wie macht es y?**

jedoch, dagegen, hingegen, allerdings: *auf Position 1 oder im Mittelfeld. Bei Kontrastierung auch* ***zusammen mit dem Subjekt*** *auf Position 1 (nach dem Subjekt)!*
• Julian musste am Anfang immer alles übersetzen, jedoch das ist heute nicht mehr nötig.
• Julian musste am Anfang immer alles übersetzen, das ist jedoch heute nicht mehr nötig.
• Eva spricht viel, ihre Freundin dagegen ist eher still.
• Eva spricht viel, ihre Freundin ist dagegen eher still.

während: *Nebensatz*
• Während Julian lieber länger überlegt, ist Jacek unglaublich schnell.
• Jacek ist unglaublich schnell, während Julian lieber länger überlegt.

doch / jedoch, sondern: *auf Position 0*; (zwar) – aber: *auf Position 0 oder im Mittelfeld*
• Er kann schon gut Deutsch, doch er übersetzt weiterhin alles, was er hört.
• Er spricht nicht spontan, sondern er denkt über jeden Satz nach.
• Er hat zwar erst spät Deutsch gelernt, aber er spricht schon sehr gut.
• Zwar hat er erst spät Deutsch gelernt, aber er spricht schon sehr gut.

Formen und
Strukturen
S. 162

2 Wie man etwas tun kann: modale Nebensätze und Angaben

Modale Nebensätze geben die Art und Weise eines Geschehens an. Hierzu kann man auch die instrumentalen Angaben rechnen: **Wie geschieht etwas?**
• Die Einbrecher drangen ins Haus ein, indem sie das Türschloss aufbrachen.
• Sie verließen das Haus, ohne dass die Nachbarn sie sahen.
• Ohne das Geld zu beachten, nahmen sie die Dokumente mit.
• Dadurch, dass Elke ein konkretes Bild mit einem Wort verbindet, lernt sie es.
• Wie sie ganz richtig bemerkt hatte, waren die Fragen sehr persönlicher Natur.
• Wir sprechen neben den üblichen Fragen auch persönliche Themenbereiche an; so können wir Sie besser kennen lernen.
• Durch persönliche Fragen möchte der Interviewer die Bewerber besser kennen lernen.
• Der Vertrag kann von beiden Seiten schriftlich zum Monatsende gekündigt werden.
• Sie füllt die Bewerbung mit dem Computer aus.

Formen und
Strukturen
S. 163

3 Wie man Alternativen formulieren kann: alternative Nebensätze und Angaben

Alternative Nebensätze drücken andere Möglichkeiten des Handelns aus. **Wenn nicht das eine, was dann?**
• Nach dem Abitur machte Ruth eine Weltreise, statt dass sie gleich mit dem Studium anfing.
• Statt gleich mit dem Studium anzufangen, machte Ruth nach dem Abitur eine Weltreise.
• Sie wollte nach dem Abitur nicht gleich mit dem Studium anfangen. Stattdessen machte sie erst mal eine Weltreise.
• Ruth hatte vor, entweder eine Weltreise zu machen oder schnell viel Geld zu verdienen.

Formen und
Strukturen
S. 182

4 Wie man Menschen (und anderes) beschreiben kann: Adjektive

Adjektive können wie die Nomen ebenfalls Komposita bilden. Die häufigsten Typen sind:
• fett**arm** (*arm an Fett*), liebe**voll** (*voller Liebe*), blei**frei** (*frei von Blei*), schmerz**los** (*ohne Schmerzen*), …

4 Dinge

Dinge

Schreiben

1 René Magritte

Sortieren Sie die Angaben im Kasten und schreiben Sie dann die Biografie des belgischen Künstlers.

1922 Hochzeit mit Georgette Berger   Magrittes Malerei und seine Ideen zur Kunst beeinflussten die Pop-Art und die Konzeptkunst der 60iger Jahre   1967 Magritte erstellt erstmals Entwürfe und Gussformen für Skulpturen zu seinen Bildern, die 1968 in Paris ausgestellt werden   Malen und Zeichnen seit dem zwölften Lebensjahr   * 21.November 1898 in Lessines (Belgien)   15. August 1967 plötzlicher Tod durch Krebs   1927 erste Einzelausstellung   sie war auch sein Modell   bis 1926 Gelegenheitsjobs   Freundschaften mit André Breton, Paul Éluard, Joan Miró, Hans Arp und Salvador Dalí   Aufenthalt in Paris (1927–1930)   ab 1936 Magritte stellt international in großen Galerien und Museen aus   1916–1918 Studium an der Brüsseler Akademie der Schönen Künste   viele Kontakte zu den französischen Surrealisten   1929–1966 Tätigkeit als Redakteur für verschiedene Zeitschriften und Zeitungen   erste Bilder waren impressionistisch geprägt

René Magritte wurde am 21. November 1898 in Lessines, Belgien, geboren. …

2 Bildbeschreibung: Die persönlichen Werte (1952)

Schreiben
Sprechen

a Schauen Sie sich das Bild „Die persönlichen Werte" im Lehrbuch, S. 44, noch einmal genauer an und ergänzen Sie die Bildbeschreibung.

auf dem Bild   einen Kontrast   scheinen   der Betrachter   Absicht   wirkt   dahinter
im Vordergrund   die Farbgebung   im Hintergrund   vermuten   realistisch   der Blick

[1] *Auf dem Bild* sieht man ein Zimmer. Es ist mit einem Bett, einem Schrank und zwei Teppichen eingerichtet. [2] _____ sieht man verschiedene Alltagsgegenstände, wie ein Streichholz und ein Stück Seife, die auf dem Boden liegen, und ein Weinglas, das auf dem Holzboden steht. [3] _____ steht ein Bett, auf dem ein Kamm an der Wand lehnt, und ein Schrank, auf welchem ein Rasierpinsel liegt.
Die Wand [4] _____, an der das Bett steht und an der der Schrank lehnt, zeigt einen für viele von Magrittes Bildern typischen himmelblauen Wolkenhimmel. Es entsteht der Eindruck als ob [5] _____ direkt in den Himmel schauen würde. Was [6] _____ des Bildes angeht, so dominieren blau, weiß und braun. Dabei bilden die eher kühlen Farben weiß und blau [7] _____ zu den warmen Brauntönen. Sowohl das Zimmer mit seiner Einrichtung als auch die Alltagsgegenstände sind sehr [8] _____ dargestellt. Doch dieser Eindruck wird nicht nur durch die himmlische Wand gestört, sondern auch durch die überraschende Größe der Alltagsgegenstände. Der Kamm, der Rasierpinsel, das Weinglas, die Seife und das Streichholz

[9] _____ die Größe von Möbeln zu haben. Im Blick des Betrachters entsteht dadurch augenblicklich Verwirrung. Man könnte [10] _____, dass die außergewöhnliche Größe der normalerweise kleinen Gegenstände ihre Bedeutung für den Besitzer hervorheben soll. Das Bild [11] _____ so, als wäre der Betrachter zu einem Zwerg geschrumpft. Als befände er sich in einem Puppenhaus, in dem seine Besitzer Alltagsgegenstände abgestellt haben. Nicht nur die Dinge erleben also eine Metamorphose, sondern auch [12] _____ des Betrachters. So kommt es, dass in Magrittes Bildern scheinbar reale Dinge in den Bereich des Nichtrealen, des Surrealen verlagert werden und durch ihre Rätselhaftigkeit einen Reiz ausüben. Magritte, der sich also unaufhörlich mit der Wirklichkeit der Dinge befasst, verkehrt ironisch die Ordnung der Dinge. Aber mit welcher [13] _____? Zahllose Kritiker und Psychoanalytiker haben seine Kunstwerke interpretiert. Der Maler selbst jedoch sieht seine Kunst als Ausdruck eines Gedankens, dessen Sinn verborgen bleibt wie der Sinn der Welt.

b Beschreiben Sie nun ein weiteres Bild des Künstlers. Benutzen Sie auch die Redemittel im Lehrbuch, S. 44. Was ist dargestellt? Was fällt auf? Vergleichen Sie Ihre Beschreibungen in der Arbeitsgruppe.

Der gesunde Menschenverstand (1945)

Formen und
Strukturen
S. 159

3 Begründungen erkennen

Wo wird etwas begründet? Markieren Sie die kausalen Angaben.

1. Den Maler finde ich gut, weil er sehr realistisch malt. ☒
2. Das Bild gefällt mir, obwohl es sehr modern ist. ☐
3. Aufgrund der roten Farbe wirkt das Bild sehr aggressiv. ☐
4. Trotz des günstigen Preises würde ich das Bild nicht kaufen. ☐
5. Ich würde das Bild sofort kaufen, es ist nämlich sehr ausdrucksstark. ☐
6. Das Buch habe ich nur wegen der Bilder gekauft. ☐
7. Ich kaufe Bücher nur, wenn sie nicht teuer sind. ☐
8. Der Maler war unbekannt. Deshalb wurden seine Bilder nicht verkauft. ☐

4 Aussprache: e-Laute

Hören 🔘 6-9
Aussprache

a Hören Sie und sprechen Sie nach. Achten Sie dabei auf die unterschiedliche Aussprache des Vokals „e".

1. [eː]: See, Klee, Tee, zehn, Schnee, Café, ewig, Fehler, Mehl, leer, Lehre, ebenfalls, Regel, wer
2. [ə]: danke, Kindchen, Sache, ihnen, können, träumen, Dinge, Studie, nahen, Künstlerin
3. [ɛ]: eng, streng, hell, schnell, Welt, Geld, entdecken, Zelle, fett, Äpfel, erfasst, Pässe, wenn
4. [ɛː]: Bär, Käse, Nähe, Väter, Zähne, nähen, wählen, Träne, Lähmung, fair, jäh, vermählen

Hören 🔘 10
Aussprache

b Welchen e-Laut hören Sie? Achten Sie auf die unterschiedliche Aussprache von „e" am Anfang und am Ende der Wörter und ordnen Sie sie zu.

~~jeder~~	Dehnung	geben	Fähre	Mehl	später	sehen	Krebs	Glätte	Städtchen
Leben	Seele	Wege	zärtlich	her	Ärger	Reste	letzte	Ende	jährlich
Rente	zählen	Käfig	Helden	mähen	sprechen	denken	nämlich	Wetter	
helfen	Kälte	Länge	Mädchen	mehr	schräg	weniger	Gäste	bezahlen	

[eː]	[ə]	[ɛ]	[ɛː]
jeder,	jeder,		

4 Dinge

Die Welt der Dinge

Formen und
Strukturen
S. 175

1 Produktbeschreibung

Ergänzen Sie in den folgenden Texten die fehlenden Endungen.

1. Hier haben wir ein schmerzstillend**es** und fiebersenkend**es** Arzneimittel. Bei leicht___ bis mäßig stark___ Schmerzen oder Fieber anzuwenden! Bitte nicht einnehmen bei bekannt___ Überempfindlichkeit gegen den Wirkstoff Acetylsalicylsäure und gegen Salicylate, eine Gruppe von Stoffen, die der Acetylsalicylsäure verwandt sind; bei Magen- und Darmgeschwüren und bei krankhaft erhöht___ Blutungsneigung.

2. Er hat genau das richtig___ Maß, sodass alles für eine Tageswanderung reinpasst. Zwei Seitenfächer für Trinkflasche und Ähnliches, ein geräumig___ Deckelfach und sogar ein Klarsicht-Kartenfach. Man kann ihn gut tragen, denn er hat gepolstert___ Trageriemen, einen Hüftgurt und ein gut belüftet___ Rückenpolster. Der Boden besteht aus besonders abriebsicher___ Nylongewebe, ist also recht stabil___. Der hält was aus!

3. Diese hellgeröstet___ Variante hat eine stark___ Guatemala-Note und ist perfekt zum Frühstück geeignet. Mit einem Schuss Milch verwandelt sich die angenehm___ Fruchtsäure in eine zart___ Aromanote mit einer hervorragend___ Geschmacksstruktur. Feinst___ Qualität dank erlesen___ Hochlandsorten.

4. Der Active HEPA-Filter garantiert maximal___ Lufthygiene. Er filtert auch kleinst___ Partikel und ist deshalb für Hausstauballergiker besonders gut geeignet. Eine Aktivkohleschicht bindet beim Active HEPA-Filter zusätzlich unangenehm___ Gerüche.
Schauen Sie: Drei rundum beweglich___ Lenkrollen gewährleisten optimal___ Beweglichkeit, hoh___ Standsicherheit und optimal___ Über- und Umfahren von Hindernissen.
Und hören Sie: Die Silence-Geräusch-Dämmung! Keine unnötig___ Lärmbelästigung!
Klein___, stark___, schön___! Mit interessant___ optisch___ Details. Durch die Kombination mit frisch___, neu___ Farben wird er zu einem Individualisten. Wie finden Sie die Farbe: mangorot?

2 Wörter bilden

Formen und
Strukturen
S. 182

a Schreiben Sie die Nomen bzw. Verben auf, von denen die folgenden Adjektive abgeleitet sind.

1. beweglich   *beweg(en) + lich*
2. farbig   _____
3. wendig   _____
4. klassisch   _____
5. seitlich   _____
6. automatisch   _____
7. verkäuflich   _____
8. rutschig   _____

9. technisch   _____
10. ruhig   _____
11. pflanzlich   _____
12. erfinderisch   _____
13. nützlich   _____
14. zerbrechlich   _____
15. aromatisch   _____
16. medizinisch   _____

b Welche Endung passt? Ordnen Sie die Wörter den passenden Endungen zu.

techn-	appetit-	bill-	stürm-	salz-	träumer-	kind-	ökolog-	gemüt-
berg-	sommer-	fried-	romant-	abhäng-	erfinder-	hügel-	freund-
köst-	prakt-	sonn-	elektron-	idyll-	vorsicht-	oberfläch-	regner-	lieb-

-isch	-lich	-ig
technisch,	*appetitlich,*	*billig,*

Der Hochmut — *die Finsternis (F)*

Hochmut kommt vor dem Fall.

c Finden Sie je drei Adjektive aus dem Übungsteil b, mit denen man Folgendes näher beschreiben kann. Manchmal gibt es mehrere Lösungen.

ein Gerät	ein Lebensmittel	eine Landschaft	das Wetter	einen Menschen
technisch,	appetitlich,			

3 Schöne neue Welt

Formen und Strukturen S. 182

a Wie heißen die Adjektive? Ordnen Sie zu. Manchmal gibt es mehrere Lösungen.

1. brand-
2. top-
3. super-
4. tod-
5. tief-
6. nagel-
7. bild-
8. riesen-
9. stock-
10. hoch-
11. voll-
12. blitz-
13. glas-

A automatisch
B dunkel
C rot
D brisant
E groß
F hübsch
G neu
H schick
I modern
J neu
K klar
L aktuell
M schnell

1. G, (J)
2. L aktuell
3. A (J) schick / klar
4. H schick / müde
5. B rot / dunkel
6. J neu funkelnagelneu
7. F hübsch
8. E groß
9. B - dunkel   stockfinster / stockdunkel
10. modern   hochbrisant / hochmütig
11. I ~ (L) automatisch
12. M schnell
13. L klar

b Ergänzen Sie die Adjektive in der entsprechenden Form. Manchmal gibt es mehrere Lösungen.

1. Dieses Magazin ist immer __topaktuell__. Dort findet man oft __hochbrissan__ Artikel.
2. Die CD von meiner Lieblingsband ist __brandneu__. Der Sound ist wirklich __glasklar__.
3. Die neue Wohnung ist zwar __hochmodern__, aber dafür __stockfinster__.
4. Oh, dein neues Kleid ist ja __todschick__. Darin siehst du __bildhübsch__ aus.   *bildhübsch*
5. Paul fährt einen __nagelneuen__ Ferrari. Dieses Auto bringt ihn __blitzschnell__ ans Ziel.
6. Diese Kaffeemaschine mahlt den Kaffee __vollautomat__ und bereitet ihn __blitzschnell__ zu.
7. Dieser Edelstein leuchtet __tiefrot__ und ist dennoch __glasklar__.

4 Missgeschicke und Unglücksfälle

Formen und Strukturen S. 182

Ergänzen Sie die Präfixe „miss" und „un".

Vera ist heute [1] __miss__gelaunt. Claudia hat sich ihr gegenüber sehr [2] __un__höflich verhalten. Sie hat ein Telefonat von Vera und ihrem Chef mitgehört und einiges [3] __miss__verstanden. Trotzdem hat sie den Inhalt weitererzählt und Vera damit vor allen Kollegen [4] __un__möglich gemacht. Vera ist nun [5] __un__glaublich wütend auf die [6] __miss__günstige Claudia. Und auch ihr Chef ist über die Sache sehr [7] __un__glücklich. Bei den Kollegen ist Claudia nun sehr [8] __un__beliebt. Bei einem Gespräch zu dritt soll diese [9] __un__schöne Sache nun geklärt werden.

ungünstig (unmentabl)
missgünstig
neidisch
envious-
ungehenitable

5 Informationen schriftlich weitergeben

Hören ○ 11 Schreiben

Benutzen Sie die Informationen, die Sie in folgender Informationssendung hören, und schreiben Sie einen Text zum Thema.

– Es gibt Informationen zu zwei Bereichen:
  • Geschichte der Uhr
  • Verschiedene Uhrenarten, ihre Funktion und Verwendung
– Arbeiten Sie zu zweit: jeder übernimmt einen der zwei Bereiche und fasst die wichtigsten Aussagen schriftlich zusammen.
– Besprechen Sie Ihre zwei Texte gemeinsam und führen Sie sie dann zu einem Text zusammen.

+ LK · 48/49·

HW 6/1/09·

Die Versteigerung der Dinge

Wortschatz

1 Handel und Konsum

a Ordnen Sie folgende Begriffe in die Tabelle ein und schreiben Sie jeweils den Artikel hinzu.

> ~~Absatz~~ Konsument Rechnung Käufer Versteigerung Personal
> Verbraucher Bestellung Sonderpreis Beratung Ausfuhr
> Gewinn Händler Import Kunde Profit Quittung Vertreter
> Werbung Rabatt Stückpreis Verlust Umsatz Angebot

Person	Geld	Aktivität
	der Absatz	

b Was passt? Markieren Sie die korrekte Definition.

1. Eine Auktion ist …
   - ~~a.~~ eine Veranstaltung, bei der ein Produkt an die Kunden verkauft wird, die am meisten bezahlen.
   - **b.** eine Verkaufsaktion, bei der man alte Dinge verkauft.

2. Ein Erlös ist … *proceeds*
   - **a.** eine Lösung, auf die alle gewartet haben.
   - **b.** der Gewinn, den man beim Verkauf erzielt.

3. Ein Warenhaus ist … *dept. store*
   - **a.** ein Haus, in dem Waren verkauft werden.
   - **b.** ein Haus, das Waren sammelt.

4. Ein Schnäppchen ist … *snifter ? bargain*
   - **a.** etwas, was man sehr billig gekauft hat.
   - **b.** ein Produkt, das man zu teuer gekauft hat.

5. Eine Anschaffung ist … *Acquisition / Purchase*
   - **a.** ein Objekt, das man selbst geschaffen hat.
   - **b.** etwas, was man kauft und was nicht zum sofortigen Verbrauch bestimmt ist.

6. Der Lohn ist …
   - **a.** das Geld, das man für Arbeit oder eine Leistung erhält.
   - **b.** das, was man für ein Objekt bezahlt.

c Formulieren Sie Definitionen zu den Begriffen in Übungsteil a nach dem Modell in Übungsteil b. Arbeiten Sie ggf. mit einem einsprachigen Wörterbuch. Stellen Sie die Fragen in Ihrer Arbeitsgruppe, die anderen antworten.

Formen und Strukturen
S. 164

2 Genauer beschreiben

a Orden Sie den Menschen oder Dingen die entsprechende Beschreibung zu.

1. die Zitronenpresse,	A der Freude an diesem Gegenstand haben wird.	1. [D]
2. das Buch,	B die per eBay ihre Biografien aufarbeiten.	2. [H]
3. ein Mensch, *ms*	C die ein Bay-Verkauf mit sich bringt.	3. [A]
4. ein Bestimmungsort, *ms*	D die so elegant designt ist.	4. [F]
5. die Befriedigung,	E die man als Kind besitzen musste.	5. [C]
6. die Idee der Profitmaximierung,	F den die Dinge irgendwann erreichen müssen.	6. [G]
7. Menschen,	G die man sonst mit einer Auktion verbindet.	7. [B]
8. eine ganz spezielle Lokomotive,	H das man niemals mehr lesen wird.	8. [E]

Lesen

b Vergleichen Sie Ihr Ergebnis mit den Angaben im Text über „eBay" im Lehrbuch, S. 48/49.

3 Anschaffungen

Formen und
Strukturen
S. 164

a Bringen Sie die Wörter in den Relativsätzen in die richtige Reihenfolge.

1. Das ist etwas, ich möchte mehr worauf verzichten nicht.
2. Das ist etwas, ich nie woran habe gedacht noch.
3. Das ist etwas, ich schon gewünscht was immer mir habe.
4. Das ist etwas, ich Geld kein ausgeben überhaupt würde wofür.
5. Das ist etwas, täglich die Menschen was benutzen meisten.
6. Das ist etwas, nicht ich noch kann umgehen womit richtig.

1. Das ist etwas, worauf ich nicht mehr verzichten möchte.

b Ergänzen Sie die fehlenden Relativpronomen.

1. Gibt es nichts, _wovon_ Sie träumen?
2. Alles, _____ wir im Angebot haben, wird regelmäßig überprüft.
3. Das ist das Beste, _____ Sie auf dem Markt finden.
4. Kennen Sie den Ort, _____ das produziert wird?
5. Das ist wirklich das Einzige, _____ Sie bedenken müssen.
6. Hier habe ich etwas, _____ Sie überraschen wird.
7. Bitte nennen Sie uns das Datum, _____ das Produkt geliefert wird.
8. Das ist der Grund, _____ wir das Produkt so gut verkaufen.
9. Es gab noch keine Reklamationen, _____ ein gutes Zeichen ist.
10. Wir konnten unseren Kundenkreis erweitern, _____ wir uns sehr freuen.
11. Alles, _____ wir ersteigert haben, war günstig.
12. Der Kunde hat nichts gekauft, _____ der Händler sich sehr geärgert hat.
13. Kaufen Sie nichts, _____ Sie keine Verwendung haben.
14. Ich habe beim Kauf meines Autos einen riesigen Rabatt ausgehandelt, _____ ich sehr stolz bin.

c Verbinden Sie die Sätze, indem Sie Relativsätze bilden.

1. Viele Jugendliche tragen nur noch Markenjeans. Sie haben sie billig bei eBay ersteigert.
2. Viele Menschen kaufen nur noch im Internet. Das macht den Einzelhändlern Sorge.
3. Er hat die teure Kamera supergünstig ersteigert. Darüber hat er sich sehr gefreut.
4. Sie hat im Internet eine Fernreise gebucht. Von der Reise hat sie immer geträumt.
5. Er hat ein Paket bekommen. Den Inhalt des Paketes hat er nicht bestellt.
6. Sie hat einen iPod erhalten. Sie hat für den iPod nichts bezahlt.
7. Er hat den Artikel bei eBay nicht verkaufen können. Das hat ihn sehr überrascht.
8. Er hat eine Eisenbahn für seinen Sohn gekauft. Nun spielt er dauernd mit der Eisenbahn.

1. Viele Jugendliche tragen nur noch Markenjeans, die sie billig bei eBay ersteigert haben.

4 Quiz

Formen und
Strukturen
S. 164

a Was ist das? Ergänzen Sie die Lücken in den Relativsätzen und erraten Sie den Gegenstand.

Es ist eine Sache, *die für* viele sehr wichtig ist.

_____ manche immer denken.

_____ Wert nicht in jedem Land gleich ist.

_____ man sich etwas leisten kann.

_____ man sparen, erben oder gewinnen kann.

b Wählen Sie nun einen Gegenstand, beschreiben Sie diesen mit fünf Relativsätzen und lassen Sie die anderen raten.

Der Wert der Dinge

Hören ◉ 11
Lesen

a Hören Sie die „Geschichte der Uhr", S. 47, Übung 5, noch einmal und vergleichen Sie die beiden folgenden Notizzettel dazu.

– Geschichte der Uhr

– vorhistorische Zeit: Beobachtung der Himmelsgestirne, Sonne, Mond, Jahreszeiten

– 5.000 v. Chr. Altägyptisches Reich: Kalender entwickelt.

– genauere Zeiterfassung notwendig: Sonnenuhr vermutl. 3. Jahrtausend v. Chr. Tag in m. Zeiteinheiten aufgeteilt: Verabredungen möglich

– 14 Jhd. v. Chr. Wasseruhren verwendet. Vorteil: tageslichtunabhängig

– Kerzenuhr: unabhängig vom Tageslicht genutzt, einfach und verfügbar, ab ca. 900 n. Chr.

– mechanische Uhr im Mittelalter, ab wann genau? nicht bekannt.

– mechanischen Uhren: große Instrumente, zunächst in Klöstern und großen Kirchen. Zweck: für die 7 Tagesgebete läuten.

– Im 14. Jhd. tauchten Sanduhren in Europa auf: Sand rieselt durch einen schmalen Hals von der oberen Gefäßhälfte in die untere.

– Sanduhren heute: im Computern als Symbol für gerade stattfindenden Rechenvorgang.

– Massenproduktion von Uhren: Mitte 19. Jhd., Fortschritte in Feinmechanik: Taschenuhr

– Anfang 20. Jahrhundert: Armbanduhr, Automatikuhr (John Harwood).

– Atomuhr, 1949 zum ersten Mal eingesetzt

– seit 1967: Atomuhr in Braunschweig synchronisiert Funkuhren in Europa

Geschichte der Uhr

wann?	was?
5.000 v. Chr. 3. Jahrtausend v. Chr.	Altägyptisches Reich Kalender entwickelt Sonnenuhr
14 Jhd. v. Chr.	Wasseruhren – Vorteil: tageslichtunabhängig
2. Jhd. v. Chr.	rel. genaue Wasseruhr mit Zifferblatt und Zeiger
ab 900 n. Chr.	in Europa: Kerzenuhr
Mittelalter: wann genau?	mechanische Uhr = große Instrumente – Klöster, Kirchen
14. Jhd.	Sanduhren in Europa – unabhängig von Temperatur
Mitte 19. Jh.	Massenproduktion von Uhren – Fertigung von Taschenuhren
Anfang 20. Jh.	Armbanduhren
1949	Atomuhr – Funksignale für Funkuhren

b Welche Notizen finden Sie verständlicher?

Notizen A finde ich verständlicher,

☐ weil sie länger und ausführlicher sind.

☐ weil sie wichtige Informationen mit Erklärungen bieten.

☐ weil sie sich auf Entwicklung der Uhr konzentrieren.

☐ …

Notizen B finde ich verständlicher,

☐ weil sie kürzer und übersichtlicher sind.

☐ weil sie nur die wichtigsten Informationen nennen.

☐ weil sie chronologisch nach Jahreszahlen strukturiert sind.

☐ …

2 Notizen machen

Gestalten Sie einen kleinen Notizzettel zum Thema: meine schönste Reise (maximal 20 Wörter). Tauschen Sie Ihren Zettel mit dem eines Partners aus. Versuchen Sie nun die Erlebnisse Ihres Partners anhand des Notizzettels zu erzählen. Der Partner bestätigt oder korrigiert.

3 Präsentieren und vortragen – aber richtig!

Hören Sie den Text „Zehn goldene Regeln" im Lehrbuch, S. 51, noch einmal. Welche Aussagen sind richtig: a, b oder c? Markieren Sie.

1. Die positiven oder negativen Gedanken haben einen direkten Einfluss
   a. auf das Stressniveau des Redners.
   b. auf die Einstellung des Redners.
   c. auf die Zuhörer.

2. Redehemmungen werden verursacht
   a. durch die Angst vor dem Ernstfall.
   b. durch die Angst vor der Technik.
   c. durch die Angst vor dem Steckenbleiben oder einem Black-out.

3. Damit der erste Eindruck positiv ausfällt, sollte man
   a. sich vor dem Auftritt eine Minute Zeit zur Entspannung und Konzentration nehmen.
   b. die Zuhörer so schnell wie möglich taxieren.
   c. am Anfang des Auftritts eine Entspannungs- oder Konzentrationsübung mit den Zuhörern machen.

4. Für die Beurteilung des Redners ist es wichtig,
   a. dass er Beweise für seine Argumente bringt.
   b. dass er vertrauenswürdig und fachkundig erscheint.
   c. dass er Aussagen über seine Person macht.

5. Zu positiver Gestik und Mimik gehören
   a. verschränkte Arme.
   b. offene Hände.
   c. ein distanzierter Blick.

6. Blickkontakt zum Publikum bedeutet
   a. Wertschätzung des Publikums.
   b. Aufmerksamkeit des Vortragenden.
   c. Arroganz des Vortragenden.

7. Ein gelungener Vortrag braucht eine gute Dramaturgie,
   a. um die Inhalte live zu entwickeln.
   b. um die Medien benutzen zu können.
   c. um Spannung bei den Zuhörern zu erzeugen.

8. Um lebendig und wirkungsvoll zu sprechen, sollte man auf Folgendes achten:
   a. möglichst wenig Pausen.
   b. wechselndes Sprechtempo.
   c. Einsatz rhetorischer Stilmittel.

9. Die Aufmerksamkeit des Auditoriums sichert man sich
   a. durch Vorspielen eines Dialogs.
   b. durch Techniken der Überzeugung.
   c. durch einen Hinweis auf ein persönliches Erlebnis.

10. Gut gestaltete Computerpräsentationen sollten
    a. eine klare Botschaft haben.
    b. einen Satz pro Folie enthalten.
    c. nur aus Überschriften bestehen.

Die Präsentation der Dinge

1 Checkliste – ein effektives Verkaufsgespräch führen

a Wie würden Sie bei der Checkliste antworten?

Ein Verkaufsgespräch ist mehr als die reine Produktpräsentation. Verkaufen heißt, die Signale, die der Kunde aussendet, zu erkennen und schnell darauf zu reagieren. Denn so manches Verkaufsgespräch verfehlt sein Ziel, weil der Verkäufer nicht kunden-, sondern produktorientiert handelt. Überprüfen Sie Ihre Strategien anhand dieser Checkliste.

		Ja	Nein
1.	Bieten Sie einem Kunden Auswahlalternativen statt einfacher Ja-/Nein-Antwortmöglichkeiten?	☐	☐
2.	Vermeiden Sie Streitgespräche mit Ihren Kunden, auch wenn Sie sie gewinnen können?	☐	☐
3.	Identifizieren Sie sich mit Ihren möglichen Kunden?	☐	☐
4.	Beobachten Sie Ihren Gesprächspartner genau, und achten Sie auf Mimik, Gestik und Haltung sowie auf seine Aufmerksamkeit?	☐	☐
5.	Hören Sie immer genau zu, was Ihr Kunde sagt?	☐	☐
6.	Führen Sie jedes Verkaufsgespräch auf das Abschlussziel hin?	☐	☐
7.	Bleiben Sie beim Verkaufsgespräch immer ruhig?	☐	☐
8.	Haben Sie für sich einen Katalog möglicher Kundeneinwände mit den adäquaten Antworten erstellt?	☐	☐
9.	Lächeln Sie bei Ihren Verkaufsgesprächen?	☐	☐
10.	Beobachten Sie genau die Kaufsignale Ihres möglichen Kunden?	☐	☐

Sie konnten alle Fragen mit Ja beantworten? Gratuliere! Sie können Kunden nicht nur argumentativ überzeugen, sondern sie auch zum Verkaufsabschluss motivieren.

Sie mussten einige Fragen verneinen? Dann sollten Sie versuchen, sich künftig noch mehr in Ihren Kunden und seine speziellen Bedürfnisse hinein zu versetzen.

b Frau Faber hat sich eine Stichwortliste gemacht, um bei ihren Gesprächen an die wichtigsten Punkte der Checkliste zu denken. Bringen Sie ihre Stichwörter in die gleiche Reihenfolge wie die entsprechenden Punkte im Original. Welche Punkte hat sie vergessen?

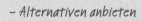

- Alternativen anbieten
- auf Kaufsignale achten
- beobachten
- lächeln
- nicht streiten
- Ruhe bewahren
- Zielorientierung
- Zuhören

c Wählen Sie die drei Punkte aus der Checkliste, die Ihnen am wichtigsten erscheinen. Begründen Sie Ihre Wahl.

2 Was Kunden alles fragen

Hier ist etwas durcheinander geraten. Wie heißen die Fragen richtig? Ordnen Sie zu.

1.	Woraus	A	Besonderheiten hat das Produkt?	1.	B
2.	Wozu	B	besteht das Produkt?	2.	
3.	Worin	C	das Produkt auch zum …. verwenden?	3.	
4.	Welchen	D	sicher / ökologisch / unbedenklich …?	4.	
5.	Wo	E	der Unterschied zwischen den beiden Produkten?	5.	
6.	Welche	F	dient das?	6.	
7.	Was	G	wurde das Produkt hergestellt?	7.	
8.	Was ist	H	kostet das?	8.	
9.	Kann man	I	Vorteil hat das Produkt?	9.	
10.	Ist das auch	J	unterscheiden sich die beiden Produkte?	10.	

3 Präsentieren und Visualisieren

a Schauen Sie sich mit Ihrem Partner das Plakat an und sprechen Sie darüber.

– Für welche Zielgruppe wurde dieses Plakat gestaltet?
– Welche Informationen werden dargestellt?
– Wie werden die Informationen dargestellt und angeordnet (Texte, Bilder, Grafiken, …)?
– Wie beurteilen Sie die Gestaltung (positiv, negativ)? Warum?
– Ist das Plakat vollständig?

Damenräder, Herrenräder, Kinderräder

Empfehlungen für den Fahrradkauf!

Straßenrad oder Geländerad? Citybikes, Tourenräder, Rennräder, Mountainbikes, Trekkingräder.

Immer an Helme und die richtige Fahrradkleidung denken!

Das Fahrrad

Rennräder und Mountainbikes für den sportlich ambitionierten Fahrer.

Das Trekkingrad für leichtere Geländefahrten und für den alltäglichen Gebrauch in der Stadt.

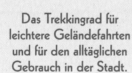

Verein deutscher Radfahrer

1817: Laufrad erfunden vom badischen Forstbeamten Karl v. Drais, mit 15 km / h schneller als die Postkutsche.

Tour de France Giro d'Italia Vuelta d'Espania

b Sind Sie mit der Plakatgestaltung unzufrieden? Machen Sie Verbesserungsvorschläge.

4 Informationen weitergeben und erklären

Sie haben von einer Freundin, die auch Deutsch lernt, eine Mail bekommen. Antworten Sie auf die Mail und schreiben Sie ihr einen kleinen Text zum Thema „Fahrrad". Benutzen Sie dazu auch die Informationen, die Sie auf dem Plakat oben finden.

Liebe/r …,
geht's dir gut? Macht dein Deutschkurs Spaß? Stell dir vor, ich muss nächste Woche im Kurs einen kleinen Vortrag zum Thema „Fahrrad" halten. Fahrrad!!! Was soll ich denn dazu sagen? Keine Idee! Doch, ich habe eine Idee und eine dringende Bitte: Kannst du das nicht für mich schreiben? Bitte! Ich kann dir dann etwas anderes Gutes tun. Bitte, bitte!!!!
Ich hoffe, bald von dir zu hören.
Herzliche Grüße,
deine Marta

Die Macht der Dinge

1 Ordnung in die Dinge bringen

Welches Wort passt nicht? Streichen Sie.

1. aufräumen – entrümpeln – sortieren – ~~verbrauchen~~
2. Durcheinander– Alptraum – Chaos – Unordnung
3. chaotisch – unordentlich – locker – schlampig
4. herumliegen – horten – lagern – sammeln
5. Müll – Dreck – Schrott – Abfall
6. überflüssig – unbrauchbar – wiederverwendbar – unnütz

2 Vereinfachen Sie Ihr Leben

a Hier finden Sie Tipps für Ihre nächste Aufräumaktion. Bringen Sie Ordnung in den Text, indem Sie die Satzanfänge links den Satzteilen rechts zuordnen.

Situation 1: Sie sehen Ihre Unordnung an und verlieren jede Hoffnung, dass dort jemals wieder Ordnung einkehren könnte. So können Sie vorgehen:

1. Konzentrieren Sie sich beim Aufräumen auf einen ganz kleinen Bereich,	**A** halbieren Sie Ihr Ziel noch einmal: ein Fach im Ordner, das Kartenfach im Portemonnaie, ein Seitenfach in der Handtasche.
2. Wenn Sie auch das nicht schaffen,	**B** z. B. mit der einen Schublade an einen leeren Tisch.
3. Geht es immer noch nicht weiter, liegt es vielleicht an der Ablenkung: Während Sie die eine Schublade aufräumen,	**C** den Sie in ½ Stunde leicht aufräumen können – ein einziger Ordner, eine Schublade, der Geldbeutel, eine Handtasche.
4. Wechseln Sie daher den Ort. Gehen Sie	**D** werden Sie von den anderen 40 unaufgeräumten Schubladen angestarrt. Daher: Lassen Sie sich bitte nicht ablenken!

Situation 2: Sie sind sehr enttäuscht, weil das Aufräumen nebenbei, also zwischen zwei Telefonaten oder wenn Sie mal etwas Zeit dafür haben, nicht klappt. So können Sie vorgehen:

1. Verschieben Sie Ihre Aufräumaktion nicht auf „ruhigere Zeiten", sondern machen Sie sie dann,	**A** aktivieren Sie z. B. den Anrufbeantworter, lassen Sie das Essen ausfallen.
2. Das klingt verrückt, aber unter Belastung sind Sie besonders motiviert,	**B** wenn Sie ganz besonders unter Stress stehen.
3. Setzen Sie sich ein zeitliches Limit und schalten Sie alle Störungen aus:	**C** dass Sie nicht alle Ihre Energie beim Entrümpeln verbrauchen.
4. Legen Sie fest, welche Arbeit Sie direkt nach dem Aufräumen erledigen werden. Dann sorgt Ihr Unterbewusstsein dafür,	**D** die Aktion auch zu Ende zu bringen. Der Effekt ist so am größten.

b Machen Sie nun aus den Tipps in Übungsteil a eine Checkliste für Ihre Freundin, die sehr chaotisch ist.

> *Sich beim Aufräumen auf einen winzigen Bereich konzentrieren!*

c Formulieren Sie die Stichworte aus der Checkliste nun in Ratschläge um. Benutzen Sie dazu folgende Redemittel.

> Ich kann dir nur raten, … zu + Inf. | Ein guter Ratschlag ist: … | Du solltest darauf achten, … zu + Inf. | Man sollte … | Mein Tipp: … | Ich empfehle dir, … zu + Inf. | Ich würde dir vorschlagen, … zu + Inf. | Ich möchte dich dazu ermutigen, … zu + Inf.

> *Ich kann dir nur raten, dich beim Aufräumen auf einen winzigen Bereich zu konzentrieren.*

Grammatik: Das Wichtigste auf einen Blick

1 Wie man Eigenschaften beschreiben kann: die Adjektivdeklination

Formen und
Strukturen
S. 175

Wenn das Adjektiv vor dem Nomen steht, erhält es eine Endung.

Regel 1: Wenn die **Signal-Endung (r, s, e, n, m)** beim Artikelwort ist, hat das Adjektiv die Endungen -e oder -en.

	m	n	f	Pl
Nom.	der gute Wein	das rote Hemd	die neue Flasche	die neuen Flaschen
Akk.	den guten Wein	das rote Hemd	die neue Flasche	
Dat.	dem guten Wein	dem roten Hemd	der neuen Flasche	den neuen Flaschen
Gen.	des guten Weins	des roten Hemdes	der neuen Flasche	der neuen Flaschen

Ebenso nach den Artikelwörtern: „dieser", „jener", „jeder", „mancher", „welcher", „alle".

Regel 2: Wenn es kein Artikelwort gibt oder das Artikelwort keine Endung hat, hat das **Adjektiv die Signal-Endungen**.

	m	n	f	Pl
Nom.	guter Geschmack	gutes Wetter	große Freude	nette Leute
Akk.	guten Geschmack	gutes Wetter	große Freude	nette Leute
Dat.	(mit) gutem Geschmack	(bei) gutem Wetter	(mit) großer Freude	(mit) netten Leuten*
Gen.	guten* Geschmacks	guten* Wetters	großer Freude	netter Leute
	*das Nomen hat die Signal-Endung		*ebenso nach Zahlen: mit drei netten Leuten	

	m	n	f	Pl
Nom.	mein neuer Job	mein altes Büro	meine neue Stelle	meine alten Büros
Akk.	meinen neuen Job	mein altes Büro	meine neu e Stelle	meine alten Büros
Dat.	meinem neuen Job	meinem alten Büro	meiner neuen Stelle	meinen alten Büros
Gen.	meines neuen Jobs	meines alten Büros	meiner neuen Stelle	meiner alten Büros

Ebenso: nach „ein", „kein" und nach allen Possessivartikeln. „ein" hat keinen Plural.

2 Beschreiben mit Relativsätzen

Formen und
Strukturen
S. 164

Relativsätze charakterisieren ein Nomen, ein Pronomen oder den ganzen Hauptsatz. Sie beginnen mit einem Relativpronomen: „der", „das", „die" oder „welche/r/s". Genus und Numerus des Relativpronomens richten sich nach dem Nomen im Hauptsatz, auf das es sich bezieht:
• Das ist **der Lehrer**, der (welcher) so gut Gedichte rezitieren kann.

Der Kasus des Relativpronomens richtet sich nach der Funktion, den es im Nebensatz hat:
• Sind das **die Leute**, denen du die Bilder gezeigt hast?   (Du hast die Bilder **den Leuten** gezeigt.)

Das Relativpronomen im Genitiv ersetzt den Possessiv-Artikel:
• Das ist **der Mann**, dessen Tochter gestern hier war. (**Seine** Tochter war gestern hier.)

Bei Ortsangaben kann man auch allgemein „wo" benutzen:
• Da vorn ist **die Schule**, wo ich Abitur gemacht habe.

Wenn sich das Relativpronomen auf Indefinitpronomen, Demonstrativpronomen, Superlative oder ganze Sätze bezieht, steht „was" oder ein Präpositionalpronomen mit „wo(r)" + Präposition:
• Das ist **alles**, was ich sagen wollte. (ebenso nach: „nichts", „etwas", „einiges", „vieles")
• Ich verkaufe **manches**, worauf ich verzichten kann. (Ich kann **auf** manches verzichten.)

Die Formen des Relativpronomens:

	m	n	f	Pl		m	n	f	Pl
Nom.	der	das	die	die	Dat.	dem	dem	der	denen
Akk.	den	das	die	die	Gen.	dessen	dessen	deren	deren

5 Kooperieren

Kooperieren

1 Viel Streit um nichts

Was bedeuten die Redewendungen?
Ordnen Sie zu.

1. einen Streit vom Zaun brechen	A ein Streit wegen einer Kleinigkeit	1. [F]
2. ein Sturm im Wasserglas	B jmd. verliert die Beherrschung	2. ☐
3. die Rechnung ohne den Wirt machen	C viel Aufregung wegen einer Kleinigkeit	3. ☐
4. ein Streit um des Kaisers Bart	D vom Streit anderer profitieren	4. ☐
5. bei jmd. brennt die Sicherung durch	E eine Lösung finden	5. ☐
6. keinen Fingerbreit nachgeben	F einen Streit provozieren	6. ☐
7. die Kuh vom Eis holen	G auf seiner Meinung beharren	7. ☐
8. Wenn zwei sich streiten, freut sich der Dritte.	H jmd. hat ohne das Einverständnis einer wichtigen Person gehandelt und bekommt Ärger	8. ☐

2 Welche Adjektive haben eine ähnliche Bedeutung?

Ordnen Sie die Wörter in die Tabelle ein.

~~mitfühlend~~ dickköpfig aggressiv entgegenkommend taktlos stur
herausfordernd provokant tolerant flegelhaft streitlustig einsichtig
unfreundlich verständig eigensinnig nachsichtig frech uneinsichtig

verständnisvoll	unhöflich	rechthaberisch	streitsüchtig
mitfühlend,			

3 Typische Reaktionen

a Wählen Sie zu zweit einen der vier folgenden Menschentypen und eine Situation aus dem Lehrbuch, S. 57, Aufgabe 3a. Schreiben Sie einen Kurzdialog mit typischen Reaktionen „Ihres" Charakters. Die Redemittel unten helfen Ihnen.

Sanguiniker: Sanguiniker sind schwungvoll und relativ heitere Menschen, nicht besonders nachtragend und eher optimistisch.
Phlegmatiker: Phlegmatiker sind vor allem durch Trägheit und wenig Tatkraft charakterisiert. Sie nehmen aus eigenem Antrieb nur wenig in Angriff und sind kaum flexibel.
Melancholiker: Melancholiker machen sich sehr viele Sorgen, sind eher pessimistisch und schätzen sich selbst gern eher negativ ein.
Choleriker: Choleriker sind eher extrovertiert. Sie sind leicht reizbar und schwierig zufrieden zu stellen. Sie neigen zu Wut- und Gefühlsausbrüchen.

> **wenig verständnisvoll:** Das glaube ich einfach nicht | Ich mache dir / Ihnen keine Vorwürfe, aber … | Das nervt unglaublich. | Das kann ich nicht verstehen. | Das kann / darf doch nicht wahr sein. | So ein Pech! | Um Himmelswillen!
> **einigermaßen verständnisvoll:** Schon in Ordnung. | So etwas kann passieren. | Mach dir nichts draus. | Halb so schlimm. | Damit komme ich schon klar. | Das kann man jetzt sowieso nicht mehr ändern. | Schon passiert.
> **sehr verständnisvoll:** Oh, das tut mir wirklich leid. | Ich habe da eine Idee / einen Vorschlag. | Ich würde dir / Ihnen wirklich gern helfen. | Da findet sich bestimmt eine Lösung. | Kopf hoch! Wir finden einen Weg. | Das macht wirklich nichts. | Das ist doch nicht schlimm.

b Verraten Sie nicht, welchen Typ Sie gewählt haben, und spielen Sie den Dialog im Kurs vor, achten Sie dabei auf die entsprechende Intonation. Die anderen raten, welchen Typ Sie gewählt haben.

Verständigung statt Konfrontation

1 Wenn die Fetzen fliegen

Lesen

→ GI / TELC

Lesen Sie den Text im Lehrbuch, S. 58, noch einmal. Welche Antwort passt: a, b oder c? Belegen Sie sie durch eine Textstelle.

Zeile(n)

1. Was machen Menschen meistens, um einen Streit zu beenden?   *16–18*
   a. Sie gehen vor Gericht.
   b. Beide Parteien machen Zugeständnisse.
   c. Sie streiten so lange, bis sie Recht bekommen.

2. Warum kommt es häufig bei besonderen Ereignissen zu Streitereien?
   a. Die Beteiligten geben sich da weniger Mühe.
   b. Alle gehen zu harmonisch miteinander um.
   c. Die hohen Erwartungen der Beteiligten werden enttäuscht.

3. Welchen positiven Aspekt kann eine Auseinandersetzung haben?
   a. Man lernt, mit Stress umzugehen.
   b. Man erfährt Neues über sich selbst.
   c. Man sagt einander endlich die Wahrheit.

4. Warum zwingt man sich bei Streitigkeiten dazu, Entscheidungen besonders sorgfältig zu durchdenken?
   a. Um nicht das Gesicht zu verlieren.
   b. Um nicht zu verlieren.
   c. Um kreativere Lösungen zu finden.

5. Welchen Tipp gibt der Psychologe für einen guten Streit?
   a. Dem Gegenspieler alle Schuld zuweisen.
   b. Immer den eigenen Standpunkt durchsetzen.
   c. Sprache bewusst vorsichtig verwenden.

2 Vor Gericht

Wortschatz

a Ordnen Sie die Begriffe den Definitionen zu.

Rechtsanwalt	~~Richter~~	Staatsanwalt	Verteidiger	Zeuge

1. Vorsitzender eines Gerichts, einer Gerichtsverhandlung: *Richter*
2. Jurist, der die öffentlichen Interessen des Staates meist als Ankläger wahrnimmt: _____
3. Jemand, der als Zuschauer, bei einem Geschehen zugegen war und davon berichtet: _____
4. Jurist, der einem hilft, seine Interessen zu wahren: _____
5. Vom Staat bevollmächtigter Jurist, der einen Angeklagten vor Gericht vertritt: _____

b Ergänzen Sie die Begriffe aus dem Schüttelkasten.

Behörde	Sozialgericht	~~Arbeitsgericht~~	Kompromiss	Gerichtsverfahren

1. Konrad Berger bekommt eine Kündigung, weil er während seiner Arbeitszeit mehrere Stunden im Internet gesurft hat. Er reicht eine Klage beim *Arbeitsgericht* ein.
2. Kerstin Stein ist umgezogen und will sich ummelden. Das muss sie bei der zuständigen _____ tun.
3. Walter Heim hat geklagt, weil seine Nachbarn jede Nacht bis zwei Uhr morgens laut Musik hören und er nicht schlafen kann. Nun kommt es zu einem _____.
4. Das Ehepaar Lampert erhält eine Rente, die unter dem Existenzminimum liegt. Sie klagen beim _____, weil sie zusätzlich Sozialhilfe bekommen möchten.
5. Herr und Frau Huber haben sich wegen ihrer Urlaubspläne gestritten. Am Ende haben sie einen _____ geschlossen. Im Sommer fahren sie eine Woche ans Meer, im Spätherbst eine Woche in die Berge zum Wandern.

Wortschatz

3 Streittypen

Wer ist welcher Streittyp? Ordnen Sie zu.

Manipulierer	Streithansel	Gesprächskiller
Dauerredner	~~Besserwisser~~	Punktesammler

1. Jemand, der zu allem etwas zu sagen hat: *der Besserwisser*
2. Jemand, der immer Streit sucht: _____
3. Jemand, der ständig versucht, andere Personen zu beeinflussen: _____
4. Jemand, der die ganze Zeit spricht und die anderen nicht zu Wort kommen lässt: _____
5. Jemand, der die Ideen anderer so vorbringt, als wären es seine eigenen: _____
6. Jemand, der Gespräche zum Abbrechen bringt: _____

Wortschatz

4 Vorschriften

Welche Wörter gehören zusammen. Ordnen Sie zu.

1.	Vorschriften	A	schlichten	1.	D
2.	ein Gesetz	B	begehen	2.	
3.	im Recht	C	gehen	3.	
4.	den Verdacht	D	machen	4.	
5.	in Schutz	E	ziehen	5.	
6.	eine Straftat	F	haben	6.	
7.	unter Strafe	G	nehmen	7.	
8.	vor Gericht	H	verabschieden	8.	
9.	einen Konflikt	I	stehen	9.	
10.	zur Verantwortung	J	sein	10.	

Lesen

→TELC

5 Zeitungsmeldungen

Arbeiten Sie zu zweit. Lesen Sie die Zeitungsmeldungen und entscheiden Sie, welche Überschrift jeweils am besten passt.

Anglerglück	Alles im Dunkeln	Angler verliert Kampf	Eiskalt erwischt
Strom für Paris	Vom rechten Weg abgekommen		Knast fürs Schwänzen
Fische im Meeresaquarium	Alkohol verboten	Gefängnis macht Schule	

1. _____

Fünf Minuten lang gingen in Frankreich gestern die Lichter aus. Auch der Eiffelturm in Paris lag im Dunkeln. Das lag nicht an Schwierigkeiten im Stromnetz, sondern war ein Boykott. Umweltaktivisten wollten auf die Energieverschwendung vieler Staaten hinweisen.

2. _____

Ein betrunkener Autofahrer ist mit seinem Auto in das Schlafzimmer eines Hauses gerast. Der Mann wurde dabei leicht verletzt, die Bewohnerin des Hauses kam dagegen mit einem Schrecken davon. Die 83-Jährige war gerade in der Küche, als es krachte und sie zunächst dachte, eine Bombe habe eingeschlagen.

3. _____

Ein Fisch namens Herbert hat einem Fischer den Schreck seines Lebens eingejagt. Der Mann hatte den Heilbutt in einer Plastiktüte eingewickelt über Nacht im Kühlschrank aufbewahrt.
Als er ihn am nächstenn Morgen herausnahm, zappelte der Fisch – eiskalt zwar, aber quicklebendig. Herbert lebt nun in einem Meeresaquarium.

4. _____

In der sächsischen Stadt Görlitz hat ein Richter eine 16-jährige Schülerin zu zwei Wochen Jugendarrest verurteilt. Das Mädchen hatte fast einen Monat lang ohne Entschuldigung in der Schule gefehlt. Sie hatte mehrere Möglichkeiten nicht genutzt, die Strafe abzuwenden.

5. _____

Der größte Fisch, der im vergangenen Jahr in Deutschland geangelt wurde, war ein Wels. Das Tier wog 77 Kilogramm und war 2,22 Meter lang. Geangelt wurde der Fisch von einem 31-jährigen Mann im Rhein. 45 Minuten lang kämpften Angler und Fisch gegeneinander, wobei der Wels das Boot des Mannes kreuz und quer über den Fluss zog.

Verhandeln statt streiten

Wortschatz
Lesen

1 Der Mediator

Setzen Sie die Wörter aus dem Schüttelkasten in die passende Lücke.

verantwortlich ~~akzeptiert~~ bewertet vertraulich verständlich vertritt achtet

Der Mediator muss von allen Beteiligten als Vertrauensperson [1] _akzeptiert_ werden.
Er behandelt alle Informationen [2] _____ und ist unparteiisch. Er [3] _____
keine eigenen Interessen. Er [4] _____ und urteilt nicht, sondern hilft den Beteiligten,
Gefühle und Interessen [5] _____ auszudrücken. Er ist für den Verlauf der
Gespräche [6] _____ und kann ein Gespräch abbrechen oder vertagen. Der Mediator
[7] _____ darauf, dass realisierbare Vereinbarungen getroffen werden.

Wortschatz

2 Ein Lösung aushandeln

Was passt nicht? Markieren Sie.

1. die Beteiligten
   a. einladen
   b. versammeln
   c. anhören
   d. aufpassen

2. eine Lösung
   a. suchen
   b. schließen
   c. finden
   d. ausarbeiten

3. einen Konflikt
   a. erkennen
   b. beheben
   c. brechen
   d. schlichten

4. Gemeinsamkeiten
   a. erkennen
   b. haben
   c. herstellen
   d. treffen

5. Ziele
   a. bekommen
   b. setzen
   c. verfolgen
   d. erreichen

6. einen Vertrag
   a. schließen
   b. brechen
   c. verhandeln
   d. unterschreiben

Formen und
Strukturen
S. 165

3 Übung macht den Meister

a Tragen Sie die Sätze aus dem Lehrbuch, S. 60, Aufgabe 2, in das jeweils passende Strukturmodell
ein. Markieren Sie dazu auch die Verben und Subjekte.

1. Hauptsatz + Hauptsatz: _Zwar sollte man sich so gut wie möglich in die Beteiligten_
   hineindenken können, aber man muss dabei unbedingt Objektivität wahren.

2. Hauptsatz + Hauptsatz mit demselben (einem) Subjekt: _____

3. Hauptsatz + Hauptsatz mit demselben (einem) Subjekt: _____

4. Hauptsatz + Hauptsatz mit demselben (einem) Subjekt und Verb: _____

5. Hauptsatz + Hauptsatz mit demselben (einem) Subjekt und Verb: _____

6. Nebensatz mit Komparativ + Hauptsatz mit Komparativ: _____

b Verbinden Sie die passenden Satzteile und ergänzen Sie die fehlenden Konnektoren.

1. Entweder du hörst jetzt auf zu streiten   A _als auch_ ich mache Fehler.   1. C
2. Das ist zwar eine interessante Lösung,   B _sondern_ der einzige Lösungsweg.   2. F
3. Je länger ich darüber nachdenke,   C _oder_ ich gehe sofort nach Hause.   3. D
4. Sowohl du   D _desto_ weniger gefällt mir der Vorschlag.   4. A
5. Du hörst mir weder richtig zu   E _noch_ versuchst du, mich zu verstehen.   5. E
6. Das ist nicht nur eine gute Idee,   F _aber_ sie ist sehr teuer.   6. B

Formen und
Strukturen
S. 165

4 Pro und Contra Mediation

a Ergänzen Sie die fehlenden Konnektoren.

> sowohl ... als auch   entweder ... oder   weder ... noch
> nicht nur ... sondern auch   ~~zwar ... aber~~   je ... desto

1. _Zwar_ ist es nicht leicht, ein Streitgespräch fair zu führen, _aber_ es hilft, längerfristige Konflikte zu vermeiden.

2. In einem Streitgespräch sollen alle Gesprächspartner _nicht nur_ sprechen _sondern_ zuhören.

3. _Je_ klarer man dabei formuliert, _desto_ besser lassen sich Missverständnisse vermeiden.

4. Es zählt jedoch _sowohl_ die sprachliche Formulierung, _als auch_ der Respekt vor dem Gesprächspartner und seinen Wahrnehmungen.

5. Schließlich geht es _weder_ darum, nur seine eigenen Überzeugungen durchzusetzen, _noch_ um Schuldzuweisungen.

6. Denn _entweder_ findet man gemeinsam eine Lösung, _oder auch_ der Streit wird immer wieder aufleben. _to revive_

b Arbeiten Sie zu zweit. Lesen Sie die folgenden Argumente und bilden Sie fünf Sätze mit den Konnektoren (außer „je ... desto") aus Übungsteil a.

Argumente pro:
- unbürokratisches Verfahren
- günstiger als ein Gerichtsprozess
- konstruktive Konfliktlösung
- es gibt keine Verlierer
- Mediator ist unparteiisch
- faire Auseinandersetzung
- eine akzeptable Lösung für alle wird gefunden

Argumente contra:
- nur möglich bei freiwilliger Teilnahme
- ungewohnte Methode
- ein Dritter (Mediator) leitet das Gespräch
- keine Garantie eines Erfolgs
- keine juristische Absicherung
- es gibt keine Garantie für die fachliche Qualität des Mediators

Bei dem Verfahren der Mediation gibt es weder eine Garantie auf Erfolg, noch hat man eine juristische Absicherung.

Formen und
Strukturen
S. 159

5 Wir sind der Meinung, dass ...

Ergänzen Sie den Satz um die Angaben in der Klammer und bilden Sie so Nebensätze.

Satzklammer im Nebensatz:
Eingeleitet wird der Nebensatz durch eine Subjunktion. Das konjugierte Verb steht ganz am Ende, Partizip oder Infinitiv direkt davor. Im Mittelfeld ist die Stellung wie im Hauptsatz.

1. Ich bin der Meinung, dass _emotional geführte Streit-gespräche zu keiner Lösung führen können._
   (können / führen / zu keiner Lösung / emotional geführte Streitgespräche)

2. Ich sehe nicht ein, dass _____
   (nachgeben / bei einem Streit / immer / ich)

3. Ich finde es unhöflich, dass _____ .
   (lassen / ausreden / mich / nie / du)

4. Wie wäre es, wenn _____ ?
   (würden / behandeln / das Problem / mit einer Mediatorin / wir)

5. Könntest du dir vorstellen, dass _____ ?
   (werden / finden / eine Lösung / gemeinsam mit ihr / wir)

6. Ich fände es eine gute Idee, wenn _____
   (würden / besprechen / ruhig und offen / vor einem Streit / das Problem / wir)

7. Es ist für mich akzeptabel, wenn _____
   (müssen / schließen / einen Vertrag / über die vereinbarte Lösung / bei der Mediatorin / wir)

6 Lösungen aushandeln

Wortschatz
Lesen

Ergänzen Sie die Redemittel aus dem Schüttelkasten.

> wie wäre es, ... | Was würden Sie von folgender Lösung halten? | einerseits | Lassen Sie
> uns Folgendes vereinbaren: ... | Das geht leider nicht. | andererseits | Das ist ein guter
> Vorschlag. | Das könnte eine Lösung sein. | ~~Ich finde es ungerecht, ...~~

Diskussion am Arbeitsplatz:

H. Franke: Entschuldigen Sie, Herr Mahler, ich möchte kurz etwas mit Ihnen besprechen.

H. Mahler: Ja, natürlich. Um was geht es denn?

H. Franke: [1] _Ich finde es ungerecht_, dass Sie jeden Tag schon um 16 Uhr Feierabend machen. Ich bleibe bis sechs und beantworte Ihre Anrufe.

H. Mahler: Das stimmt zwar [2] _____, aber [3] _____ komme ich jeden Morgen schon um halb acht und Sie erst um neun.

H. Franke: [4] _____ Sie gehen erst um fünf und ich komme schon um halb neun?

H. Mahler: [5] _____ Ich muss meine Kinder schon um fünf abholen, das schaffe ich sonst nicht. Aber [6] _____, wenn ich an zwei Tagen bis halb sechs bleibe und dafür später komme. Dann tausche ich mit meiner Frau und kümmere mich morgens um die Kinder.

H. Franke: [7] _____ [8] _____ Am Dienstag und am Donnerstag bleiben Sie länger, dafür komme ich schon um halb acht.

H. Mahler: [9] _____ Einverstanden!

Dialog statt Monolog

1 Fernsehen

Wortschatz
Lesen

Welche Begriffe aus dem Schüttelkasten passen in die Lücken? Zwei Begriffe bleiben übrig.

> Einschaltquoten Krimis Dokumentationen Seifenopern Fernsehpreise
> Privatsender öffentlich-rechtlichen ~~Medium~~ Sport-Sendungen

Das Fernsehen ist als [1] _Medium_ weiterhin äußerst populär. In Deutschland gab es anfangs nur zwei staatliche Sender. Heute gibt es neben den [2] _____ Rundfunkanstalten, die dem Staat gehören und u. a. durch Gebühren finanziert werden, auch zahlreiche [3] _____, die ihre Einnahmen durch Werbung erzielen.
Am Nachmittag laufen überwiegend Unterhaltungsprogramme wie [4] _____ und Talkshows. Am Abend sind besonders Quizshows, Spielfilme und Serien beliebt. Aber auch informative Sendungen wie [5] _____ oder Fernsehmagazine finden einen breiten Zuschauerkreis.
Es werden auch [6] _____ wie die „Goldene Kamera" und „Bambi" gestiftet, um das Wirken im Fernsehbereich zu würdigen. Die höchsten [7] _____ erzielen oft jedoch große Sportereignisse oder TV-Spielfilmproduktionen.

2 Wer die Wahl hat, hat die Qual!

Wortschatz

Ordnen Sie die Redemittel aus dem Lehrbuch, S. 63, Aufgabe 3a, in die Tabelle ein.

Nachfrage	Überleitung	Zustimmung	Widerspruch
Was meinen Sie damit genau?	Wie wäre es damit, ...	Hundert Prozent Ihrer Meinung.	Das würde ich so nicht sagen.

5 Kooperieren

Lesen
Sprechen

3 Talkshows

a Lesen Sie die Programmankündigungen für Talkshows mit verschiedenen Themen und überlegen Sie, welche Gäste 1 bis 8 zu welcher Talkshow eingeladen sind.

A Eltern in Not – welche Schule für mein Kind?

Viele Eltern quält die Frage: Wie finde ich die beste Schule für mein Kind? Eltern suchen nach einer Schule, wo guter Unterricht gemacht wird und Gewalt kein Thema ist.
Die Art des Lernens, das Schulklima, das Einbeziehen der Eltern und anderer außerschulischer Partner, Schule als lernende Institution – das alles sind nur einige Rahmenbedingungen, die darüber entscheiden können, ob ein Kind sich an seiner Schule wohl fühlt.

B Dein Geiz stinkt zum Himmel

Sparsamkeit ist sicher nicht verkehrt in unserer Zeit. Denn überall wird man zum Konsum angetrieben. Wer jedoch beim Sparen zum Geizkragen wird, macht sich bei seinen Mitmenschen nicht immer beliebt. Denn was eben noch hilfreich war, kann im Alltag leicht störend wirken, wenn man bei jedem Einkauf um den Preis feilscht oder im Winter in einer kaum geheizten Wohnung sitzt.

C Generation Rock'n' Roll – Geht es den Alten zu gut?

Statistisch gesehen geht es Deutschlands Alten so gut wie nie: Die Lebenserwartung ist hoch, die Rente stabil. Doch was so angenehm klingt, hat Schattenseiten: Viele Senioren fühlen sich abgeschoben, leiden unter Armut und Einsamkeit. Gleichzeitig fürchtet die Jugend um ihre Alterssicherung, fordert weitere Opfer der älteren Generation. Geht es unseren Alten wirklich zu gut?

D Essen, Trinken, Rauchen – wie schädlich ist Genuss?

Ein opulentes Mahl, dazu eine gute Flasche Wein, anschließend ein Schnaps zur Verdauung, die obligatorische Zigarette danach nicht zu vergessen. Doch kaum geben wir uns dem Genuss hin, hören wir die mahnenden Worte der Gesundheitsapostel, die uns den Spaß am Laster verderben wollen.

---

1. Herr Ruby, der heute 2500,- € Rente erhält   **1.** ☐ _C_

2. ein strenger Vegetarier und Nichtraucher   **2.** ☐

3. Katharina, die ihr Geld gern für edle Kleidung ausgibt   **3.** ☐

4. der Direktor einer Gesamtschule   **4.** ☐

5. ein begeisterter Hobbykoch und Weinkenner   **5.** ☐

6. Peter, der genau aufs Geld schaut und Buch über seine Ausgaben führt   **6.** ☐

7. eine Frau von 45, deren Rente später ca. 1000,- € betragen wird   **7.** ☐

8. Ehepaar Strobel, das seine Kinder nach vielen Schwierigkeiten mit den örtlichen Schulen ins Internat gegeben hat   **8.** ☐

b Arbeiten Sie zu viert. Wählen Sie ein Talkshow-Thema und verteilen Sie verschiedene Rollen (Moderator, Befürworter, Gegner, Experte). Diskutieren Sie gemeinsam.

4 Wenn man könnte, wie man wollte ...

Formen und
Strukturen
S. 174

Setzen Sie die Verben in Klammern in den Konjunktiv II.

1. Wenn es die Liebe nicht _gäbe_ (geben), dann _könnten_ (können) die Menschen nicht richtig glücklich sein.
2. Wenn man sich in einer Ehe alles erlauben _dürfte_ (dürfen), dann _bräuchte/brauchte?_ (brauchen) man nicht zu heiraten.
3. Wenn das Zusammenleben in der Ehe einfach _wäre_ (sein), _gäbe_ (geben) es keine Grund mehr für Scheidungen.
4. Wenn man alles machen _könnte_ (können), wie man _wollte_ (wollen), dann _würden_ (leben) wir in einer egoistischen Gesellschaft _leben_.
5. Wenn keiner mehr heiraten _wollte_ (wollen), _müssten_ (müssen) die Standesbeamten eine neue Arbeit finden.

Singular

5 Gespräch bei einem Eheberater

Formulieren Sie Ratschläge. Verwenden Sie dabei die angegebenen Satzteile.

1. **Frau:** Mein Mann sagt mir nie Bescheid, wann er nach Hause kommt.
   (am Nachmittag anrufen / den Abend besprechen)
   Eheberater: *Sie sollten Ihre Frau am Nachmittag anrufen und den Abend besprechen. / Wie wäre es, wenn Sie Ihre Frau am Nachmittag anrufen und den Abend besprechen würden. / An Ihrer Stelle würde ich Ihre Frau am Nachmittag anrufen und den Abend besprechen.*

2. **Mann:** Nach der Arbeit bin ich müde, aber meine Frau lässt mich nicht ausruhen.
   (am Abend / in Ruhe / eine Stunde / entspannen lassen)
   Eheberater: *Sie sollten am Abend Ihre Frau eine Stunde in Ruhe entspannen lassen*

3. **Frau:** Am Wochenende würde ich gern etwas erleben, aber mein Mann sieht lieber fern.
   (gemeinsam / jedes Wochenende / einige Stunden / etwas unternehmen)
   Eheberater: _____

4. **Mann:** Die ganze Woche muss ich arbeiten, deswegen möchte ich zu Hause nicht helfen.
   (für einige Stunden pro Woche / eine Putzhilfe / beschäftigen)
   Eheberater: *Sie sollten für einige Stunden pro ...*

5. **Frau:** Ich möchte gern manchmal abends mit Freunden weggehen, aber mein Mann möchte das nicht. (jeder von Ihnen / einen Abend pro Woche / allein etwas unternehmen)
   Eheberater: _____

6. **Mann & Frau:** Wir haben keine Zeit mehr zu zweit, tagsüber Arbeit, abends die Kinder.
   (Freunde oder Familie / regelmäßig um Hilfe bitten / und / zu zweit etwas unternehmen)
   Eheberater: _____

6 Höflichkeit ist eine Zier ... 3/3/09. ...

Formulieren Sie die Bitten höflicher. Verwenden Sie mehrere Varianten.

1. Helfen Sie mir bitte!
   Entschuldigung, würden Sie mir bitte helfen? / Könnten Sie mir bitte helfen? / Wären Sie so nett / freundlich, mir zu helfen?

2. Beschreiben Sie mir bitte den Weg zum Rathaus!

3. Sprechen Sie bitte langsamer!

4. Wiederholen Sie das bitte!

7 pkt und bgd

a Welches Wort hören Sie. Markieren Sie.

1. p oder b:	2. k oder g:	3. t oder d:
Pille – Bille	Kern – gern	Tank – Dank
Paar – Bar	Kreis – Greis	Tipp – Dip
Pier – Bier	Kuss – Guss	Tier – dir
Oper – Ober	Ecke – Egge	Weite – Weide
Gepäck – Gebäck	decken – Degen	Marter – Marder
Raupen – rauben	lecken – legen	entern – ändern

5   Kooperieren

Hören ● 15
Aussprache

b Hören und sprechen Sie.

1. bittere Pille | glücklicher Kuss | didaktischer Tipp
2. biederes Paar | ganzer Kern | doppelter Tank
3. passables Bier | kranker Greis | tausend Dank
4. pompöse Bar | kompletter Guss | teurer Dip

Hören ● 16
Aussprache

c Hören Sie das Gedicht von Eugenie Marlitt und lesen Sie es dann laut.

Der Abend

Ein kluger Knabe ist der Abend,
er hält's mit Tag und Nacht zugleich:
Die Sonne küsst ihn auf die Locken,
die Nacht umfasst ihn lind und weich.

Der Tag erzählt ihm von den Menschen,
und treulich sagt er's dann der Nacht.
Sein Freund, der Mond, lauscht dem Berichte:
So kommt es, dass er immer lacht!

Gemeinsam statt einsam

1 Ist es so oder doch ganz anders?

Wortschatz
Schreiben

a Ordnen Sie die Ausdrücke in die Tabelle ein.

~~selbstverständlich~~   vermutlich   keineswegs   zweifelsohne   tatsächlich
vielleicht   offensichtlich   sicher   überhaupt nicht   scheinbar   gar nicht

Es ist eine Tatsache	Es ist möglich	Es stimmt nicht
selbstverständlich,		

b Finden Sie weitere Synonyme oder auch ähnliche Ausdrücke. Benutzen Sie ggf. ein einsprachiges Wörterbuch.

Es ist eine Tatsache: _Es besteht kein Zweifel, dass ..._____
Es ist möglich: _____
Es stimmt nicht: _____

c Verwenden Sie die Ausdrücke aus Übungsteil a bzw. b und stellen Sie kurze Thesen auf. Wahrheit spielt hier keine Rolle.

Zweifellos wird in Deutschland das meiste Bier getrunken.

Deutsch ist eine schwere Sprache, deswegen lernen vermutlich mehr Menschen Englisch.

_____

2 Gute Vorsätze für das Sprachenlernen

Formen und
Strukturen
S. 166

Bilden Sie Sätze mit „zu".

1. Angelo / vornehmen / lernen / jeden Tag / zehn neue Wörter
2. Jane / versuchen / sehen / wöchentlich / einen Film auf Deutsch
3. Irina / den Plan haben / besuchen / einen Sprachkurs
4. Hamid / beabsichtigen / teilnehmen / an einem Austauschprogramm
5. Victor / regelmäßig / sich Zeit nehmen / schreiben / seinem Brieffreund

1. Angelo nimmt sich vor, jeden Tag zehn neue Wörter zu lernen.

Formen und
Strukturen
S. 166

3 **Tipps zu formulieren ist ganz einfach!**

Arbeiten Sie zu zweit. Geben Sie Ihrem Partner Schreibtipps
(siehe Lehrbuch, S. 64, oder auch eigene). Verwenden Sie die
Ausdrücke aus dem Schüttelkasten.

> Der Infinitivsatz I:
>
> Nach bestimmten Nomen, Verben und Adjektiven
> steht oft eine Infinitiv-Konstruktion. Diese kann
> auch vor dem Hauptsatz stehen sowie durch An-
> gaben und Ergänzungen erweitert werden. Bei
> trennbaren Verben steht das „zu" zwischen den
> Verbteilen.

> Ich raten dir / Ihnen, … | Ein guter Ratschlag ist, … | Ich empfehle dir / Ihnen, … | Ich
> schlage vor, … | Es ist wichtig, … | Achte / Achten Sie darauf, … | Eine gute Methode ist, …

> *Es ist wichtig, Informationen (Stichworte, Mindmap)*
> *zu sammeln. Ich empfehle dir, …*

Formen und
Strukturen
S. 166

4 **Infinitivsatz mit Modalverben, Perfekt und Passiv**

Ergänzen Sie die Sätze durch die Angaben in der Klammer.

> Der Infinitivsatz II:
>
> In den Infinitivkonstruktionen stehen die
> Modalverben bzw. die Hilfsverben (haben, sein,
> werden, lassen etc.) immer am Satzende.

1. Es ist wichtig, vor dem Schreiben *ein Konzept entwickelt*
   zu haben. (ein Konzept entwickeln + Perfekt).
2. Vor der Prüfung fürchte ich immer, alles _____
   (vergessen + Perfekt)
3. Er hoffte, vom Lehrer nicht _____
   (beachten + Passiv)
4. Es ist unangenehm, vor anderen _____
   (kritisieren + Passiv)
5. Man hat selten die Gelegenheit, ungestört _____
   (arbeiten + können)
6. Ich hatte Angst, die Prüfung erneut _____
   (ablegen + müssen)
7. Sie hatte keine Zeit, die Hausarbeit noch von ihrer Teampartnerin _____
   (korrigieren + lassen)

Gemeinsam sind wir stark

Formen und
Strukturen
S. 161, 174

1 **Wenn ich doch fliegen könnte!**

Welche Wünsche haben die Tiere? Schreiben Sie Ihre Gedanken auf und verwenden Sie dabei
Wunschsätze und irreale Konditionalsätze.

1. Lunge – an Land leben: *Oktopus: Wenn ich doch an Land leben könnte! /*
   Wenn ich eine Lunge hätte, könnte ich an Land leben.

2. Flügel – fliegen: _____

3. Arme – Obst pflücken: _____

4. Stimme – singen: _____

5. Beine – laufen: _____

6. Flossen – schwimmen: _____

Formen und
Strukturen
S. 161, 174

2 Hätte ich den Konjunktiv nicht gelernt, könnte ich diese Aufgabe nicht lösen.

a Formulieren Sie die Sätze um, verwenden Sie dabei den Konjunktiv II der Vergangenheit.

1. Es gab Missverständnisse mit dem Austauschschüler, weil Michael zu schlecht Englisch sprach.
2. Herr Weiß führte einen Prozess gegen seine Nachbarn, weil sie zu laut waren.
3. Frau Scherz ärgerte sich über ihre Tochter, weil sie ihr Zimmer nicht aufgeräumt hatte.
4. Frau Pfeifer hatte Ärger mit ihrem Chef, weil sie ihr Projekt nicht pünktlich beendet hatte.
5. Silke und Joachim fuhren nicht zusammen in Urlaub, weil sie sich gestritten hatten.

> 1. *Es hätte keine Missverständnisse mit dem Austauschschüler gegeben, wenn Michael besser Englisch gesprochen hätte. / Wenn Michael besser Englisch gesprochen hätte, hätte es keine Missverständnisse mit dem Austauschschüler gegeben. / Hätte Michael besser Englisch gesprochen, hätte es keine Missverständnisse mit dem Austauschschüler gegeben.*

b Formulieren Sie die Sätze wie in Übungsteil a um, achten Sie dabei auf die Modalverben.

1. Franz kündigte seine Stelle, weil er so oft nachts arbeiten musste.
2. Der Mediator konnte keine Lösung aushandeln, weil die Konfliktparteien allen Vorschlägen widersprachen.
3. Herr Jung durfte nicht in Urlaub fahren, weil seine Kollegin krank geworden war.
4. Frau Lauf wurde gekündigt, weil sie keine Überstunden machen wollte.
5. Frau Wald und Herr May mussten einen Mediator hinzuziehen, weil sie das Problem nicht allein lösen konnten.

> 1. *Franz hätte seine Stelle nicht gekündigt, wenn er nicht so oft nachts hätte arbeiten müssen. / Wenn Franz nicht so oft nachts hätte arbeiten müssen, hätte er seine Stelle nicht gekündigt. / Hätte Franz nicht so oft nachts arbeiten müssen, hätte er seine Stelle nicht gekündigt.*

Formen und
Strukturen
S. 164

3 Es war, als hätt' der Himmel

a Ergänzen Sie die Satzanfänge mit „als".

1. Plötzlich verstummten alle, _als hätte jemand ein Zeichen gegeben._
   (jemand ein Zeichen gegeben haben)   *hätte*
2. Seit gestern benahm sie sich ihm gegenüber so, als _hätte sie ihn nicht mehr_   *würde*
   (sie ihn nicht mehr kennen)   *ob sie ihn nicht mehr kennen würde kennen.*
3. Nach der 10-tägigen Trennung fühlten sie sich so, als _wären sie seit Monaten getrennt_
   (seit Monaten getrennt sein)   *ob* — *wären*
4. An ihre Hochzeit erinnerten sie sich noch nach Jahren, als _wäre sie gestern gewesen_
   (gestern gewesen sein)   *ob*   *wäre*
5. Der Moderator sprach so schnell, als _wollte er einen Rekord brechen_
   (er einen Rekord brechen wollen) *ob*   *wollte*

b Formulieren Sie die Sätze in Übungsteil a neu, indem Sie „als ob" verwenden.

> 1. *Plötzlich verstummten alle, als ob jemand ein Zeichen gegeben hätte.*

Sprechen

→TELC

4 Veranstaltungsplanung

Planen Sie zu zweit eine Veranstaltung in Ihrer Kursstadt. Ziel dieser Veranstaltung ist die Förderung des kulturellen Austauschs in der Stadt.

Denken Sie dabei an:
- Thema und Adressat der Veranstaltung
- die notwendigen Kosten sowie evtl. Sponsoren
- den Zeitpunkt und genauen Ort der Veranstaltung

Grammatik: Das Wichtigste auf einen Blick

Formen und
Strukturen
S. 165

1 Wie man Sätze miteinander verbinden kann: zweiteilige Konnektoren

Die zweiteiligen Konnektoren können Hauptsätze, Nebensätze oder Satzteile verbinden.

Verbindung von zwei Hauptsätzen:
zwar – aber *(A stimmt, aber B ist auch richtig)*
• Er ist zwar noch jung, aber (er ist) schon sehr erfolgreich.

entweder – oder *(Auswahl zwischen A und B)*
• Entweder können uns besondere Ereignisse friedlich stimmen oder (sie stimmen uns) nervös.

nicht nur – sondern auch *(A ist richtig, aber B auch (entgegen der Erwartung))*
• Streitigkeiten helfen nicht nur Konflikte zu erkennen, sondern (sie helfen) auch im Berufsleben.

Verbindung von einem Nebensatz und einem Hauptsatz:
je – desto / umso *(Situation B hängt von Situation A ab, beides mit Komparativ)*
• Je sorgfältiger man die Entscheidungen überdenkt, desto / (umso) positiver ist das Resultat.

Verbindung von Satzteilen:
sowohl – als auch / wie *(Beides ist richtig)*:
• Sowohl der Mann als auch die Frau zeigten sich in der Diskussion als sehr durchsetzungsfähig.

weder – noch *(Keines von beiden ist richtig)*:
• Er hat weder seinen Standpunkt durchgesetzt, noch ist er in der Diskussion laut geworden.

Formen und
Strukturen
S. 174

2 Wie man etwas Irreales ausdrücken kann: Konjunktiv II

Der Konjunktiv II wird auch benutzt, wenn etwas Irreales ausgedrückt werden soll, wie z.B. in konditionalen Nebensätzen oder irrealen Vergleichssätzen. Die regelmäßigen Verben und viele unregelmäßige Verben benutzen für den Konjunktiv II meistens „würde" + Infinitiv:
• Wenn ich mehr Zeit hätte, würde ich das Buch heute noch kaufen.

Die Modalverben und einige frequente unregelmäßige Verben benutzen die Konjunktiv II – Form (Präteritum (+ Umlaut) + Konjunktivendungen):

	Präteritum	**Konjunktiv II**	*ebenso:*	wurde – würde
ich	kam	käm-e	nahm – nähme	musste – müsste
du	kamst	käm-est	ging – ginge	konnte – könnte
er/es/sie	kam	käm-e	wusste - wüsste	durfte – dürfte
wir	kamen	käm-en	ließ – ließe	wollte – wollte *(kein Umlaut)*
ihr	kamt	käm-et	hatte – hätte	sollte – sollte *(kein Umlaut)*
sie/Sie	kamen	käm-en	war – wäre	mochte – möchte (Präsensbedeutung)

Formen und
Strukturen
S. 161

3 Wie man Bedingungen formulieren kann: konditionale Nebensätze und Wunschsätze

Konditionale Nebensätze geben die Bedingungen an, unter der ein Geschehen stattfindet:
Unter welcher Bedingung? Irreale Konditionalsätze stehen im Konjunktiv II:
• Wenn wir beide pünktlicher wären, hätten wir mehr Zeit füreinander. *(Gegenwart)*
• Wenn wir gestern pünktlicher gewesen wären, hätten wir mehr Zeit gehabt. *(Vergangenheit)*

Formen und
Strukturen
S. 164

4 Irreale Vergleichssätze mit „als" oder „als ob"

Mit diesen Nebensätzen drückt man Vergleiche aus: **Ist es genauso oder anders?**
• Sie tat, als ob sie nichts gesehen hätte. *(„als ob" + Konj. II, konjugiertes Verb am Satzende)*
• Sie tat, als hätte sie nichts gesehen. *(„als" + Konj. II, konjugiertes Verb auf Pos. 2)*

6 Arbeit

Arbeit

1 Arbeiten mit einem einsprachigen Wörterbuch

Lesen
Wortschatz

a Lesen Sie die Wörterbucheinträge. Beantworten Sie die Fragen und ergänzen Sie die Sätze.

tä·tig <nicht steig.> *Adj.* **1.** *so, dass man in einem bestimmten Beruf arbeitet* als Architekt/Lehrerin/Maurer tätig sein **2.** (≈ *tatkräftig*) *so, dass man praktisch handelt* tätige Hilfe/Nächstenliebe **3.** (≈ *aktiv* ↔ *untätig*) *so, dass man aktiv ist und handelt* Wir sind den ganzen Tag tätig gewesen, jetzt wollen wir uns ausruhen., Wann wird die Stadt endlich tätig in dieser Sache? **4.** (≈ *aktiv*) *so, dass es in Betrieb ist oder eine bestimmte Aktivität zeigt* Der Vulkan ist seit einigen Wochen wieder tätig., ein tätiger Vulkan, Das Herz hat aufgehört tätig zu sein., Diese Seilbahn ist nicht mehr tätig.
tä·ti·gen *mit OBJ* ■ *jmd. tätigt etwas* (*geh.*) *ausführen* ein Geschäft tätigen
Tä·tig·keit die <-, -en> **1.** (*kein Plur.*) (≈ *Aktivität*) *das Tätigsein* jemanden in seiner Tätigkeit unterbrechen, emsige/fieberhafte Tätigkeit entfalten **2.** (≈ *Job*) *berufliche Beschäftigung* eine neue Tätigkeit aufnehmen/suchen, eine Tätigkeit als Verkäuferin angeboten bekommen, Sie hat in der Vergangenheit schon verschiedene Tätigkeiten ausgeübt. **3.** (*kein Plur.*) *das In-Betrieb-Sein* Die Anlage ist schon sehr lange in/außer Tätigkeit., Die Tätigkeit des Herzens überwachen., die erneute Tätigkeit des Vulkans

©: PONS

1. Was bedeuten die Punkte in tä·tig, tä·ti·gen, Tä·tig·keit?
2. Warum ist das „ä" in diesen Wörtern markiert?
3. Welche Wortart ist „tätig"?
4. Was bedeutet: <nicht steig.>?
5. Was bedeutet: ↔?
6. Was bedeutet: OBJ?
7. Was bedeutet: (kein Plur.)?
8. Mein Bruder ist _____ Ingenieur in Asien _____.
9. Diese Tätigkeit _____ er erst seit kurzem _____.
10. Dort baut er neue Fertigungsanlagen für Autos. Die alten Anlagen waren schon lange _____.
11. Allerdings lebt er dort gefährlich, denn in der Nähe seines Wohnortes gibt es noch einen Vulkan, der _____ ist.
12. Die Häuser in seiner Stadt sind auch nicht erdbebensicher gebaut. Die Einwohner fragen sich, wann die Regierung in dieser Sache _____ wird.

b Suchen Sie die Wörter in einem anderen Wörterbuch. Notieren Sie mögliche Unterschiede bei den Erklärungen und tauschen Sie sich im Kurs darüber aus.

17/8/09

2 Wichtige Eigenschaften (nicht nur) in der Arbeitswelt

Wortschatz

a Lesen Sie die Definitionen und bilden Sie dann die entsprechenden Wörter aus den Silben.

aus	be	~~be~~	bel	~~cher~~	dau	ernd	~~fähig~~	~~fle~~	~~flei~~	gründ	in	krea	läs	~~li~~
pflicht	res	~~selbst~~	siert	sig	~~ßig~~	ter	~~team~~	tiv	ver	~~wusst~~	~~wusst~~	xi	zu	

1. Jemand hat in sich selbst Vertrauen. Er ist *selbstbewusst*.
2. Sie kann sehr gut in einem Team arbeiten. Sie ist sehr *Team fähig*.
3. Das Gegenteil von faul ist *fleißig*.
4. Sie ist beweglich und kommt mit unterschiedlichen Lösungen zurecht. Sie ist *flexibel*.
5. Er arbeitet sehr genau. Ja, er ist ein wirklich *gründlicher* Arbeiter.
6. Sie schaut täglich ins Intranet, ob es etwas Neues in der Firma gibt. Sie ist sehr an ihrer Arbeit *interessiert*.
7. Er findet neue Lösungen, die andere nicht finden. Er ist *kreativ*.
8. Sie erfüllt alle Pflichten gut und pünktlich. Sie ist sehr *pflichtbewusst*.
9. Er hält immer, was er verspricht. Er ist immer *zuverlässig*.
10. Sie kann 12 Stunden täglich arbeiten und wird nicht müde. Sie ist wirklich *ausdauernd*.

b Wie heißen die Nomen zu den Adjektiven aus Übungsteil a? Ergänzen Sie auch die Artikel.

1. *das Selbstbewusstsein*
2. _____
3. _____
4. _____
5. _____
6. _____
7. _____
8. _____
9. _____
10. _____

der, die oder das?

der:
Wörter mit der
Endung: -ing, -ler,
-er (Ausnahmen wie
z. B. die Dauer, …)

die:
Wörter mit der
Endung: -heit,
-keit, -schaft,
-ung, -tät, -ei,
-ion, -tion, -anz

das:
Wörter mit der
Endung: -sein, -chen,
-lein, substantivierte
Verben (Sein, Leben)

171 W

3 Was tun diese Menschen?

Wortschatz

Markieren Sie die passenden Verben. Es gibt immer zwei richtige Lösungen.

1. eine Beratung ☐ ausführen ☒ anbieten ☒ durchführen
2. ein Gespräch ☑ führen ☐ machen ☑ leiten
3. Hilfe ☑ leisten ☐ tun ☑ anbieten
4. Informationen ☐ leisten ☑ geben ☑ weitergeben
5. Interesse ☑ haben ☑ zeigen ☐ sein
6. die Planung ☑ übernehmen ☐ führen ☑ machen
7. eine Untersuchung ☑ machen ☑ durchführen ☐ tun
8. Kontrolle ☑ haben ☑ ausüben ☐ führen

4 Eine interessante Aufgabe – eine Präsentation

Schreiben
Sprechen

Arbeiten Sie zu zweit. Bereiten Sie eine kleine Präsentation über eine Firma, Organisation, Gruppe, … und die Tätigkeit vor, die Sie dort ausüben bzw. ausgeübt haben.

- Gliedern Sie Ihre Präsentation.
- Schreiben Sie zu jedem Teil einige Sätze auf Karten (z. B. im Din-A5-Format) und überlegen Sie sich, wie Sie Ihre Präsentation visualisieren können.
- Korrigieren Sie dann Ihre Vorbereitungen in Ihrer Arbeitsgruppe. Was kann man verbessern: sprachlich, in der Gestaltung, …?
- Tragen Sie sich gegenseitig Ihre Präsentation vor.
- Wechseln Sie nun in eine andere Arbeitsgruppe und tragen Sie der neuen Gruppe Ihre Präsentation vor.

Gliederung einer Präsentation	Redemittel für eine Präsentation
Eröffnung: Begrüßung und Vorstellung des Ablaufs der Präsentation	**Begrüßung:** Sehr geehrte Damen und Herren, ich möchte Ihnen heute Informationen über … präsentieren.
Hauptteil: Beschreiben Sie Ihre Arbeitsstelle, die Art Ihrer Tätigkeit, die Personen, mit denen Sie zu tun haben / hatten, wie Ihnen die Arbeit gefällt / gefallen hat, …	**Ablauf:** Zunächst gebe ich einen Überblick über den Ablauf. Zuerst…, dann …, danach …, zum Schluss …
Schluss: Fordern Sie Ihr Publikum zu Fragen auf, bedanken und verabschieden Sie sich.	**Schluss:** Vielen Dank für Ihr Interesse / Ihre Aufmerksamkeit. | Wenn Sie Fragen haben, stehe ich Ihnen gern zur Verfügung. | Wenn Sie möchten, könnten wir jetzt offene Fragen diskutieren.

5 Denkpausen

Wortschatz

Was sagen Sie in welcher Situation? Manchmal gibt es mehrere Lösungen.

Ähm … tja … | Moment, ich fange noch mal an. | ~~Wie war noch mal der Name?~~ | Also … Sekunde, das muss ich noch mal anders formulieren. | Was ich eigentlich sagen wollte … | Wie war das noch? | Wie sagt man …? | Also, da muss ich kurz überlegen. | Wie hieß doch gleich …? | Wie hing das doch gleich zusammen?

Was sagen Sie, wenn…
1. Sie sich nicht an einen Namen erinnern : _Wie war noch mal der Name?_
2. Sie einen Satz noch einmal beginnen möchten: _____
3. Sie eine kleine Pause zum Nachdenken brauchen: _____
4. Sie etwas noch mal genauer erklären wollen: _____
5. Sie sich nicht mehr an den Zusammenhang erinnern: _____
6. Sie sich nicht mehr an ein bestimmtes Wort erinnern: _____

6 Arbeit

Welt der Arbeit

Wortschatz

1 In der Welt der Arbeit – das sollten Sie schon kennen

Was passt wozu? Ergänzen Sie ggf. auch den Artikel und die Pluralform.

1. Eine Stellung nennt man auch	A Arbeitnehmer.	1.	G	die, die Positionen
2. Ein Synonym für Spezialist / Spezialistin ist	B Feierabend.	2.	☐	
3. Im Beruf vorwärts kommen, heißt	C Gemüsehändler.	3.	☐	
4. Maurer, Schuster, Schreiner sind	D Büroangestellter.	4.	☐	
5. Buchhalter ist ein … Beruf.	E Karriere machen.	5.	☐	
6. Herr Rau verkauft Gemüse. Er ist	F Steuer.	6.	☐	
7. Jemand arbeitet in einem Büro. Er ist	G Position.	7.	☐	
8. Nach der Arbeit ist	H Handwerker.	8.	☐	
9. Das Geld, das man verdient, nennt man	I kaufmännischer	9.	☐	
10. Die Person, die jemanden einstellt, heißt	J Einkommen.	10.	☐	
11. Die Person, die angestellt ist, nennt man	K Arbeitgeber.	11.	☐	
12. Das Geld, das fast jeder an den Staat bezahlen muss, nennt man	L Fachmann / Fachfrau.	12.	☐	

2 Arbeit in der Welt

Lesen
Wortschatz

a Lesen Sie den Text im Lehrbuch, S. 70, noch einmal und entscheiden Sie, ob die Aussagen richtig (r) oder falsch (f) sind. Notieren Sie die entsprechende Textstelle.

			Zeile/n
1. Daswani ist ein Großunternehmer.	r	☒	Z. 9/10
2. 50 % der mittelständischen Unternehmen wollen im Ausland tätig werden.	r	f	_____
3. In China investieren die Unternehmer am liebsten.	r	f	_____
4. Auslandsinvestitionen stärken in vielen Fällen den inländischen Betrieb.	r	f	_____
5. Durch die Tätigkeit in den USA hat die Firma Trumpf neue Mitarbeiter in Deutschland eingestellt.	r	f	_____
6. Die Firma Leoni produziert im Ausland, die Verwaltung und Entwicklung neuer Produkte sind in Deutschland angesiedelt.	r	f	_____
7. Firmen, die in mehreren Ländern tätig sind, verlieren den Kontakt zu den Kunden.	r	f	_____
8. Fachleute aus Deutschland müssen anfangs oft die Arbeiten im Ausland kontrollieren.	r	f	_____
9. Für Mittelständler ist die Schließung eines Betriebs wegen der Kosten, die dadurch entstehen, immer gefährlich.	r	f	_____

b Lesen Sie die Sätze und finden Sie Synonyme für die unterstrichenen Ausdrücke und formulieren Sie ggf. die Sätze neu. Zwei Wörter bleiben übrig.

> Fachleute   ~~tätig sein~~   Produktion   stellt … her
> Verkauf   Verkaufsstelle   verwendet   beendet

1. Viele Unternehmen agieren über Landesgrenzen hinweg. (Z. 33f)   *Viele Unternehmen sind über die Landesgrenzen hinweg tätig.*

2. Sie wollen vor Ort einen eigenen Vertrieb (Z. 54f) aufbauen.   _____

3. Sie wollen sich über die Herstellung (Z. 57f) im Ausland Märkte erschließen.   _____

4. Der Mittelstand fertigt in aller Welt Vorprodukte. (Z. 66f)   _____

5. 40% des Umsatzes müssen aufgewendet werden. (Z. 122f)   _____

6. Experten aus der Heimat sind gefragt. (Z. 129f)   _____

3 Den Inhalt von Zeitungsartikeln wiedergeben

a Lesen Sie den Text und markieren Sie alle Wörter, die das Gleiche oder etwas Ähnliches wie „Fehler" bedeuten.

Aus Fehlern lernen

In einer Studie wurde untersucht, wie Manager und Angestellte in deutschen Betrieben auf Fehler reagieren. Es zeigte sich, dass viel zu oft mit dem Finger auf Kollegen gezeigt wird, denen ein
5   Missgeschick passiert ist, und dass in Deutschland die „Fehlerintoleranz" besonders hoch ist. Die Forderung lautet also: Aus Fehlern lernen, gemeinsam nachdenken, statt zu strafen – also nach dem Prinzip von Versuch und Irrtum
10 vorzugehen. Ein gutes Prinzip, denn dahinter steckt die Erkenntnis, dass Verbesserungen nur möglich sind, wenn alle Beteiligten Fehler machen dürfen und Rückschläge erlaubt sind. Das heißt nicht, dass man nachlässig arbeitet, sondern dass
15 man statt nach Schuld nach Lösungen sucht, damit das Versehen nicht noch einmal geschieht. Warum brechen die Beine des Tisches bei höherer Belastung? Warum interessieren sich die Kunden nicht für die neuen Sommerschuhe? Warum
20 wurde das falsche Bild auf den Prospekt gedruckt? Oft gibt es verschiedene Gründe für das Dilemma. Jemand war in Zeitdruck oder überarbeitet und hat daher darauf verzichtet, sein Arbeitsergebnis zu überprüfen. Oder das Produkt konnte nicht
25 genügend getestet werden.

Die meisten Probleme kann man lösen. Doch dies setzt voraus, dass man überhaupt das Problem benennt und nach seinen Ursachen forscht.
In der Wirtschaft liegen die Fehler jedoch oft nicht bei den kleinen Angestellten oder Arbeitern,   30 sondern am Management. Das belegt eine Produktivitätsstudie, die seit 1992 gemacht wird. Sie zeigt, dass fast die Hälfte der Verluste an Produktivität auf einen Mangel an Planung, Führung und Aufsicht zurückzuführen ist. Ein   35 Beispiel: Nur bei 12% von 150 beobachteten Besprechungen wurden die nächsten Schritte festgelegt. Es wird zwar viel geredet, aber es werden nicht die richtigen Fragen gestellt. Arbeitnehmer sehen oft, was schiefläuft, sie haben   40 sogar eine Idee, wie es besser ginge. Aber oft ist der Team- oder Abteilungsleiter einfach zu feige. Eine solche Meldung könnte ja zu Ärger mit dem Vorgesetzten führen, denn wenn man Fehler analysiert, muss sich etwas ändern. Und vielleicht   45 würde dann sogar – bei einer notwendigen Umstrukturierung – der eigene Posten wegfallen.

Stadtzeitung, 13.01.07, Rubrik Berufswelt

b Lesen Sie nun die beiden Zusammenfassungen des Textes. Welche ist besser? Warum? Markieren Sie die Aussagen, denen Sie zustimmen.

A Bei dem Text „Aus Fehlern lernen", veröffentlicht in der Stadtzeitung vom 13.01.07, handelt es sich um einen Bericht über den Umgang mit Fehlern in Unternehmen. Für Fehler gibt es verschiedene Erklärungen, zum Beispiel, dass ein fehlerhaftes Produkt nicht genügend getestet wurde. Man muss über die Fehler sprechen, dann gibt es auch eine Lösung. In der Wirtschaft sind es vor allem die Manager, die die meisten Fehler begehen, indem sie z. B. nicht für eine klare Planung sorgen. Außerdem haben sie Angst vor Veränderungen, weil sie vielleicht ihre Stelle verlieren. Deshalb hören sie nicht auf ihre Mitarbeiter.

B Bei dem Text „Aus Fehlern lernen", veröffentlicht in der Rubrik Berufswelt in der Stadtzeitung vom 13.01.07, handelt es sich um den Bericht über eine Studie, in der es um den Umgang mit Fehlern in Unternehmen geht.
Die Hauptaussage des Textes ist folgende: Statt nach dem Schuldigen zu suchen, sollte über die Gründe für Fehler gesprochen werden, damit Lösungen gefunden werden können. Der Autor betont, dass häufig nicht die richtigen Fragen gestellt werden. Außerdem wird dargestellt, dass die meisten Fehler beim Management liegen: Es fehlt nämlich an klarer Führung und Aufsicht. Dies wird durch folgendes Beispiel verdeutlicht: Nur 12 Prozent von 150 untersuchten Besprechungen endeten mit einer klaren Festlegung der nächsten Schritte. Der Verfasser hebt hervor, dass die Arbeitnehmer selbst oft gute Problemlösungen vorschlagen könnten, wenn ihre ängstlichen Vorgesetzten dies nicht verhindern würden.

Zusammenfassung A

☐ ist besser, weil sie kürzer ist.

☐ ist besser, weil der Leser nicht durch einleitende Sätze gestört wird.

☐ ist besser, weil die Beispiele die wichtigsten Aspekte des Themas verdeutlichen.

Zusammenfassung B

☐ ist besser, weil sie länger und die Quellenangabe genauer ist.

☐ ist besser, weil sie durch Einleitungssätze besser strukturiert ist.

☐ ist besser, weil das Beispiel eine zentrale Aussage belegt.

c Suchen Sie einen kurzen Artikel aus einer Tageszeitung oder einer Illustrierten aus. Schreiben Sie eine Zusammenfassung und benutzen Sie dabei auch die Ausdrücke im Lehrbuch, S. 71.

Formen und Strukturen S. 154

4 Nomen-Verb-Verbindungen

a Korrigieren Sie die Nomen-Verb-Verbindungen.

1. eine Rolle ~~nehmen~~ *spielen* _____
2. den Entschluss ~~vertreten~~ _____
3. zur Folge ~~spielen~~ _____
4. die Ansicht ~~kommen~~ _____
5. in Anspruch ~~fassen~~ _____
6. sich in Acht ~~haben~~ _____
7. zur Überzeugung ~~nehmen~~ _____

b Ersetzen Sie die unterstrichenen Verben und Ausdrücke durch die Nomen-Verb-Verbindungen aus Übungsteil a.

1. Eine positive Fehlerkultur ist sehr wichtig.
2. Wir haben beschlossen, konstruktiver mit Fehlern umzugehen.
3. Dafür möchten wir die Hilfe eines Beraters nutzen.
4. Wie sind sicher, dass das eine notwendige Maßnahme ist.
5. Wir meinen, dass alle an den Veranstaltungen teilnehmen sollten.
6. Das wird eine Verbesserung des Arbeitsklimas nach sich ziehen.
7. Wir sollten aber aufpassen, dass wir Fehler nicht zu sehr tolerieren.

> 1. *Eine positive Fehlerkultur spielt eine sehr wichtige Rolle.* _____

c Kombinieren Sie? Welches Nomen gehört zu welchem Verb? Manchmal gibt es mehrere Lösungen. Schreiben Sie die richtigen Nomen-Verb-Verbindungen ins Heft.

	kommen	treffen	stellen	bringen	nehmen
1. seinen Lauf	☐	☐	☐	☐	☒
2. eine Wahl	☐	☐	☐	☐	☐
3. zu Ende	☐	☐	☐	☐	☐
4. Vorbereitungen	☐	☐	☐	☐	☐
5. ums Leben	☐	☐	☐	☐	☐
6. zur Sprache	☐	☐	☐	☐	☐
7. eine Frage	☐	☐	☐	☐	☐
8. in Frage	☐	☐	☐	☐	☐
9. einen guten / schlechten Verlauf	☐	☐	☐	☐	☐

5 Nichts als Arbeit

Wortschatz

Verbinden Sie die Sätze.

1. Klaus ist Assistenzarzt und ist	A den ganzen Tag auf der Baustelle.	1. [F]
2. Bernd ist Hausarzt und arbeitet	B in einer großen Kanzlei angestellt.	2. ☐
3. Susanne ist Rechtsanwältin und ist	C für viele Zeitungen tätig.	3. ☐
4. Ella ist Rechtsanwaltsgehilfin und arbeitet	D seit Jahren bei Ford.	4. ☐
5. Martin ist Mechaniker und arbeitet	E für viele Anwälte.	5. ☐
6. Rita ist zwar Altenpflegerin,	F in einer bekannten Kurklinik tätig.	6. ☐
7. Anja ist Architektin. Heute arbeitet sie	G aber ganz oft mit Büroarbeit beschäftigt.	7. ☐
8. Georgia ist freie Journalistin. Sie ist	H in seiner eigenen Praxis auf dem Land.	8. ☐

Arbeiten, um zu lernen

1 Azubis aufgepasst!

Hören ● 17
Schreiben

a Hören Sie eine Nachricht der Personalchefin für ihre Auszubildende Lena auf dem Diktiergerät. Ergänzen Sie die fehlenden Wörter in der linken Spalte.

b Lena schreibt sich die Regeln noch einmal anders auf. Helfen Sie ihr, die Liste in der rechten Spalte wie im Beispiel zu komplettieren.

Regeln und Aufgaben für Azubis:	Lena notiert für sich:
1. Oberster Grundsatz: _Wahren_ der Vertraulichkeit.	Es ist sehr wichtig, die Vertraulichkeit zu wahren!
2. Pflegliches _____ aller Dokumente.	Ich muss alle ...
3. Kein _____ von Bewerbungsunterlagen an Dritte.	Ich darf ...
4. Kein persönliches _____ von Bewerbungsschreiben.	Ich darf ...
5. Weitere Aufgaben:	Außerdem muss ich ...
– _____ von Zwischenbescheiden innerhalb von 14 Tagen,	–
– _____ einer Übersicht über die Bewerbungen,	–
– _____ von Einladungen,	–
– _____ von Vorstellungsgesprächen.	–

2 Anzeigen verstehen und verfassen

Lesen
Schreiben

a Lesen Sie die folgenden Anzeigen und schreiben Sie die Abkürzungen aus.

A

Dipl. Betriebswirt (31) sucht neue Herausforderung! Erfahrg. im Eink., Verk., MS-Office, bisher tätig in Handel und Direktvertrieb. Fremdspr. Engl. E-Mail newjob@gmz.eu

B

PR-Spezialistin, Dr. phil., 45 J. jung, langjähr. Erfahrg. in Finanzuntern., in ungeküd. Stellg., stilsicher, kompetent in Recherche, Text, Organisat. sucht feste freie Mitarb. Zuschr. erb. unt. ✉ ZS 347896

C

Mann für alle Fälle gesucht? Als Fahrer, Sekr., Hausm. = All in one! 52 J., gepfl. Erscheinungsbild, gute Engl- und PC-Kenntn., belastb., PKW vorh., su. neue Herausford. eMail allinone@wlb.de

Diplom Betriebswirt (31) sucht neue Herausforderung! Erfahrung im ...

b Verfassen Sie nun Anzeigen, in denen Sie folgende Daten verwenden. Wegen der Kosten wollen Sie möglichst viel abkürzen. Die Anzeige sollte aber dennoch attraktiv sein!

1. Sie sind Student/in und suchen eine Aushilfstätigkeit in Verkauf oder Gastronomie abends und am Wochenende. Sie sind einsatzfreudig und flexibel. E-Mail: aushilfe@wlb.de

2. Sie sind Diplom-Übersetzer/in (24 J.) für Spanisch und Französisch, spezialisiert in Recht und Wirtschaft. Berufserfahrung: Praktikum in einem Sprachenservice, Auslandserfahrung. Sie suchen eine feste Stelle in einem Unternehmen, Ministerium oder Übersetzerbüro; sehr gute MS-Office- und TRADOS-Kenntnisse, belastbar, zuverlässig, flexibel. Sie erbitten Zuschriften unter Chiffre 35789575 Stadtanzeiger oder translator@alo.de

3. Sie sind als Sekretär/in fest angestellt, haben 5 Jahre Berufserfahrung und suchen etwas attraktives Neues; Englisch: verhandlungssicher und Chinesisch: Grundkenntnisse; sehr gute Kenntnisse in Bürokommunikation. Sie sind belastbar, professionell und teamorientiert. Erreichbar unter ANeumann@aco.de

c Gestalten Sie im Kurs eine Anzeigentafel „Stellensuche" und vergleichen Sie.

Schreiben

→TELC

3 Bewerbungsschreiben verfassen

a Bewerben Sie sich bei Alpha Zeitarbeit. Benutzen Sie die Bausteine unten und ergänzen Sie sie durch eigene Formulierungen. Vergessen Sie auch nicht die passenden Grußformeln, die Anlagen und denken Sie an die formale Gestaltung des Briefes.

- Über eine Einladung zum Vorstellungsgespräch würde ich mich sehr freuen.
- Ihre Annonce im Stadtanzeiger habe ich mit Interesse gelesen.
- Aufgrund der bisher durchgeführten Praktika (s. Lebenslauf) verfüge ich über …
- Aus diesem Grund möchte ich gerade in Ihrer Firma sehr gern arbeiten …
- Für weitere Informationen zu meiner Peron stehe ich Ihnen jederzeit gern zur Verfügung.
- Da ich sehr gute IT-Kenntnisse (MS-Office, SAP, HTML) habe, …
- Nach meinem Abitur habe ich ein freiwilliges soziales Jahr in / bei … gemacht / habe ich als Zivildienstleistender in / bei … gearbeitet. Dann habe ich ein Studium der … / eine Ausbildung zur / zum … absolviert.
- … und möchte mich für die Bereiche Büro oder IT bewerben.

b Bewerben Sie sich auf eine Annonce in der Zeitung oder im Internet und korrigieren Sie Ihre Bewerbung mit einem Partner.

4 Einen tabellarische Lebenslauf schreiben

Lesen
Schreiben

a Ordnen Sie die Stichworte in der richtigen Reihenfolge an.

> Schul- und Berufsausbildung / Schule und Studium   Berufspraxis   Datum   Ort
> Berufliche / Außerberufliche Weiterbildung   Kenntnisse / Fähigkeiten / Interessen
> Angaben zur Person   Sonstiges   Unterschrift   Sprachkenntnisse   Lebenslauf

b Ergänzen Sie die Stichworte aus Übungsteil a mit Ihren eigenen Daten und schreiben Sie dann Ihren Lebenslauf. Korrigieren Sie Ihren Lebenslauf mit einem Partner.

Jochen Winkelmeier · Kubinstraße 98a · 90455 Nürnberg

AF-BIOTECH
Claudia Kunz
Hamburger Allee 97
30159 Hannover

25.08.2007

Praktikumsbewerbung: Bereich Vertriebsinnendienst

Sehr geehrte Frau Kunz,

nach unserem gestrigen Telefongespräch sende ich Ihnen hiermit meine Bewerbungsunterlagen für ein Praktikum in Ihrem Unternehmen. Zurzeit studiere ich an der Universität Mannheim Betriebswirtschaftslehre mit dem Schwerpunkt Marketing. Meine Diplomarbeit mit dem Thema „Der Wissenschaftscharakter der Betriebswirtschaftslehre" wird Ende September abgeschlossen sein.
Aufgrund der bisher durchgeführten Praktika (siehe Lebenslauf) verfüge ich bereits über umfassende Erfahrungen im Marketing-Bereich.
Da Sie ein zukunftsweisendes Unternehmen sind, das ganz neue Wege geht, würde ich gern die Möglichkeit nutzen, den Bereich Vertrieb gerade in Ihrer Firma noch näher kennen zu lernen. Darüber hinaus hoffe ich, meine bisher erworbenen Kenntnisse während eines Praktikums in Ihrem Unternehmen einbringen zu können.
Über die Einladung zu einem persönlichen Gespräch würde ich mich sehr freuen.

Mit freundlichen Grüßen

Jochen Winkelmeier

Anlagen

Lebenslauf

Angaben zur Person
Nachname / Vorname
Adresse
Telefon
E-Mail
Geburtsdatum

Winkelmeier, Jochen
Kubinstr. 98a, 90455 Nürnberg
+49 (0) 911– 93758   Mobil: 0176 – 1593207
jowinkelmeier@yohoo.de
22.01.1982

Schul- und Berufsbildung
seit 04 / 2003 bis heute

10 / 2006
02 / 2005
06 / 2001

Studium der Betriebswirtschaftslehre an der Universität Mannheim, Schwerpunkt: Marketing
Erste Diplomprüfung (Note: 1,1)
Vordiplom (Note: 1,6)
Abitur (Note: 2,0)

Praxiserfahrung
02 / 2006 – 04 / 2006
08 / 2005 – 10 / 2005
02 / 2005 – 04 / 2005

Deutsche Bahn AG, Institut für Marketing, Marktforschung
Henkel Cosmetic GmbH, Marktforschung
GTZ-Office Jakarta, Unterstützung der Abteilung Marketing und Außendarstellung

Sprachkenntnisse
Englisch
Französisch

kompetente Sprachverwendung in Wort und Schrift (C1)
selbstständige Sprachverwendung in Wort und Schrift (B2)

Zivildienst
01 / 2002 – 03 / 2003

Krankenhaus des Roten Kreuzes, Nürnberg
Innere Abteilung

EDV-Kenntnisse

sehr gute Kenntnisse in MS-Office (Excel, Word, Power Point), Corel Draw und SPSS

Interessen / Hobbys

Computer-Design, Basketball

Jochen Winkelmeier

Nürnberg, den 25.08.2007

Leben, um zu arbeiten?

Formen und
Strukturen
S. 172

1 Jede Branche wirbt für sich: Unsere Produkte und Angebote sind die besten!

a Formulieren Sie die Aussagen. Verwenden Sie die entsprechenden Passivformen.

1. ein Medikament speziell für Kleinkinder entwickelt (Passiv Präteritum)
2. ein Medikament in einer breit angelegten Studie erprobt (Passiv Perfekt)
3. demnächst in unserem Hotel erweitertes Fitnesscenter eröffnet (Passiv Präsens)
4. sportbegeisterte Gäste dort von ausgebildeten Trainern betreut (Passiv Präsens)
5. unser Lernwörterbuch gründlich überarbeitet und erweitert (Passiv Perfekt)
6. unsere gesamte Winterkollektion bereits auf der Messe verkauft (Passiv Perfekt)
7. unser Reiseportal kundenfreundlicher gestaltet (Passiv Präteritum)
8. unsere Kunden dort bestens über Last-Minute-Angebote informiert (Passiv Präsens)
9. unsere Sicherheitsstandards für Online-Banking verschärft (Passiv Perfekt)
10. unsere Privatkunden durch ausgewiesenen Fachleute beraten (Passiv Präsens)
11. letztes Jahr unsere Maschinen hauptsächlich nach Asien exportiert (Passiv Präterium)
12. heute schon über 1.000 Bücher bestellt (Passiv Perfekt)

1. _Das Medikament wurde speziell für Kleinkinder entwickelt._

b Welche Aussage gehört zu welcher Branche?

1. _Pharmazie_   4. _Hotel_   7. _Reisen_   10. _Buch_
2. _"_   5. _?_   8. _?_   11. _Maschinen?_
3. _Hotel_   6. _in vorgeschript_   9. _Buch_   12. _Buch verlag)_

Antw 172

Sprechen
Schreiben

2 Nur noch vier Wochen bis zum Sommerfest

a Die verantwortliche Kollegin ist krank geworden. Sie hat eine
Checkliste hinterlassen (+ = erledigt / - = nicht erledigt). Sie
rufen sie an. Schreiben Sie einen kleinen Dialog wie im Beispiel.

Verfassung
Verfassung

▶ Wie steht's mit dem Einladungstext?
▷ Der ist schon entworfen worden.
▶ Und ist er schon genehmigt worden?   _allowed_
▷ Nein, der Text muss noch genehmigt werden.
▶ Wie sieht's mit der Adressenliste aus?
▷ Die ist schon …
▶ Und was ist mit dem Verteiler?
▷ Der ist noch nicht …

1. Einladungstext entwerfen	+
2. Einladungstext genehmigen	-
3. Adressenliste ergänzen	+
4. Verteiler anpassen	-
5. Fotografin anrufen	-
6. Musikliste zusammenstellen	+
7. Getränke bestellen	-
8. Reinigungsfirma benachrichtigen	-
9. Buffet bestellen	+
10. Geld einsammeln	-

b Entwerfen Sie eine eigene Checkliste für die Vorbereitung einer Party und spielen Sie dann in
Ihrer Arbeitsgruppe ein ähnliches Telefongespräch.

Formen und
Strukturen
S. 172

3 Das ist doch schon längst erledigt!

a Das Sommerfest naht und Ihr Chef erinnert Sie an Ihre Aufgaben. Sie sind jedoch sehr effektiv
und haben alles schon erledigt. Antworten Sie ihm wie im Beispiel.

1. Die Einladungen müssen noch verschickt werden!   → _Die sind schon längst verschickt!_
2. Die Räume sollten noch hergerichtet werden.   → _____
3. Die Lokalredaktion muss noch benachrichtigt werden.   → _____
4. Der Gärtner müsste unbedingt noch bestellt werden.   → _____
5. Die Hilfskräfte müssen noch eingewiesen werden.   → _____
6. Die Lautsprecheranlage muss überprüft werden.   → _____

b Ihre Kollegin kommt zurück und denkt, dass sie noch viel vorbereiten muss. Sie ist ganz begeistert und erzählt zu Hause, dass alles schon erledigt war.

1. alle Einladungen versenden: *Stellt euch vor, die Einladungen waren schon alle versandt.*

2. Räume einrichten: _____

3. Zeitung benachrichtigen: _____

4. Gärtner beauftragen: _____

5. Hilfskräfte einweisen: _____

6. Soundanlage installieren: _____

7. alles optimal regeln: _____

Eigentlich hätte ich noch länger zu Hause bleiben können.

> *sein-Passiv: sein + Partizip Perfekt:*
>
> *Vergleichen Sie:*
>
> *Etwas geschieht / ist geschehen:*
> *– Die Einladungen werden verschickt.*
> *– Die Einladungen sind verschickt worden.*
>
> *Ein neuer Zustand ist erreicht:*
> *– Die Einladungen sind verschickt.*
> *– Die Einladungen waren schon verschickt, als ich zurückkam.*

4 Verbesserungsvorschläge

Formen und Strukturen S. 172

a Was könnte / müsste / sollte beim nächsten Mal anders gemacht werden? Helfen Sie den Kollegen bei der Formulierung der Vorschläge zur Vorlage beim Chef.

1. an den Vorbereitungen mehr Kollegen beteiligen
2. Einladungen früher abschicken
3. Mailing-Liste erstellen
4. Einladung ins Intranet stellen
5. Zeitungen viel früher informieren
6. mehr Hilfskräfte einstellen
7. Soundanlagen besser einstellen
8. besseren Diskjockey suchen
9. für das Fest mehr Reklame machen
10. die Gäste von Mitarbeitern empfangen

1. *An den Vorbereitungen sollten mehr Kollegen beteiligt werden.*

b Was ist für Sie besonders wichtig für das Gelingen eines Festes? Warum? Schreiben Sie zu zweit einige Vorschläge auf. Tauschen Sie sich dann im Kurs aus.

5 Was einem Freude macht ...

Formen und Strukturen S. 177

a Was passt wozu? Ordnen Sie zu.

1. Die „Spaßgesellschaft" bringt einen dazu zu denken,	A es gern zu tun.	1. [B]
2. Dass einem die Arbeit Spaß macht,	B dass Arbeit Spaß machen muss.	2. ☐
3. Wenn man etwas besonders gut kann,	C macht es einem mehr Freude.	3. ☐
4. Einem, der in der Arbeit immer Spaß haben will,	D ist nicht selbstverständlich.	4. ☐
5. Man soll sich fragen,	E was einem leicht fällt.	5. ☐
6. Etwas gut zu tun, bringt einen mit der Zeit dazu,	F sage ich: „Das ist eine falsche Erwartung!"	6. ☐

b Setzen Sie die richtigen Formen von „man" ein.

Wenn [1] *man* nur noch die Arbeit machen würde, die [2] _____ Spaß macht, würde die Firma [3] _____ am besten gleich entlassen, weil [4] _____ die meiste Zeit des Tages nichts tun würde. Wenn es [5] _____ jedoch gelingt, seine Stärken zur Geltung zu bringen, hat [6] _____ meist Freude an der Arbeit. Was [7] _____ besser kann, macht [8] _____ in der Regel auch mehr Spaß. Aber jede professionell ausgeübte Tätigkeit verlangt von [9] _____, dass [10] _____ sich anstrengt und Vieles aushält. [11] _____ sollte nach dem suchen, was [12] _____ leicht fällt, das kann [13] _____ dann auch gut machen und es wird [14] _____ zufrieden stellen.

Formen und
Strukturen
S. 177

6 Wenn einen doch jemand besuchen würde!

Frau Schüller ist ein bisschen ängstlich und spricht nicht gern in der „Ich-Form.
Schreiben Sie auf, was sie zu ihrem Mann gesagt hat.

1. Wenn **mir** das doch jemand gesagt hätte!
2. Wenn **mich** doch mal jemand anrufen würden!
3. Wenn **mir** keiner hilft, geht das nicht.
4. Wenn **ich** so viel arbeiten muss, dann …
5. Wenn du **mich** doch mal in Ruhe lassen würdest!
6. Gute Ratschläge sollte man weitergeben. **Ihm** selbst nützen sie nichts.

> *1. Wenn einem das doch jemand gesagt hätte.* _____

Arbeiten, um zu leben

Formen und
Strukturen
S. 172

1 Rückblick: Was war das Wesentliche bei den Vorstellungsgesprächen?

Entscheiden Sie, ob der Sachverhalt besser im Aktiv oder Passiv ausgedrückt wird. Denken Sie
auch an das sein-Passiv.

1. Auswertungsgespräch – nach – Bewerbungsrunde – führen
2. Vorstellungsgespräche – sehr gut – vorbereiten
3. Genügend Zeit – für ausführliche Gespräche - eingeplant
4. Alle Kandidaten – informieren über – vorher – Unternehmen
5. Über die Qualifikationen – zu viel, über die Berufserfahrung
   – zu wenig - sprechen
6. Wichtigkeit des Arbeitsklimas – besonders – betonen
7. Chef – hervorheben – Bedeutung – Soft Skills – Firma
8. Zu viele persönliche Fragen – stellen
9. Am Ende – alle – derselbe Kandidat – überzeugen

> *1. Das Auswertungsgespräch wurde nach der Bewerbungsrunde geführt.*

Formen und
Strukturen
S. 166,172,174

2 Alles hätte besser klappen können

Beschreiben Sie, wie es besser hätte gemacht werden können.

Situation A: Ein Nachbar sollte sich während Ihres Urlaubs um die Katze, die Pflanzen und die Post
kümmern. Aber die Katze ist nun zu dick, der Briefkasten voll und die Pflanzen sind vertrocknet.
1. Katze weniger oft füttern – dürfen: *Sie hätte weniger oft gefüttert werden dürfen.*
2. Briefkasten häufiger leeren – müssen: _____
3. Pflanzen öfter gießen – müssen: _____

Situation B: Ihr 15-jähriger Sohn muss ein Jahr in der Schule wiederholen.
1. nicht so lange am Computer sitzen – dürfen: *Er …* _____
2. öfter Hausaufgaben machen – müssen: _____
3. nicht alles so leicht nehmen – sollen: _____

Situation C: Ihr Kollege hat Ihnen erklärt, was Sie während seiner Dienstreise für ihn erledigen
sollen. Als er wiederkommt, ist er total unzufrieden mit Ihnen. Sie verteidigen sich.
1. mich genauer informieren – können: *Du …* _____
2. Aufgaben unter mehr Leuten verteilen – müssen: _____
3. vieles von ihm selbst vor dem Urlaub erledigen – können: _____

Formen und
Strukturen
S. 172

3 Ach, es war ein rauschendes Sommerfest.

Bilden Sie Sätze mit dem Passiv ohne Subjekt.

1. Wir haben viel gelacht. → *Es wurde viel gelacht.*
2. Wir haben viel getrunken und gegessen.
3. Wir haben interessante Gespräche geführt.
4. Wir haben über die Vorträge diskutiert.
5. Wir haben Musik gemacht.
6. Wir haben bis spät in die Nacht getanzt.

> **Passiv ohne Subjekt oder „unpersönliches Passiv":**
>
> – Für allgemeine Aussagen („Hier wird renoviert."), Arbeitsvorgänge („Im Labor werden Medikamente entwickelt."), Regeln („Hier darf nicht geraucht werden.") gebraucht man das Passiv ohne Subjekt.
>
> – „Es" ist Platzhalter für die Position 1 (Subjekt): „Es wurde viel gelacht."

Erst die Arbeit, dann das Vergnügen

Lesen
Sprechen

1 Einen Vortrag gliedern

Sie wollen einen Vortrag halten und ihn natürlich gliedern. Die folgenden Ausdrücke stehen in der falschen Reihenfolge. Nummerieren Sie sie richtig.

1. Nun möchte ich zum Schluss kommen. ☐
2. Ich danke Ihnen für Ihre Aufmerksamkeit. ☐
3. Zunächst möchte ich die Frage klären: … ☐
4. Danach möchte ich auf Folgendes eingehen: ☐
5. Guten Tag, mein Name ist … ☐1
6. Für weitere Fragen stehe ich Ihnen gern zur Verfügung. ☐
7. Ich möchte heute über das Thema … sprechen. ☐
8. Der Vortrag ist wie folgt gegliedert: … ☐
9. Als Drittes werde ich den folgenden Aspekt behandeln. ☐
10. Ich möchte Sie herzlich zu meinem heutigen Vortrag begrüßen. ☐

Lesen
Sprechen

2 Heinz Kahlau – eine ostdeutsche Autorenbiografie

Bringen Sie den Text in die richtige Reihenfolge und besprechen Sie Kahlaus Biografie im Kurs.

☐ 1953-1956 studierte er an der Akademie der Künste in Berlin. Dort war er Meisterschüler von Bertolt Brecht.

☐ Im Laufe der Jahre wurde Kahlau für sein literarisches Werk mehrfach ausgezeichnet. Nach seinem 75. Geburtstag im Jahre 2006 zog er sich auf die Insel Usedom zurück, wo er heute lebt und arbeitet.

☐ Als Schriftsteller war Heinz Kahlau auch kulturell engagiert. Er war Präsident des PEN-Zentrums der DDR und im Schriftstellerverband der DDR aktiv. Nach der Wende wurde er Mitglied der Untersuchungskommission zur Geschichte des Schriftstellerverbandes der DDR.

☐ Heinz Kahlau war in der DDR als SED-Mitglied politisch aktiv. Aufgrund kritischer Veröffentlichungen wurde er 1956 zur Tätigkeit als Inoffizieller Mitarbeiter des Ministeriums für Staatssicherheit gezwungen, die er 1964 auf eigenem Wunsch aufgab. 1990 legte er freiwillig seine Tätigkeit für die Staatssicherheit offen.

☐1 Der deutsche Dichter, Dramatiker und Drehbuchautor Heinz Kahlau wurde am 6. Februar 1931 in Drewitz bei Potsdam als Sohn einer Arbeiterfamilie geboren.

☐ Seit 1956 ist er freischaffender Autor. Seitdem hat er etwa 20 Lyrikbände veröffentlicht, so u. a. den Gedichtband „Der Fluss der Dinge" aus dem das „Gedicht über Hände" stammt.

☐ Außerdem ist er Film-, Funk- und Kinderbuchautor und hat neben Prosatexten auch Liedtexte geschrieben.

Hören 🔘 18
Aussprache

3 Aller Anfang ist schwer?

a Hören Sie die folgenden Satzpaare. Welcher Satz klingt „deutscher", warum? Markieren Sie.

| 1. a. ☐ | 2. a. ☐ | 3. a. ☐ | 4. a. ☐ | 5. a. ☐ |
| 1. b. ☐ | 2. b. ☐ | 3. b. ☐ | 4. b. ☐ | 5. b. ☐ |

> **Knacklaut:**
>
> Vor Vokalen im Anlaut des Wortes bzw. Wortstamms bei zusammengesetzten Wörtern wird im Allgemeinen ein so genannter „Knacklaut" gesprochen.

b Lesen Sie jetzt die Sätze laut. Achten Sie auf den „Knacklaut".

1. Am Anfang arbeitete Anna ohne Anstrengung bis zum Abend.
2. Alle anderen achteten auf sie und versuchten alles, um sie abzulenken.
3. Aber Anna arbeitete immer weiter, ohne aufzuschauen.
4. Ob sie ein Automat sei, wollte endlich einer wissen.
5. Aber Anna antwortete nicht, sie lächelte einfach.

Grammatik: Das Wichtigste auf einen Blick

Formen und
Strukturen
S. 154

1 Nomen-Verb-Verbindungen

Einige Verben (Funktionsverben) bilden zusammen mit Nomen eine **feste Verbindung**.
• Ich möchte diese These zur Diskussion stellen. (= Ich möchte diese These diskutieren).

bringen: in Erinnerung bringen (= erinnern), zu Ende bringen (= beenden)
kommen: zur Sprache kommen (= besprochen werden), ums Leben kommen (= sterben)
nehmen: einen (guten / schlechten) Verlauf nehmen (= gut / schlecht verlaufen)
stellen: eine Frage stellen (= fragen), in Frage stellen (= bezweifeln)

Formen und
Strukturen
S. 172

2 Passiv

Das Passiv beschreibt einen Vorgang, bei dem es nicht wichtig ist, „wer" etwas macht. Der Vorgang selbst steht im Vordergrund.
• *Aktiv:* Die Firma baute das Hochhaus. → *Passiv:* Das Hochhaus wurde gebaut.

Das Passiv wird mit einer konjugierten Form von „werden" und dem Partizip II gebildet.
• *Präsens / Präteritum:* Das Auswertungsgespräch wird / wurde im Anschluss geführt.
• *Perfekt:* Die Seminarräume sind noch nicht eingerichtet worden. *(nicht: „geworden")*
• *Präsens mit Modalverb:* Die Vertraulichkeit muss gewahrt werden.
• *Perfekt mit Modalverb:* Eine Mailingliste hat zuerst erstellt werden müssen. *(doppelter Infinitiv)*
• *Passiv im NS:* Die Chefin bemerkt, dass die Einladungen noch verschickt werden müssen.
• *Passiv mit Verb im Dativ:* Ihr wurde bei dem Projekt geholfen. *(Der Dativ bleibt erhalten.)*

Die handelnden Personen werden durch von + Dativ ausgedrückt, hinten im Mittelfeld:
• Das Museum wurde 2002 von einem chinesischen Architekten erbaut.

Zustandspassiv oder sein-Passiv:
Passiv mit „werden" beschreibt einen Prozess, Passiv mit „sein" das Ergebnis einer Handlung:
• Zum Jahresbeginn wurde das Museum geöffnet. Jetzt ist es seit drei Monaten geöffnet.

Passiv ohne Subjekt oder „unpersönliches Passiv":
• Hier darf nicht geraucht werden. *(Regeln, allgemeine Aussage, Arbeitsvorgänge)*
• Es wurde darüber diskutiert. *(„Es" als Element auf Position 1: „Platzhalter" für das Subjekt).*

Formen und
Strukturen
S. 177

3 Deklination von „man"

Indefinitpronomen („man", „jemand", „irgendjemand") werden benutzt, wenn eine Person oder eine Sache nicht spezifiziert werden können.
• Wie sagt man das auf Deutsch? *(allgemein, alle Leute)*

	m	
Nom.	man	Das kann man sich ja denken!
Akk	einen	Wenn man neu ist, stellen Sie einen erst mal vor.
Dat.	einem	Man weiß ja nie, was einem passieren kann!
Gen.	–	

Formen und
Strukturen
S. 166, 170,
172, 174

4 Modalverben – komplexere Formen (Perfekt, Plusquamperfekt, Konjunktiv II)

Regel 1: Perfekt, Plusquamperfekt oder Konjunktiv II (Vergangenheit) mit Modalverb im Aktiv bildet man so: Hilfsverb „haben" + Verb im Infinitiv + Modalverb im Infinitiv.
• Du hättest lauter sprechen müssen.

Regel 2: Perfekt, Plusquamperfekt oder Konjunktiv II (Vergangenheit) mit Modalverb im Passiv bildet man so: Hilfsverb „haben" + Partizip II + „werden" + Modalverb im Infinitiv.
• Es hätte lauter gesprochen werden müssen.

Natur

1 Die Jahreszeiten

a Ordnen Sie die folgenden Wörter den entsprechenden Oberbegriffen zu. Ergänzen Sie auch die Artikel und Pluralformen.

> ~~gefrieren~~ mild Spinne kahl Hitze erfrieren Ast grün Reh Frost schmelzen Kräuter Schmetterling blühen trocken verblüht Blätter vertrocknen Tau Blume Igel feucht Sonne Wolke Frosch Wurzel saftig Vogel Blüte Gras Regen Mücke wachsen Sturm welken schattig Schnee Biene tauen Unkraut Pilz frisch Käfer Laub

Wetter	Pflanzen	Tiere	Vorgänge	Eigenschaften
			gefrieren,	

b Ordnen Sie jeder Jahreszeit typische Begriffe aus den Gedichten im Lehrbuch, S. 80 / 81, zu.

Frühling   Sommer   Herbst   Winter

Das Blühen, _____

c Ergänzen Sie die Tabelle in Übungsteil a mit je drei Wörtern. Nehmen Sie ggf. ein Wörterbuch zu Hilfe.

d Beantworten Sie folgende Fragen zu den Gedichten im Lehrbuch, S. 80 / 81, und belegen Sie Ihre Antworten mit Textstellen.

1. Wo spricht der Autor über sich selbst?
2. Wo wird die Natur personifiziert?
3. Wo gibt es viel Bewegung? Wo gibt es wenig Bewegung?
4. Wo gibt es Veränderung?
5. Wo werden Farben genannt?
6. Wo wird ein Tier genannt?
7. Welche Texte beschreiben etwas Vergangenes, welche etwas Gegenwärtiges?
8. Wo würden Sie sich am wohlsten fühlen? Warum?
9. Wo wären Sie nicht so gern? Warum?

> 1. *W. Hildesheimer: das Grün vor meinen Fenstern; Karl Krolow:* _____

2 Naturgedichte

a Lesen Sie folgende kurze Gedichte.

> sonnig
>
> ein Käfer
>
> spannt seine Flügel
>
> ich kann nicht mit
>
> Heimweh

> kahl
>
> der Ast
>
> fällt vom Baum
>
> so endet sein Leben
>
> Winter

b Schreiben Sie ein Naturgedicht aus 11 Wörtern wie in Übungsteil a und benutzen Sie dazu auch die Wörter aus Übung 1.

Formen und Strukturen
S. 159–164

3 Die Geschichte von der Schneeflocke

Verbinden Sie die Sätze mithilfe der angegebenen Konnektoren. Manchmal gibt es mehrere Lösungen.

1. Die Zeit ging eines Morgens im winterlichen Wald spazieren. Die Zeit hörte plötzlich ein Weinen. (als)

2. Die Zeit kam näher heran und sah: Es war die kleine Schneeflocke. Sie weinte herzzerreißend. (da *temporal* – dass – die)

3. Warum war die Schneeflocke so verzweifelt? Das verstand die Zeit natürlich. (*indir. Fragesatz*)

4. Es war der Abschied des Winters. Eine Schneeflocke liebt nichts mehr als den Winter. (denn – und)

5. Die kleine Schneeflocke saß da und weinte. Gleichzeitig verwandelten sich immer mehr Schneeflocken in Wasser. (während)

6. Die kleine Schneeflocke weinte mehr, der Schnee um sie herum taute mehr, der erstarrte Boden wurde weicher. (je … desto – und)

7. Die Zeit versuchte, die Schneeflocke zu trösten. Die Schneeflocke hob den Kopf und sah auf. (als)

8. Die Schneeflocke bemerkte die Veränderungen. Die Veränderungen waren um die Schneeflocke herum geschehen. (da *temporal* – die)

9. Plötzlich verstand die Schneeflocke: Mit dem Ende des Winter war nicht alles zu Ende. Es würde auch für die Schneeflocke Sommer werden. (dass – sondern dass)

10. Das Gesicht der Schneeflocke begann zu leuchten. Der Schneeflocke wurde es immer wärmer ums Herz. (deshalb – und)

11. Die Schneeflocke warf ihr Winterkleid mit einem lauten Jubelschrei von sich. Hoch zur Sonne schwebte die Schneeflocke. (schließlich – und)

12. Die Schneeflocke verschwand. Die Zeit hörte den Jubel der Schneeflocke in dem kleinen Bach. Der kleine Bach plätscherte hinter dem Hügel fröhlich vor sich hin. (nachdem – der)

> 1. *Eines Morgens ging die Zeit im winterlichen Wald spazieren, als sie plötzlich ein Weinen hörte. /*
> *Als die Zeit eines Morgens im winterlichen Wald spazieren ging, hörte sie plötzlich ein Weinen.*

4 Eine Textsammlung zum Thema Natur

Schreiben

a Schreiben Sie nun selbst eine Geschichte zum Thema Natur.

- Sammeln Sie zuerst Stichworte.
- Erstellen Sie dann ein Gerüst von der Handlung.
- Formulieren Sie nun die Geschichte aus und achten Sie besonders auf die Temporalangaben und sonstige Satzverbindungen.
- Korrigieren Sie Ihre Texte gegenseitig und geben Sie sie bei Unsicherheiten Ihrer Lehrerin / Ihrem Lehrer zur Korrektur.

b Stellen Sie die im Kurs entstandenen Geschichten und Gedichte zum Thema Natur in einer kleinen Textsammlung zusammen.

- Sortieren Sie die Texte.
- Erstellen Sie ein Inhaltsverzeichnis.
- Schreiben Sie ein Vorwort.
- Finden Sie einen Titel für das Buch und gestalten Sie den Umschlag.

Von der Natur lernen

1 Natur und Technik

Wortschatz

a Ordnen Sie die Begriffe den sechs Bildern im Lehrbuch, S. 82, zu.

> ~~Dornen~~ Ente Federn Flecken Krebs beißen Schnabel Netz Samen Schale
> Schlange Löwenzahn Spinne spitz stechen weben sich winden Zangen schweben

_____ _____ _____ _____ _____ _____
A   B   C Dornen,   D   E   F

b Ergänzen Sie Wörter aus Übungsteil a. Ergänzen Sie ggf. auch die Endungen.

1. Gibt es Rosen ohne _Dornen_ ?
2. Mit seinen _____ kann der _____ Schnecken und Muscheln ganz leicht öffnen.
3. Natürlich kann auch eine _____ fliegen.
4. Können eigentlich alle Tiere mit _____ fliegen?
5. Sowohl _____ als auch _____ können ihre Gegner mit ihrem Gift töten.
6. Wie lange braucht eine Spinne, um ein Netz zu _____?
7. Wenn der Wind weht, schweben die _____ des _____ wie kleine Fallschirme durch die Luft.

2 Was ist Bionik?

Lesen

a Bringen Sie den Text in die richtige Reihenfolge.

☐ das zwischen Gräsern aufgehängte Netz der Zitterspinnen. Aber Bionik muss nicht immer kompliziert sein. Auch in einfachen Dingen steckt die Genialität der Natur, wie zum Beispiel in einer Pinzette. Und wer nicht wie Enten und Gänse Schwimmflossen zwischen den Zehen hat, zieht sich einfach welche an.

☐ diese Prinzipien in die Technik zu übertragen. Der Begriff Bionik wurde 1958 vom amerikanischen Luftwaffenmajor J.E.Steele geprägt. Er sollte das „Lernen aus der Natur für die Technik" verdeutlichen. Oder, wie der deutsche Vorreiter der Bionik, Werner Nachtigall, es formulierte: Lernen von der Natur für

☐ die das Vorbild Natur für Wissenschaftler und Techniker interessanter denn je machen. Das Paradebeispiel für Bionik ist der Traum vom Fliegen! Der Vogel gilt als Vorbild für den Flugzeugbau: Der Mensch hat bis heute große Fortschritte in der Flugtechnik gemacht.

☐ ein eigenständiges technisches Gestalten. Die Konstruktionen der Natur sind vor allem eins: effektiv bei maximaler Energie- und Materialausnutzung. Im Zeitalter schwindender Ressourcen und drohender Klimaveränderung sind es vor allem diese Eigenschaften,

☐ Doch die Perfektion des Vogelfluges bleibt unerreicht. Eines der bekanntesten Beispiele für die technische Umsetzung eines Vorbildes aus der Natur ist das 1972 erbaute Dach des Münchener Olympiastadions. Die leicht und luftig wirkende Glas- und Stahlkonstruktion des Daches ist frei an Masten aufgehängt. Sie erinnert an

☐1 Die Natur scheint ein geradezu unerschöpfliches Reservoir an oft genial einfachen Lösungen parat zu haben. Die Bionik, eine Wissenschaft an der Grenze zwischen Technik und Biologie, nimmt sich diese zum Vorbild. Sie forscht nach den Prinzipien, die hinter den Konstruktionen der Natur stehen und versucht,

b Lesen Sie den Text noch einmal und entscheiden Sie, ob die Aussagen richtig (r) oder falsch (f) sind.

1. Bionik ist eine interdisziplinäre Wissenschaft.   ☒ r   f
2. Der Begriff Bionik wurde von einem amerikanischen Soldaten geprägt.   r   f
3. Die Konstruktionen der Natur nutzen das Material stark ab.   r   f
4. Der moderne Flugzeugbau hat sein Vorbild, den Vogel, längst eingeholt.   r   f
5. Ein Spinnennetz hat den Architekt des Münchener Olympiastadiums inspiriert.   r   f
6. Bionik schützt vor drohender Klimaveränderung.   r   f

3 Der Lotuseffekt

a Setzen Sie die Nomen zu Komposita zusammen und ergänzen Sie die Artikel.

1. _die_ Fassaden-	A -kristalle	1. G
2. _____ Elektronen-	B -blume	2. ☐
3. _____ Wachs-	C -mikroskop	3. ☐
4. _____ Blatt-	D -gefäße	4. ☐
5. _____ Schmutz-	E -wachs	5. ☐
6. _____ Keramik-	F -tropfen	6. ☐
7. _____ Silkon-	G -farbe	7. ☐
8. _____ Lotus-	H -partikel	8. ☐
9. _____ Wasser-	I -oberfläche	9. ☐

b Lesen Sie den Text, klären Sie den Wortschatz und korrigieren Sie ggf. Übungsteil a.
Schreiben Sie dann die passende Überschrift zu den einzelnen Abschnitten.

> Zukünftige Anwendung des Lotuseffekts   Eine bahnbrechende Entdeckung
> Das Lotusblatt unterm Elektronenmikroskop   Lotuseffekt im Alltag

1. _____

Professor Wilhelm Barthlott von der Universität Bonn machte in den 70er Jahren eine bahnbrechende Entdeckung: Die Blätter der in Asien beheimateten Lotusblume sind immer sauber. Sie haben die faszinierende Fähigkeit, sich selbst zu reinigen. In jahrzehntelanger Arbeit wurde dieser so genannte Lotuseffekt erforscht. Nun ist er patentiert und im praktischen Einsatz.

2. _____

Das Lotusblatt enthüllt erst unter dem Elektronenmikroskop sein Geheimnis: Auf der Blattoberfläche sitzen winzige Wachskristalle, die dem Blatt eine raue, genoppte Struktur verleihen. Die unzähligen mikroskopisch kleinen Noppen bewirken, dass Schmutzpartikel und Wassertropfen nur wenige Kontaktstellen mit dem Blatt haben und daher nicht anhaften können. Wassertropfen perlen kugelförmig ab und nehmen dabei Schmutz- und Staubpartikel mit. Es ist gelungen, diese raue Mikrostruktur auf künstlichen Oberflächen nachzubilden.

3. _____

Der Lotuseffekt hat heute in diversen Anwendungen Einzug in den Alltag gehalten. Es gibt Keramikgefäße, die nicht verschmutzen können. Es gibt Fassadenfarbe, die Wasser und Schmutz von Hauswänden einfach abperlen lässt. Es gibt ein Silikonwachs, das auf verschiedene Materialien aufgesprüht werden kann, zum Beispiel auf Markisen, Dachziegel oder schnell verschmutzende Gegenstände wie Gepäckablagen in Zügen.

4. _____

Wissenschaftler sind dabei, weitere Anwendungsgebiete für den Lotuseffekt zu erschließen. Denkbar sind beispielsweise selbstreinigende Autolacke und Fensterscheiben. Geforscht wird auch daran, Flugzeuge mit einer Lotuseffekt-Oberfläche zu versiegeln. Dann könnten sich Wassertropfen und Eiskristalle nicht mehr auf Tragflächen und Flugzeugrumpf halten. Das lästige Enteisen im Winter würde wegfallen.

4 Informationen weitergeben

Sie bereiten eine internationale Tagung zum Thema „Jugend und Wissenschaft" vor. Sie sollen per Mail nun einige Informationen an das gesamte Organisationsteam schicken. Benutzen Sie die Informationen aus den Notizzetteln für Ihre Mail.

> **erledigt:**
> - Unterkunft: 2- und 3-Bettzimmer Jugendherberge, inkl. Frühstück u. Abendessen
> - Mittagessen bestellt: Mensa Uni
> - Getränke und Pausensnacks bereit
> - Seminarräume: Computer, Tafel, Stifte
> - Touristeninformation: Stadtführung zugesagt

> **zu erledigen:**
> - Presse informieren
> - Geld für Stadtführung überweisen
> - Bus für Ausflug bestellen
> - Empfang der Gäste am Bahnhof?
> - Transfer zur Jugendherberge?
> - Stadtpläne für alle kopieren

> _ □ ×
>
> Liebes Team,
> unsere Vorbereitungen laufen ganz gut. Ich fasse zusammen, was seit unserem letzten Treffen erledigt wurde:

Naturkatastrophen

1 Ansagen

Hören ● 19-23

→TELC

Sie hören fünf kurze Ansagetexte. Entscheiden Sie beim Hören, ob die Aussagen richtig (r) oder falsch (f) sind. Sie hören die Texte nur einmal.

1. Die Grüne Woche ist eine Veranstaltung für deutsche und ausländische Politiker.   r   f
2. Reisende sollten sich heute nur auf den Weg machen, wenn es unbedingt nötig ist.   r   f
3. Die Pollen fliegen in diesem Jahr früher, weil es nicht so kalt war.   r   f
4. Unter der Servicehotline kann man eine Übernachtung buchen.   r   f
5. Gesunde Bürger von 16 bis 80 Jahren können Blut spenden.   r   f

2 Meinungen und Kommentare. Wer sagt was?

Lesen

a Lesen Sie die Texte im Lehrbuch, S. 84 / 85, noch einmal und ergänzen Sie die Namen der Verfasser. Eine Aussage passt zu keinem der Kommentatoren.

1. _____*Axel König*_____ behauptet, wer von natürlicher Entwicklung des Klimas spreche, habe keinen Verstand.

2. _____ ist der Überzeugung, dass heute besonders viele Menschen Angst vor den Folgen der Erderwärmung hätten.

3. _____ sagt, die Natur habe schon immer Veränderungen zustande gebracht.

4. _____ ist der Meinung, ein Klimawandel werde auch ohne Zutun der Menschen stattfinden.

5. _____ meint, die verharmlosenden Aussagen von Journalisten seien wissenschaftlich nicht haltbar und hätten politisch die falschen Auswirkungen.

6. _____ sagt, die Menschen hätten durch ihr Verhalten schon mehrere Umweltkatastrophen verursacht.

7. _____ schreibt, wenn wir unser Verhalten nicht vollkommen verändern würden, gebe es nicht mehr lange Menschen auf Erden.

8. _____ meint, das Klima sei noch nie gleichbleibend gewesen.

9. _____ ist der Ansicht, die Natur sei widerstandsfähiger als wir denken würden.

Formen und Strukturen S. 173

b Unterstreichen Sie in Übungsteil a alle Verbformen, die indirekte Rede signalisieren, und tragen Sie sie in die Tabelle ein.

	Konjunktiv I	Konjunktiv II
Präsens	*spreche*	
Vergangenheit		
Futur		

3 Indirekte Rede

Formen und Strukturen S. 173

a Entscheiden Sie, ob die folgenden Aussagen richtig (r) oder falsch (f) sind.

1. In der indirekten Rede gibt es nur eine Form für alle drei Vergangenheitszeiten der direkten Rede.   X̶   f
2. Statt des Kommas steht bei der indirekten Rede ein Doppelpunkt.   r   f̶
3. In der informellen / gesprochenen Sprache können in der indirekten Rede auch die gleichen Verbformen wie in der direkten Rede stehen.   r̶   f ✓
4. Der Konjunktiv I wird in der indirekten Rede nicht in Zeitungstexten gebraucht.   r   f ✓
5. Die indirekte Rede gibt das wieder, was der Sprecher selbst gesagt hat.   r   f̶
6. In der indirekten Rede darf man nur den Konjunktiv I benutzen.   r   f̶

(handwritten notes at top, partially illegible)

b Konjunktiv I: Ergänzen Sie die Formen in der Tabelle.

	geben	nehmen	sein	werden	haben	wissen	können	sprechen
er / sie / es	*gebe*	*nehme*	*sei*	*werde*	*habe*	*wisse*	*könne*	*spreche*

c Wie werden die Formen des Konjunktiv I gebildet? Notieren Sie die Regel.

> Man bildet den Konjunktiv I, indem: *gewöhnlich der Verb -e zum ende* *(nicht sei)*
>
> Ausnahme ist: *sei*

d Welche Form benutzt man in der Regel bei allen anderen Personalpronomen?

Konj. II

Formen und Strukturen S. 173

(handwritten: 179, ist ⇒ sei, haben)

4 Katastrophenmeldungen

Geben Sie die Meldungen aus den Medien weiter. Benutzen Sie dabei die indirekte Rede.

1. Ein Unwetter mit Sturm und Orkanböen fegte in der Nacht zum Sonntag über weite Teile Deutschlands hinweg. *(Imperfekt sei Konj. I)*
2. Nach den ungewöhnlich heftigen Monsun-Regenfällen im Norden Thailands steht das Wasser auf manchen Straßen bis zu zwei Meter hoch.
3. Bei einem Erdbeben der Stärke 6,2 wurden im Westen Japans mindestens acht Menschen verletzt. Warnungen vor einem Tsunami wurden nicht ausgegeben.
4. Neuseeland stöhnt *(stöhne)* unter einem der trockensten Sommer in den vergangenen 100 Jahren. Für die neuseeländischen Landwirte ist *(sei)* die Lage ernst. Ihre Produktion ist ernsthaft in Gefahr. *(sei)*
5. Das Flammen-Inferno in den Wäldern Portugals nimmt immer dramatischere Ausmaße an. Mehrere Menschen wurden verletzt, zahlreiche mussten ihre Dörfer verlassen.
6. An diesem Wochenende wurden in Polen mindestens 27 Kältetote gemeldet. Im Osten des Landes fiel das Quecksilber nachts zum Teil auf Minus 32 Grad.
7. Der indonesische Vulkan Merapi spuckte am Wochenende unvermindert heiße Gaswolken und Lava aus. Die Behörden riefen daher die Menschen auf, in ihren Notquartieren zu bleiben.

(handwritten left margin: vergangenheit, geworfen sei)

> 1. Die Nachrichtenagenturen melden, dass ein Unwetter mit Sturm und Orkanböen in der Nacht zum Sonntag über weite Teile Deutschlands hinweggefegt sei. / ein Unwetter mit Sturm und Orkanböen sei in der Nacht zum Sonntag über weite Teile Deutschlands hinweggefegt.

5 Fragen besorgter Bürger

Formen und Strukturen S. 173

Geben Sie die Fragen in indirekter Rede wieder.

1. Wie wahrscheinlich ist eine Klimakatastrophe?
2. Haben die starken Stürme etwas mit der Klimaveränderung zu tun?
3. Was passiert, wenn die Temperatur steigt?
4. Was passiert, wenn die Eisberge schmelzen?
5. Ist der Meeresspiegel schon angestiegen?
6. Hat sich das Klima wirklich schon immer verändert?
7. Wie lange wird es auf der Erde noch menschliches Leben geben?
8. Warum ergreifen die Politiker keine strengeren Maßnahmen?
9. Wieso einigen sich nicht alle Industrienationen auf eine gemeinsame Klimapolitik?

> 1. Jemand fragt, wie wahrscheinlich eine Klimakatastrophe sei.

Klonen

1 Chancen und Gefahren

a Ordnen Sie die Adjektive in die Tabelle ein.

| ~~abenteuerlich~~ ~~günstig~~ aussichtsreich beunruhigend hoffnungsvoll bedenklich |
| bedrohlich erfolgversprechend ernst riskant vielversprechend unheimlich |

Chancen	Gefahren
günstig,	abenteuerlich,

b Ergänzen Sie die Adjektive aus Übungsteil a. Manchmal gibt es mehrere Lösungen.

Pia und Pit wollten schon immer Kinder. Ihre Ausgangslage war [1] _günstig_ . Pia war beruflich erfolgreich und auf Pit wartete eine [2] _____ Führungsposition. Aber ihr Kinderwunsch ging nicht in Erfüllung. Dafür begann für die beiden eine [3] _____ Reise von Klinik zu Klinik. Sie empfanden es als [4] _____, dass niemand eine Ursache für ihre Kinderlosigkeit fand. Dann begannen sie mit der ersten künstlichen Befruchtung. Diese Methode erschien ihnen weder [5] _____ noch [6] _____. [7] _____ wartete das Paar jedes Mal auf das Ergebnis. Doch als auch der zwölfte Versuch scheiterte, wirkte Pia, die sonst recht heiter ist, sehr [8] _____. Im Ausland möchte Pia sich nun die Eizellen einer Spenderin einsetzen lassen. Dieses Verfahren ist in Deutschland bisher nicht erlaubt. Es kostet Pia und Pit sehr viel Geld, aber diese Methode ist [9] _____. Der Leiter der Klinik hat dem Paar aus Deutschland eine [10] _____ Statistik seiner Arbeit geschickt. Da hat Pia wieder Hoffnung geschöpft. Doch manchmal in einem stillen Moment denkt sie an die Frau, die ihr die Eizellen spendet und findet die neuen medizinischen Methoden auch [11] _____ .

2 Informationen aus zweiter Hand

a Was bedeutet der Satz? Kreuzen Sie die richtige Variante an.

1. Der Wissenschaftler will die Daten nicht gefälscht haben.
   a. Der Wissenschaftler behauptet, er habe die Daten nicht gefälscht.
   b. Man sagt, dass er die Daten nicht gefälscht habe.
2. Schon vor zehn Jahren sollen Mediziner Experimente durchgeführt haben.
   a. Angeblich wurden schon vor zehn Jahren Experimente durchgeführt.
   b. Mediziner versichern, dass sie schon vor zehn Jahren Experimente durchgeführt hätten.
3. Wissenschaftler wollen nichts von den Gefahren gewusst haben.
   a. Es gibt Gerüchte, dass die Wissenschaftler nichts von den Gefahren gewusst hätten.
   b. Die Wissenschaftler behaupten, nichts von den Gefahren gewusst zu haben.
4. In Zukunft soll es Kontrollen durch Fachleute geben.
   a. Die Fachleute versichern, dass sie in Zukunft Kontrollen durchführen werden.
   b. Man verspricht, dass es in Zukunft Kontrollen durch Fachleute geben wird.

b Wählen Sie den passenden Ausdruck aus der Klammer und formulieren Sie die Sätze um.

1. (sagt von sich / scheinbar) Der neue Mitarbeiter, Max Mauler, will mehrere Sprachen perfekt beherrschen.
2. (es heißt / er erzählt) Er soll an einer englischen Universität studiert haben.
3. (angeblich / er versichert) Er will noch Praktika in fünf anderen Ländern absolviert haben.
4. (man sagt / er behauptet) Seine Eltern sollen sehr erfolgreiche Geschäftsleute sein.
5. (Gerüchten zufolge / er erklärt) Die neue Stelle soll hervorragend bezahlt sein.

> 1. Max Mauler sagt von sich, dass er mehrere Sprachen perfekt beherrsche.

3 Subjektiver Gebrauch der Modalverben

a Setzen Sie „sollen" oder „wollen" in die Sätze ein. Die Aussagen in der Klammer helfen Ihnen.

1. Das weltweite Klima _soll_ sich in den nächsten Jahren verändern. (Forscher behaupten das.)
2. Die Forscher _____ Untersuchungen durchgeführt haben, die das beweisen. (Forscher behaupten das.)
3. Manche Industrielle _____ davon nichts gewusst haben. (Politiker behaupten das.)
4. Die Politiker _____ schon lange strengere Gesetze geplant haben. (Politiker behaupten das.)
5. Diese Gesetze _____ eine Klimakatastrophe verhindern können. (Wissenschaftler behaupten das.)
6. Stürme und Überschwemmungen _____ wieder abnehmen. (Wissenschaftler behaupten das.)
7. Meteorologen _____ lange schon vor den Folgen der Industrialisierung gewarnt haben. (Meteorologen behaupten das.)
8. Nur wenn man sofort handelt, _____ an der Entwicklung noch etwas zu ändern sein. (Meteorologen behaupten das.)

b Verkürzen Sie die Sätze, indem Sie die Modalverben „sollen" oder „wollen" verwenden.

1. In den Medien wurde berichtet, dass die Klonforschung finanziell stark unterstützt wird.
2. Einige Forscher behaupten, sie hätten schon große Erfolge erzielt.
3. Im Internet fand sich die Nachricht, dass die Experimente nicht korrekt durchgeführt wurden.
4. Die Forscher behaupten jedoch, Beweise für die Korrektheit vorlegen zu können.
5. Schon in den nächsten Monaten veröffentlichen sie ihre Ergebnisse selbst im Internet, versprechen die Forscher.
6. Man sagt, dass diese Ergebnisse die Politiker zu Entscheidungen zwingen werden.
7. Die Politiker behaupten, dass sie sich schon entschieden hätten.
8. Wie die Zeitung schreibt, wird schon nächste Woche über ein neues Klongesetz abgestimmt.

> 1. Die Klonforschung soll finanziell stärker unterstützt werden.

Ernährung – natürlich

1 Genfood – Segen oder Fluch?

Lesen Sie den Text im Lehrbuch, S. 88 / 89, noch einmal und entscheiden Sie, ob die Aussagen richtig (r) oder falsch (f) sind. Notieren Sie die entsprechende Textstelle.

		Zeile/n
1. Die meisten Verbraucher sind gegenüber Genfood kritisch eingestellt.	r̸ f	Z. 7
2. Die neue Lebensmitteltechnologie ist in ganz Europa verbreitet.	r f	_____
3. Die Befürworter der Gentechnik machen tolle Versprechungen.	r f	_____
4. Die Gegner der Gentechnik befürchten Risiken für die Menschen und ihre Umwelt.	r f	_____
5. Viele Forscher meinen, dass man mit Gentechnik die Hungersnot in der Welt lindern kann.	r f	_____
6. Die „grüne" Gentechnik ist nach Ansicht der Grünen-Politiker ein absolutes Muss.	r f	_____
7. Ohne Gentechnik darf die Nahrungsmittelproduktion nicht erhöht werden.	r f	_____
8. Statt Gentechnik solle man die Ursachen der Hungerkatastrophe bekämpfen, fordern Politiker der Grünen.	r f	_____

7 Natur

Wortschatz

2 Guten Appetit!

Welche Definitionen passen zu welchen Begriffen? Ordnen Sie zu.

1.	Functional Food	A	Essen für den raschen Verzehr	1. [F]
2.	Schonkost	B	(kompletter) Nahrungsverzicht	2. [ ]
3.	Veganismus	C	eingefrorene, industriell hergestellte Lebensmittel	3. [ ]
4.	Gourmetgastronomie	D	bewusst langsamer Genuss von gesunden, regionalen Lebensmitteln und Getränken	4. [ ]
5.	Rohkost	E	gesunde Lebensmittel, bei denen auf ökologische Herstellungsbedingungen geachtet wird	5. [ ]
6.	Slow Food	F	Lebensmittel angereichert mit zusätzlichen, angeblich gesundheitsfördernden, Inhaltsstoffen	6. [ ]
7.	Feinkost	G	kompletter Verzicht auf tierische Lebensmittel	7. [ ]
8.	Tiefkühlkost	H	Berücksichtigung von biochemischen und physikalisch-chemischen Erkenntnissen bei Zubereitung und Verzehr von Speisen und Getränken	8. [ ]
9.	Vegetarismus	I	ungekochte und unerhitzte, meist pflanzliche, Produkte	9. [ ]
10.	Trennkost	J	besonders bekömmliche und ausgewogene Ernährung im Rahmen einer Diät	10. [ ]
11.	Vollwerternährung	K	eiweiß- und kohlenhydrathaltige Lebensmittel werden nicht kombiniert	11. [ ]
12.	Fasten	L	Verzicht auf Fleisch und Fisch	12. [ ]
13.	Molekulargastronomie	M	ausgewählte, nicht alltägliche Lebensmittel	13. [ ]
14.	Fast Food	N	Küche für Genießer raffinierter Speisen	14. [ ]

Formen und Strukturen
S. 172

3 Einsatz von Gentechnik

Bilden Sie Sätze mit Passiversatzkonstruktionen. Benutzen Sie die Angaben in der Klammer.

1. Der Einsatz von Gentechnik *in der Lebensmittelindustrie ist in Europa nur schwer durchsetzbar.* (in der Lebensmittelindustrie / in Europa / nur schwer / durchsetzbar / sein)

2. Kritisiert wird, dass _____.
(die Entwicklung von Genpflanzen / kaum / kontrollieren / sich / lassen)

3. Außerdem _____
(mögliche langfristige Risiken für die Gesundheit / noch nicht / abschätzbar / sein)

4. Bei der Einführung _____
(von gentechnisch veränderten Lebensmitteln / Prüfverfahren / zwar / durchzuführen / sein)

5. Und _____
(die Unbedenklichkeit der Lebensmittel / sicherzustellen / sein)

6. Aber Naturschutzorganisationen klagen, dass _____.
(bei Genlebensmitteln / die Gefahren für Allergiker / nicht / kalkulieren / sich / lassen)

Formen und Strukturen
S. 172

4 Küchendienst

Wandeln Sie die Passiversatzformen in Passivsätze um.

1. Bananen lassen sich leicht schälen, aber Granatäpfel lassen sich nur schwer schälen.
2. Äpfel sind vor dem Verzehr zu waschen.
3. Forelle lässt sich braten oder grillen.
4. Bei Ökoprodukten ist eine lange Lagerung zu vermeiden.
5. Das Haltbarkeitsdatum ist nicht lesbar.
6. Für scharfe Gerichte ist Chili zu verwenden.
7. Die Milch ist nicht mehr trinkbar.

1. *Bananen können leicht geschält werden, aber Granatäpfel nur schwer.*

5 Das lässt sich so oder so sagen.

Formen und
Strukturen
S. 172

Wandeln Sie die Passivsätze in Sätze mit den angegebenen Passiversatzformen um.

1. Gemüse kann gut im Gewächshaus angebaut werden. (-bar)
2. Dabei muss die Temperatur genau geregelt werden. (sein)
3. Die Pflanzen müssen auch regelmäßig gegossen werden. (sein)
4. Viele Arbeiten können von Maschinen ausgeführt werden. (-bar)
5. Bei der Weiterverarbeitung müssen Hygienestandards eingehalten werden. (sein)
6. Beim Transport können umweltschonende Verkehrsmittel eingesetzt werden. (lassen sich)
7. Im Geschäft können die unterschiedlichsten Produkte erworben werden. (lassen sich)
8. Es muss entschieden werden, ob Preis oder Qualität die größte Rolle spielen soll. (sein)

> 1. *Gemüse ist gut im Gewächshaus anbaubar.*

6 So sagt man oft.

Formen und
Strukturen
S. 172

Schreiben Sie die Aussagen in Sätze mit „man" und – wenn möglich – in Passivsätze um.

1. Das lässt sich so nicht sagen. *Das kann man so nicht sagen. / Das kann so nicht gesagt werden.*
2. Da ist nichts zu machen. _____
3. Das lässt sich schnell ändern. _____
4. Das ist machbar. _____
5. Das ist kaum zu glauben. _____
6. Da ist noch viel zu tun. _____
7. Das ist schon vorstellbar. _____
8. Darüber lässt sich reden. _____

7 Auslautverhärtung

Hören ● 24
Aussprache

a Welche Konsonanten hören Sie? Markieren Sie die Wörter, in denen Sie ein „b" hören.

halbieren – halb | schreiben – schrieb | Dieb – Diebe | Raubtier – rauben | Laube – Laub

Hören ● 25
Aussprache

b Markieren Sie die Wörter, in denen Sie ein „d" hören.

Kind – Kinder | Badetuch – Bad | Gründe – Grund | Hemd – Hemden | Herde – Herd

Hören ● 26
Aussprache

c Markieren Sie die Wörter, in denen Sie ein „g" hören.

schweigen – schwieg | fliegen – Flugzeug | arg – Ärger | Gebirge – Berg | Tag – Tage

Hören ● 27
Aussprache

d Hören Sie und sprechen Sie.

1. Es ist gleich halb drei.
2. Sie schrieb ein Kochbuch.
3. Der Dieb brach ins Labor ein.
4. Pia spielt im Sandkasten.
5. Es gab einen richtigen Grund.
6. Männer an den Herd!
7. Der Klonforscher schwieg.
8. Das Flugzeug fliegt mit Rapsöl.
9. Man soll den Tag nicht vor dem Abend loben.

8 Die Konsonnanten v und s

Hören ● 28-29
Aussprache

a Hören Sie die unterschiedliche Aussprache von „v" und „s" im Wortinneren und am Wortende und sprechen Sie nach.

1. brave – brav | Detektiv – Detektive | instinktive – instinktiv | Effektivität – effektiv
2. Lose – Los | Mäuse – Maus | Kurs – Kurse | Preise – Preis | kreisen – Kreis

Hören ● 30
Aussprache

b Hören Sie und sprechen Sie.

1. Das brave Pferd ritt den Parcour mit Bravour.
2. Der effektive Detektiv fing den Dieb.
3. Instinkte helfen instinktiv das Richtige zu tun.
4. Das Los der Menschen ist unvorhersehbar.
5. Die Maus geht nicht aus ihrem Haus.
6. Der Aktienkurs sinkt und die Preise purzeln.

Mit Pflanzen heilen

▌1 Pflanzenheilkunde

Wortschatz
Lesen

a Korrigieren Sie die Begriffe. Versuchen Sie die Wörter zu finden, die in den Kontext passen, ohne im Lehrbuch nachzusehen.

1. Krankheiten werden seit Urzeiten mit ~~Giftpflanzen~~ ___Heilpflanzen___ kuriert.
2. Paracelsus erfasste ~~exotische~~ _____ Pflanzen systematisch.
3. Viele ~~wissenschaftlich~~ _____ hergestellte Arzneimittel stammen aus der Phytotherapie.
4. Stark ~~schmerzende~~ _____ Substanzen, wie Opiate, werden aus Schlafmohn gewonnen.
5. Pflanzliche Medikamente haben weniger ~~Heilungserfolge~~ _____ als synthetische.
6. Chemische und pflanzliche ~~Rezepte~~ _____ müssen die gleichen gesetzlichen Bestimmungen erfüllen.
7. Pflanzliche Arzneien sind in mancher Hinsicht den synthetischen Medikamenten ~~überdacht~~ _____.
8. Phytopharmaka werden oft gegen Magenprobleme, Erkältungen und Befindlichkeitsstörungen ~~eingetragen~~ _____.
9. Die ~~Korrektur~~ _____ verschiedener Heilkräuter kann negative Folgen haben.

b Vergleichen Sie Ihr Ergebnis nun mit dem Text im Lehrbuch, S. 90, und notieren Sie ggf. die Varianten aus dem Text.

▌2 Naturheilkunde im Gespräch

Hören ◉ LB 2, 31
Schreiben

Hören Sie den 1. Teil des Interviews im Lehrbuch, S. 91, noch einmal und beantworten Sie folgende Fragen in Stichpunkten.

1. Warum wendet man sich heute der Naturmedizin zu?
2. Was versteht man unter „Phytotherapie"?
3. Was gaben die Menschen früher in die Gräber der Verstorbenen?
4. Wer gilt als der Begründer der Phytotherapie?
5. Wer kümmerte sich im Mittelalter hauptsächlich um die Pflanzenheilkunde?
6. Welche Entwicklung erfuhr die Pflanzenheilkunde im 19. Jahrhundert?

> 1. _Forschung mit Gen- oder Biotechnologie erfüllen die Hoffnungen nicht; man ist enttäuscht_

▌3 Interview

Wortschatz

Welche Redemittel passen zu welchen Teilen eines Interviews? Ordnen Sie zu.

~~Ich bin nicht sicher, ob ich Sie richtig verstanden habe.~~ | Ich würde Sie gern zum Thema … interviewen. | Dürfte ich den Gedanken noch einmal aufgreifen? | Ich würde jetzt gern zum nächsten Punkt kommen. | Vielen Dank für dieses informative Gespräch. | Darf ich noch einmal auf diesen Punkt eingehen? | Entschuldigen Sie bitte, hätten Sie kurz etwas Zeit? | Ich danke Ihnen für Ihre Gesprächsbereitschaft. | Würden Sie das bitte etwas näher erläutern? | Da würde ich gern kurz einhaken. | Das war sehr interessant, vielen Dank. | Kommen wir noch einmal zurück zum Thema …

Beginn des Interviews	während des Interviews	nachfragen	Ende des Interviews
		Ich bin mir nicht sicher, ob ich Sie richtig verstanden habe.	

Grammatik: Das Wichtigste auf einen Blick

Formen und
Strukturen
S. 173

1 Konjunktiv I: Indirekte Rede

Der Konjunktiv I wird in der indirekten Rede, vor allem in Zeitungstexten gebraucht. Die indirekte Rede gibt das wieder, was ein anderer Sprecher gesagt hat. Der Konjunktiv signalisiert: Das ist die Meinung eines anderen.

- Wissenschaftler: Ich weiß mehr über die Sache als die Beteiligten. *(Gegenwart)*
  In der Zeitung: Der Wissenschaftler sagte, er wisse mehr über die Sache als die Beteiligten.
- Wissenschaftler: Aber ich wusste das voriges Jahr noch nicht. *(Vergangenheit)*
  In der Zeitung: Der Wissenschaftler sagte, er habe das voriges Jahr noch nicht gewusst.

Formen:

	kommen	lesen	fahren	nehmen	müssen	wissen	haben	sein
ich	komm-e	lese	fahre	nehme	müsse	wisse	habe	sei
er/es/sie	komm-e	lese	fahre	nehme	müsse	wisse	habe	sei
sie/Sie	komm-en	lesen	fahren	nehmen	müssen	wissen	haben	seien
	keine Vokaländerung							

Bei regelmäßigen Verben und in der mündlichen Rede benutzt man meist „würde" + Infinitiv:
- Ein Reporter behauptete, er würde jeden Tag vier Stunden in der Bibliothek recherchieren.

Bei den anderen Verben benutzt man Konjunktiv II:
- Der Pressesprecher informierte die Reporter, dass der Kanzler bald käme.

Formen und
Strukturen
S. 168

2 Informationen aus zweiter Hand: subjektiver Gebrauch der Modalverben „sollen" und „wollen"

Modalverben können auch subjektiv gebraucht werden, d. h., der Sprecher oder die Sprecherin drücken damit ihre persönliche Vermutung Meinung oder Einschätzung eines Sachverhaltes aus.
- Robert will das bis nächsten Montag beenden können.
  (= Sprecher/in sagt, dass Robert behauptet, dass er das kann.)

Das Perfekt der Modalverben im subjektiven Gebrauch wird anders gebildet als im objektiven Gebrauch, nämlich mit einem Infinitiv Perfekt:
- Herbert muss es gewusst haben. *(= Sprecher/in ist sehr sicher, dass das so war.)*

wollen
- Er war dabei, als sie die Bäume abgesägt haben. Aber nun will er es nicht gesehen haben.
  (= Jemand behauptet etwas, aber Sprecher/in glaubt es nicht.)

sollen
- Er soll sehr viel Geld in der Schweiz haben. Er soll sein Geld mit Kupferminen verdient haben.
  (= Sprecher/in hat ein Gerücht gehört und gibt es weiter.)

Formen und
Strukturen
S. 172, 182

3 Passiversatzformen

Mündlich verwendet man oft Ersatzformen, um Passiv-Konstruktionen zu vermeiden:

- Hunger kann man durch Gentechnik lindern. (*statt:* Hunger kann durch Gentechnik gelindert werden.)	*„man" = jede Person, alle Leute. Die konkrete Person ist nicht wichtig.*
- Sind Genvitamine vom Körper absorbierbar? (*statt:* Können Genvitamine absorbiert werden?)	*Verbstamm + „-bar" oder „-lich" = kann gemacht werden*
- Das ist nur mit Gentechnik zu machen. (*statt:* Das kann nur mit Gentechnik gemacht werden.)	*„ist" + „zu" + Infinitiv = muss / kann gemacht werden*
- Das lässt sich nicht beweisen. (*statt:* Das kann bewiesen werden.)	*„lässt sich" + Infinitiv = kann (nicht) gemacht werden*

8 Wissen und Können

Wissen und Können

Wortschatz

1 Wirre Traumlandschaft

Im Traum sehen Sie eigenartige Wörter an Ihnen vorbeiziehen. Nehmen Sie die Wörter auseinander und fügen Sie sie neu zusammen, sodass sich sinnvolle Wörter ergeben. Schauen Sie ggf. auch auf der Karte im Lehrbuch, S. 92, nach.

Fähigbildung	Ausziehung	Erkeit	Irrknüpfungen	Motivastand
Wissention	Erschaft	Bildungssie	Zwischenfinden	Empziele
Fantadecken	entfort	Verbildung	Kenntnis	Tumfehler

Ausbildung, _____

Wortschatz

2 Wissen, können oder kennen?

≠ Person oder Sache

Ergänzen Sie jeweils eins der drei Verben in der passenden Zeitform.

1. Armin Hary _konnte_ die hundert Meter in zehn Sekunden zurücklegen.
2. Heute _können_ viele Läufer so schnell laufen.
3. Jeder Deutsche _weiss (?!)_ dass die Berliner Mauer im November 1989 gefallen ist.
4. Wer klassische Musik liebt, _kennt_ Bach.
5. Jedes Kind _weiss_, dass ein Stein ein Gegenstand ist.
6. Viele Fremdsprachen zu _können_, ist sehr nützlich.
7. _Kennen_ Sie das Bild „Guernica" von Picasso?
8. Mozart _konnte_ schon als Kind wunderbar Klavier spielen.

Wortschatz

3 Erfinderische Frauen und Männer

kennen – wissen – können: Ergänzen Sie das passende Verb in der richtigen Form.

Im Taschenbuch „Deutsche Stars – 50 Innovationen, die jeder [1] _kennen_ sollte", werden Erfindungen aus Deutschland vorgestellt, die zu Weltruhm gelangten.
Wer [2] _weiß_ zum Beispiel schon, dass die Idee für einen Kaffeefilter im Jahre 1908 entstand, als Melitta Bentz die Löschblätter aus den Schulheften ihrer Kinder zum Filtern von Kaffee verwendete. Nach einigen Verfeinerungen [3] _konnte_ der Familienbetrieb von 1912 an Filterpapier und ab 1937 Filtertüten herstellen.
Oder [4] _wissen_ Sie etwa, dass Herta Heuwer die Frau war, die 1949 die Currywurst erfunden hat. Uwe Timm, ein zeitgenössischer Schriftsteller, [5] _kannte_ Frau Heuwers Geschichte und verarbeitete sie in seiner Novelle „Die Entdeckung der Currywurst" (1993).
Jeder [6] _kennt_ den Namen Levi Strauss (1829–1902), aber [7] _wissen_ Sie, dass der gebürtige Franke die Jeans erfunden hat, um den Goldgräbern eine stabile Beinkleidung zu geben?
Über alltägliche Dinge [8] _weißt_ man oft nicht so genau Bescheid. Wer hätte sagen [9] _können_, was sich hinter Haribo versteckt und wer die Gummibärchen erfunden hat. Wenn man es [10] _weiß_, dann ist es leicht: Hans Riegel aus seinem Wohnort Bonn versteckt sich hinter dem Firmennamen. Den [11] _kennt_ heute fast jeder.

(handwritten top margin: Verb → Nomen — immer Neutral. Verständnis - v. für guten Fotobereich — im verstehen. Entgegen - Er kommt mir entgegen. Gegenüber - J. sitzt D gegenüber - (statisch). wider (gegen). wider willen (gegen ihren willen) →)

Was ist Wissen?

1 Definitionen von Wissen

(margin: Wortschatz)

Ordnen Sie die Nomen in die Tabelle ein. Wie heißen die passenden Verben bzw. verbalen Ausdrücke? Ergänzen Sie auch jeweils die Pluralform der Nomen, falls es eine gibt. Benutzen Sie ggf. ein einsprachiges Wörterbuch.

(handwritten: ein System. (Autobahn) Bahn etc)

~~Kenntnis~~ ~~Fähigkeit~~ Erfahrung Erkenntnis Verstand Netz Experiment
Argumentation Glaube Definition Begriff Form Gewissheit Empfinden

(handwritten: AW 5/9)

der	das	die	Verb
Begreifen	*Verständnis*	*Kenntnis, -se*	*kennen*
Verstand	*netz*	*Fähigkeit, -en*	*fähig sein*

(handwritten below table: vernetzen, experimentieren experiment, empfinden. erfahrung: Argumentation solide grundlage empfindung (sich) fundierung (f) gewissheit gewiss sein form. formen. definieren)

2 Wissenswerte Wörter

(margin: Wortschatz)

Welches Wort passt?

(handwritten: Definition)

1. Frau May ist eine exzellente Fernsehmoderatorin, die sich durch ihr ___*fundiertes*___ Wissen auszeichnet.
   a. fundiertes **b.** kluges **c.** ausreichendes

   (handwritten: form. formen. definieren)

2. Sie hat ihr ___*umfangreiches*___ Wissen zu fast allen medizinischen Bereichen natürlich nicht nur im Studium erworben. *(mit großem umfang)*
   a. allgemeines **b.** umfangreiches **c.** spezielles

3. Vielmehr bemüht sie sich, ihr Wissen kontinuierlich durch Fachlektüre und Kongressbesuche zu ___*(a) ...*___ . *(Vorrat für lang Zeit aufbewahren)*
   a. erweitern **b.** speichern **c.** sammeln

   (margin: etwas größer machen)

4. Auf diese Weise hat sie sich schon viel Wissen ___*(c)*___ . *(Er erlangt hohe Würde)*
   a. geholt **b.** erlangt **c.** angeeignet *(acquired)*

   (margin: erlangen = von alleine)

5. "___*Wider*___ besseres Wissens" hat sie neulich einen Politiker eingeladen, der wegen seiner zynischen Art gefürchtet ist.
   a. Entgegen **b.** Wider **c.** Gegenüber *(etwas geschieht · willen.)*

6. ___*(c)*___ hat sie dadurch dem Sender zu einem großen Erfolg verholfen, weil Millionen von Menschen „das Schauspiel" sehen wollten.
   a. Unwissend **b.** Bewusstlos **c.** Unwissentlich *(ohne absicht / unabsichtlich)*

   (margin: ohne das nötige wissen)

3 Manche tun nichts selber

(margin: Formen und Strukturen S. 169)

Beantworten Sie die folgenden Fragen.

1. Hast du das Radio selbst repariert? – Natürlich nicht ! Ich habe es ___*reparieren lassen*___
2. Hast du dir die Haare selbst geschnitten? – Das kann ich doch nicht, ich ___*sie schneiden lassen*___
3. Haben Sie das Kleid selbst genäht? – Zu schwierig! Ich ___*habe es nähen lassen*___
4. Haben Sie das Haus selbst gebaut? – Nein, wir _____ es von einer Baufirma _____ *(bauen lassen)*

> **!** Die Verben „lassen", „sehen", „hören" und „helfen" stehen im Infinitiv, wenn sie mit einem anderen Verb zusammen gebraucht werden.
> Kurzregel fürs Perfekt: Hilfsverb „haben" + 2. Verb im Infinitiv + „lassen", „sehen", „hören" „helfen"* im Infinitiv. (*Bei „helfen" wird heute oft das Partizip II „geholfen" benutzt.)

(handwritten bottom: Ich habe die Haare schneiden lassen. zwei infinitiven. „ „ mir helfen lassen.)

Formen und
Strukturen
S. 169

4 Das habe ich kommen sehen!

Ergänzen Sie die folgenden Dialogteile mit „hören", „sehen" „helfen".

1. ▶ Ricardo hat die Prüfung nicht bestanden.
   ▷ Das habe ich kommen _sehen_ *intintiv utut*. Er hat viel zu wenig gelernt.

2. ▶ Du übst ja immer noch Geige! Maria ist doch schon da!
   ▷ Na so was! Ich habe sie überhaupt nicht kommen _hören_.

3. ▶ Oh je! So schwere Bücher!
   ▷ Macht nichts! Mein Nachbar hat mir tragen _~~helfen~~ geholfen_. *(vergang)*

4. ▶ Weißt du, wo Rolf ist?
   ▷ Nein. Aber ich habe ihn schon vor fünf Minuten am Haus vorbeigehen _sehen_.

5. ▶ Hoffentlich ist die Hausarbeit nicht zu kurz.
   ▷ Ich habe sagen _hören_, dass sie mindestens 30 Seiten haben muss.

geholfen

Wortschatz

5 Gesprächsstrategien

Welcher Ausdruck passt? Markieren Sie.

1. etwas erfragen: ☒ Was verstehen Sie genau unter …? ☐ Das sehe ich etwas anders.
2. Äußerungen verdeutlichen: ☒ Ich meine damit … ☐ Da bin ich skeptisch!
3. sich korrigieren: ☐ Wie kamst du eigentlich dazu? ☒ Besser gesagt, …
4. etwas kommentieren: ☒ Das ist aber interessant. ☐ Ich habe nicht ganz verstanden …

Vom Wissen zum Können

Lesen
Wortschatz

1 Eine Präsentation: Der weite Weg vom Wissen zum Können

Zu welcher der Phasen A bis F der Präsentation gehören die folgenden Sätze? Notieren Sie den richtigen Buchstaben hinter jedem Satz. *etw fuhrt zu etw Neuem (hin) (d)*

A Begrüßung   C Überleitung   E Zusammenfassung, Ausblick
B Einleitung   D Nachfrage   F Dank, Verabschiedung

1. Haben Sie Fragen zu dem, was ich bis jetzt präsentiert habe? _D_
2. Guten Tag, meine sehr verehrten Damen und Herren! _A_
3. Wenn wir also ein Fazit ziehen wollen: … _E_
4. Wenn wir auf die Abbildung 3 schauen, … _C_
5. Ich möchte Ihnen heute vorstellen, wie … _B_
6. Betrachten wir nun die Folie 2, so stellen wir Folgendes fest: … _____
7. In drei Sätzen zusammengefasst, … _____
8. In meinem Vortrag geht es vor allem darum, … _____
9. Gibt es Fragen zu bestimmten Punkten? _____
10. Vielen Dank für Ihre Aufmerksamkeit und einen schönen Abend! _____
11. Das möchte ich anhand von einigen Folien verdeutlichen. _____
12. Wenn wir die Grafik Nr. 3 anschauen, … _____
13. Das heißt also: … _____
14. Was können wir nun dagegen / dafür tun? _____
15. Wie ist also letztendlich die Gesamtsituation zu bewerten? _____
16. Haben Sie Fragen zu dem bisher Vorgestellten? _____
17. Herzlichen Dank und gute Heimreise. _____
18. Lassen Sie uns beginnen. _____
19. Nach der Präsentation haben wir 30 Minuten Zeit für Fragen und Diskussion. _____
20. Ich bedanke mich für Ihre Geduld und stehe Ihnen für Fragen gern zur Verfügung. _____

2 Ausbildung als Weg zum Können – aber wie steht es mit der Lehrstelle?

Schreiben

a Worum geht es in dieser Grafik? Formulieren Sie einen Satz mit jedem der Ausdrücke 1 bis 5.

Die Lehrstellen-Bilanz
Ausbildungsplätze in Deutschland in 1 000

1992 '93 '94 95 96 '97 '98 99 '00 '01 '02 '03 '04 '05 2006
722   Schätzung
Angebot
656
648 660 647 639
622 635 654 645
617 613 636 635 618
609 613 596 593 591 593
608 598 590 572 586
588 587 563 564
Nachfrage

Quelle: Berufsbildungsbericht 2006   © Globus 0645

In der Grafik geht es um ... | Die Grafik zeigt, wie / dass ... | In der Grafik ist dargestellt, wie / dass ... | In der Grafik sieht man ... | Die Grafik veranschaulicht ... | Anhand der Grafik kann man sehen, dass ...

1. Lehrstellenbilanz: _In der Grafik geht es um die Lehrstellen-Bilanz._

2. Entwicklung von Angebot und Nachfrage: _____

3. 1992–1995 Angebot an Lehrstellen höher als Nachfrage: _____

4. seit 2002 Nachfrage kontinuierlich höher als Angebot: _____

5. in den Jahren 2000 und 2001: _____

Hören ● 31
Wortschatz

b Hören Sie nun den folgenden Nachrichtentext und setzen Sie die Wörter im Kasten an die richtige Stelle im Text.

> nahm ... zu   verringerte sich   ~~abgenommen~~
> fehlten   Rückgang   um   sank   um   auf

Das Lehrstellenangebot in Deutschland hat im vergangenen Jahr wieder [1] _abgenommen_ – von 586.000 im Jahr 2004 auf 563.000 im Jahr 2005. Zwar [2] _____ gleichzeitig auch die Nachfrage nach Lehrstellen [3] _____ 591.000. Aber insgesamt [4] _____ somit im vergangenen Jahr rein rechnerisch immer noch rund 28.000 Lehrstellen. In Westdeutschland waren es 18.000 und in Ostdeutschland 10.000. Vom [5] _____ bei den neu abgeschlossenen Ausbildungsverträgen waren bis auf die Seeschifffahrt alle Ausbildungsbereiche betroffen. Im Bereich Industrie und Handel [6] _____ die Zahl der Neuabschlüsse [7] _____ 6.600 (-2,0 Prozent). Bei der Seeschifffahrt hingegen [8a] _____ die Zahl der neu abgeschlossenen Lehrverträge [8b] _____ und zwar [9] _____ rund 100, das entspricht 52 Prozent.

c Markieren Sie in Übungsteil a und b alle Ausdrücke, die eine Entwicklung zeigen, und ordnen Sie diese sowie die folgenden Ausdrücke den unten stehenden Kategorien zu.

> ~~Die Zahl ... hat sich verdoppelt / verdreifacht / vervierfacht.~~ | Im Vergleich zu 1999 ... | Die Zahl ist von ... auf ... gestiegen. | Die Zahl ist von ... auf ... gefallen / gesunken / zurückgegangen. | verglichen mit 2002 ... | Die Anzahl der Ausbildungsplätze hat sich um ... verringert. | gegenüber 2004 ... | Die Kurven verlaufen parallel. | im Gegensatz zu ... | In den Jahren ... ist die Zahl ... gleich geblieben. | im Unterschied zu ... | Die Zahl ... stagniert auf Vorjahrsniveau.

Entwicklung			Vergleich	Gegensatz
↑	↓	→	≈	≠
Die Zahl ... hat sich verdoppelt / ...				

Formen und
Strukturen
S. 164

3 Negative Lehrstellenbilanz – Wer klärt welche Fragen?

Ergänzen Sie die indirekten Fragen.

1. Wie hat sich die Zahl der Lehrstellen in den letzten Jahren entwickelt?
   Wir müssen feststellen, *wie sich die Zahl der Lehrstellen in den letzten Jahren entwickelt hat*

2. In welchem Jahr war die Nachfrage so hoch wie die Zahl der Angebote?
   Die Arbeitsagentur überprüft, _____

3. Warum ist die Anzahl der Lehrstellen so stark gesunken?
   Die Politiker klären, _____

4. Was könnte man zukünftig tun, um die Zahl der Lehrstellen zu erhöhen?
   Eine Arbeitsgruppe überlegt, _____

5 Ist es sinnvoll, die Unternehmen zu zwingen, Lehrstellen einzurichten?
   Die Politik muss untersuchen, _____

4 Eine Präsentation: Lernen mit Kopf, Herz und Hand

Lesen
Schreiben

a Lesen Sie den Auszug aus einem Präsentationstext. Finden Sie heraus, welcher der folgenden Sätze an welche Stelle des Textes gehört. Achten Sie dabei auch auf die möglichen Mittel der Textverbindung und markieren Sie sie.

A Es interessiert Sie,

B Zur Verdeutlichung dieses Prozesses habe ich auf Folie 1 den Weg des Lernstoffs bis ins Langzeitgedächtnis dargestellt.

C Erlauben Sie, dass ich mich kurz vorstelle:

D In diesem Kontext möchte ich Ihnen heute einige Tipps zum besseren Behalten von Wortschatz vorstellen.

E Wer hat sich die Zahlen gemerkt, wer möchte sie wiederholen?

F Machen wir nun eine Gegenprobe:

G Zur Überprüfung wollen wir einen kleinen Test machen.

H Haben Sie noch Fragen dazu?

I Nein, dann verrate ich Ihnen den Trick:

J Wenn wir nun daraus das Fazit ziehen wollen:

K Dann bedanke ich mich für Ihre Aufmerksamkeit.

L Gibt es weitere Fragen?

Guten Abend! Meine Damen und Herren! [1] *Erlauben Sie, dass ich mich kurz vorstelle:* Mein Name ist Ilse Berker. Ich beschäftige mich mit Lernforschung, besonders in Bezug auf das Erlernen von Fremdsprachen. [2] _____ Sie wissen sicherlich alle, in groben Zügen, wie das Speichern von Informationen im Gehirn funktioniert. [3] _____ Sie sehen hier, wie neue Wörter, die wir hören oder lesen, zuerst in das Kurzzeitgedächtnis gehen. Wichtig ist, dass die Kapazität dieses Gedächtnisses sich auf ca. sieben Objekte beläuft, plus oder minus zwei, je nach Individuum. Die Informationen werden in sogenannten „Chunks" (Bündeln) gespeichert. [4] _____ Schauen Sie hierzu jetzt bitte auf Folie 2. Da stehen sieben Zahlen, die Sie sich merken sollen. Sie können sie aber nur einmal lesen, denn ich decke sie sofort wieder zu. So! [5] _____ Ja, die Dame mit dem roten Pullover. Wunderbar, und war das schwer? Natürlich nicht, denn es waren ja nur sieben.
[6] _____ Versuchen Sie sich nach einmal Durchlesen zu merken, was auf dieser Folie steht: Sieben genauso ist leicht lernen mit zwanzig sinnvollen einen Wörtern wie Satz Einzelwörter es zu. Haben Sie's? [7] _____ „Es ist genauso leicht einen sinnvollen Satz mit zwanzig Wörtern zu lernen wie sieben Einzelwörter." [8] _____ Lernen Sie also Wörter immer im Sinnzusammenhang, möglichst in sinnvollen Sätzen.
[9] _____ Der Herr hier vorne: [10] _____ wie man die neuen Wörter zum Beispiel für eine Prüfung am besten ins Langzeitgedächtnis bringt? Am besten teilt man den Wortschatz in kleine Portionen auf und wiederholt ihn mehrfach. Und da man wirklich im Schlaf lernt, also im Schlaf verarbeitet, sollte man den Wortschatz das letzte Mal am Abend vor der Prüfung wiederholen. [11] _____ Keine Fragen mehr?
[12] _____ Auf Wiedersehen und eine gute Heimreise.

b Hören Sie jetzt einen weiteren Auszug aus der Präsentation in Übungsteil a und entscheiden Sie, ob die Aussagen richtig (r) oder falsch (f) sind.

1. Viele lernen nicht, weil sie überfordert oder faul sind.   ☒ f
2. Je mehr wir von einer Sache wissen, desto leichter fällt das Lernen.   r f
3. Beim Lernen muss unbedingt äußere Ruhe herrschen.   r f
4. Materielle Sorgen behindern das Lernen.   r f
5. Persönliche Probleme führen dazu, dass man überhaupt nicht lernen kann. r f
6. Die wichtigsten Wörter im Zusammenhang mit Lernen sind: Interesse, Sinn, Ziel. r f
7. Man sollte sich beim Lernen immer wieder selbst fragen, warum man es tut. r f

5 Lernen macht glücklich – Drei Leserbriefe

Welcher Ausdruck wird jeweils synonym zum unterstrichenen gebraucht? Markieren Sie.

1. Der Mensch braucht ☐ nützt ☒ benötigt eben immer Anregungen, sonst verkümmert er ☐ geht er ein ☐ nimmt er ab.
2. Das belegen ☐ präsentieren ☐ beweisen auch die neuesten Untersuchungen der Hirnforschung.
3. … schon eine cooler Artikel, aber voll einseitig ☐ parteiisch ☐ engstirnig!
4. Bei mir war es genau das Gegenteil ☐ der Gegensatz ☐ andersherum.
5. In Ihrem sehr guten Artikel über das Lernen vermisse ich ☐ fehlen mir ☐ suche ich zwei m. E. essentielle ☐ existentielle ☐ grundlegende Punkte:
6. Erstens den Bezug ☐ die Beziehung ☐ die Bezugnahme auf die unterschiedlichen Lerntypen.
7. Zweitens den wichtigen Faktor „Motivation". Gerade diese scheint zumindest unseren Schülern weitgehend ☐ vollkommen ☐ ziemlich zu fehlen.
8. Würde sich da nicht ein Artikel lohnen ☐ empfehlen ☐ auszahlen?

6 Allgemeinbildung heute

Lesen Sie die folgenden Leserbriefe und markieren Sie auf S. 98, welches jeweils die Hauptaussage ist. Vergleichen Sie dann im Kurs.

1 Bravo zu Ihrem tollen Artikel! Die ewigen Quizsendungen hängen mir schon zum Halse raus! Allgemeinbildung ist eben mehr, als Quizfragen richtig beantworten zu können. Bildung ist mehr als Wissen. Bildung heißt, Wissen auch einzuordnen, also in Beziehung zu setzen, es anzuwenden und ganz besonders, es verantwortungsvoll zu nutzen. Dies alles haben Sie in Ihrem Artikel wunderbar herausgearbeitet. Danke! (Monika Streiter, Siegen)

2 Sie schreiben in Ihrem Artikel, dass Allgemeinbildung in der Vergangenheit zu geisteswissenschaftlich definiert wurde. Man müsse den Naturwissenschaften, der Technik, der Wirtschaft mehr Raum einräumen, um die moderne Welt zu verstehen. Dem stimme ich zu. Dass man aber dafür heute z. B. kein Latein oder Altgriechisch mehr lernen solle, finde ich ganz falsch. Durch die intensive Beschäftigung mit den zum Teil 3.000 Jahre alten Texten können Schüler wie auf einer Zeitreise erfahren, wie der Mensch der Neuzeit entstanden

ist, aber auch, dass vieles konstant geblieben ist. Die Gefühle waren schon damals dieselben, wie z. B. Trauer, Liebe, Hass, Neugier. Humanistische Bildung gibt geistige Sicherheit, ein Grundverständnis für wesentliche Entwicklungen und Werte. Dieses Verständnis kann man nicht einfach aus dem Internet runterladen! (Dr. Hans Würker, Gießen)

3 Sie schreiben in Ihrem Artikel, dass Allgemeinbildung, die nur auf Faktenwissen basiert, besonders heutzutage, eigentlich gar keine Bildung ist. Das ist eigentlich nichts Neues. Schon Pestalozzi (1746–1827) verlangte eine Bildung von „Kopf, Herz und Hand", und Allgemeinbildung ist natürlich an Zeit und Kulturräume gebunden. Aber ganz ohne Faktenwissen geht es ja wohl auch nicht. Wer meint, er müsse nur wissen, wie man etwas findet, und dann könne er die Probleme lösen, denkt völlig falsch. Man muss schon etwas wissen – auch Fakten kennen, um das Richtige zu finden und was noch wichtiger ist, es auch bewerten können! (Maria Steiger, Marburg)

[handschriftlich: Haft auf Bewährung / suspended sentence]

1. **a.** Bildung ist nicht nur Faktenwissen.
   b. Der Artikel ist sehr gut.
   c. Bildung ist verarbeitetes und anwendbares Wissen.

2. **a.** Kenntnisse in Naturwissenschaften und Technik gehören zur Bildung.
   b. Man sollte auch Latein und Altgriechisch lernen, weil das ein Verständnis für Entwicklungen fördert.
   c. Durch das Internet kann man sich nicht bilden.

3. **a.** Reines Faktenwissen ist keine Bildung.
   b. Heutzutage reicht es, wenn man weiß, wo man etwas findet.
   c. Ohne Faktenwissen kann man keine Probleme lösen.

Klug, klüger, am klügsten

[handschriftlich: = text 98 Lb.]

1 Macht Musik klüger?

Lesen
Wortschatz

[handschriftlich: Hw 5/5]

a Lesen Sie den Text „Macht Musik klüger?" im Lehrbuch, S. 98, noch einmal und markieren Sie, was die folgenden Ausdrücke bedeuten: a oder b?

1. lösen nahezu identische Muster aus (Z. 3/4) *[handschriftlich: fast]*
   a. lösen dieselben Muster aus
   b. lösen fast dieselben Muster aus

2. das belegen Studien (Z. 5)
   a. das beweisen Studien
   b. das beschreiben Studien

3. auf Klänge geht jede menschliche Kommunikation zurück (Z. 7/8)
   a. menschliche Kommunikation basiert auf Klängen
   b. menschliche Kommunikation hat ihren Ursprung in Klängen

4. mit ähnlichem Bildungsstand (Z. 21)
   a. mit ähnlicher Ausbildung
   b. mit ähnlichem Bildungsniveau

5. Zudem zeigten (Z. 25)
   a. Außerdem zeigten
   b. Hinzu zeigten *[handschriftlich: Hinzu kommt, (nebensatz) das die Inger Müsik... zeigt]*

6. Hinweise darauf (Z. 26/27) *[handschriftlich: Idee / Anhaltspunkte]*
   a. Beweise dafür
   b. Anhaltspunkte dafür

7. die Befunde decken sich mit (Z. 33)
   a. die Befunde sind identisch mit
   b. die Befunde sind ähnlich

8. Der Grund sei wohl (Z. 38/39) *[handschriftlich: Konj I — nicht sicher]*
   a. Der Grund ist bestimmt
   b. Der Grund ist wahrscheinlich

9. das Gehirn beansprucht (Z. 46/47)
   a. das Gehirn formt
   b. das Gehirn zum Arbeiten bringt

10. Handlungsabläufe (Z. 60)
    a. Prozesse
    b. Folgen von Handlungen

11. hat sich Musik bewährt (Z. 63) *[handschriftlich: bewähren = etwas belohnt]*
    a. ist Musik erprobt worden *[handschriftlich: = etwas ausprobiert]*
    b. hat sich die positive Wirkung von Musik zuverlässig gezeigt *[handschriftlich: = Ergebnis]*

12. sprachentwicklungsgestört (Z. 73)
    a. Sprachentwicklung entspricht nicht dem Alter
    b. sie können nicht sprechen *[handschriftlich: = Stumm]*

[handschriftlich links: Andeutung = versteckt]

b Lesen Sie nun den Text im Lehrbuch ganz und unterstreichen Sie die Teile, in denen beschrieben wird, welche Vorteile Musizieren hat. Schreiben Sie Stichworte dazu in eine Tabelle und ergänzen Sie ein passendes Beispiel, falls vorhanden.

Stichworte	Beispiel
Z. 14/15: steigert Kompetenz im Umgang mit der Muttersprache	Z. 23/24: stärkere Hirnreaktion auf Syntaxverletzung

2 Mein Lieblingsfilm – Eine Filmkritik

Lesen
Schreiben

a Unterstreichen Sie im folgenden Text die Redemittel, die die verschiedenen Teile der Filmkritik einleiten, und tragen Sie sie in die Tabelle unten ein.

Ich möchte heute meinen Lieblingsfilm vorstellen: „A Beautiful Mind."
Bei dem Film - Regisseur ist Ron Howard - handelt es sich um eine Art Biografie des Mathematikgenies John Forbes Nash Jr. Der gut aussehende, sehr exzentrische Mann, gespielt von Russell Crowe, macht schon in jungen Jahren eine außerordentliche wissenschaftliche Entdeckung und erhält dafür später den Nobelpreis.
Zunächst wird dargestellt, wie er in der amerikanischen Elite-Universität Princeton Karriere macht, wo er von allen als exzentrisches Genie bewundert, aber auch beneidet wird. Dann wird gezeigt, wie er unaufhaltsam von Schizophrenie bedroht wird, bis er sich schließlich in einer Scheinwelt verliert. Das verdeutlicht der Regisseur in zahlreichen sehr eindringlichen, wenn auch manchmal etwas plakativen Szenen, beispielsweise bei der visuell brillant gemachten Darstellung von Nashs Gabe, für andere nicht verständliche Codes intuitiv zu erkennen. Besonders bemerkenswert ist es, dass es dem Regisseur gelingt, auch den Zuschauer in diese Scheinwelt mitzunehmen, sodass lange nicht klar ist, was Schein und was Wirklichkeit ist.
In dem Film geht es allerdings hauptsächlich darum, Nashs Kampf gegen die Krankheit zu zeigen und zu verdeutlichen, dass Liebe, in diesem Fall die seiner Frau, helfen kann, die Krankheit zu überwinden.
Ich bewerte den Film wie folgt: Ich halte den Film insgesamt für sehr sehenswert, obwohl es eine Reihe von Szenen gibt, die dem Kitsch sehr nahe kommen. Dies wird aber durch die außergewöhnliche schauspielerische Leistung von Russel Crowe kompensiert. Bemerkenswert finde ich, wie es ihm gelingt, in die Rolle eines exzentrischen, introvertierten und linkischen Mathematikers zu schlüpfen, besonders wenn man ihn eher aus Rollen wie „Gladiator" kennt. Nicht weniger großartig spielt Jennifer Connelly Nashs mutige Frau Alicia, die das lange Leiden und Mitleiden äußerst glaubwürdig darstellt. Dieses brillante Spiel und Howards Regie machen es dem Zuschauer in den intensivsten Szenen möglich, das Gefühl von Schizophrenie zu erleben und nachzuvollziehen und über eher unglaubwürdige oder kitschige Momente hinwegzusehen.

Film vorstellen	wesentliche Informationen vorstellen	Beispiele anführen	Film bewerten
Ich möchte heute ... vorstellen.			

b Ordnen Sie die folgenden Redemittel in die Tabelle in Übungsteil a ein und ergänzen Sie sie um weitere Redemittel.

Bei dem Film handelt es sich um ... | Die Hauptaussage des Filmes ist folgende: ... | Diese Aussage wird durch (einige/viele/zahlreiche) Beispiele belegt. | Der Autor/Regisseur betont/hebt hervor/bezieht sich auf ... | beispielsweise ... | In dem Film geht es um ... | Es wird außerdem/darüber hinaus/zudem beschrieben/dargestellt, wie/dass ... | Besonders bemerkenswert/interessant/spannend/neu ist für mich/finde ich ... | Dies möchte ich durch folgendes Beispiel verdeutlichen: ... | Ich finde diesen Film ..., weil ... | Der Autor verdeutlicht dies mit Beispielen aus ...

c Wählen Sie einen Film aus, den Sie besonders mögen, und schreiben Sie eine kleine Filmkritik. Im Kurs können Sie eine „Filmzeitschrift" aus allen Filmkritiken zusammenstellen.

Lernen und Gedächtnis

Hören ○ LB 2, 40–41

→GI

1 Vergessen

Hören Sie das Gespräch mit Prof. Markowitsch im Lehrbuch, S. 100/101, noch einmal. Welche Aussage entspricht jeweils dem Inhalt des Gesprächs: a, b oder c? Markieren Sie.

1. Der Termin für das Interview:
   a. Professor M. hat den Termin beinahe vergessen.
   b. Der Professor ist immer unpünktlich.
   c. Der Professor dachte, die Journalistin hätte den Termin vergessen.

2. Prof. Markowitsch
   a. ist auf der ganzen Welt in der Gedächtnisforschung tätig.
   b. ist ein international hoch angesehener Fachmann.
   c. hat international Trophäen gesammelt.

3. Wenn man ein Wort vergisst,
   a. könnte das der Beginn einer Alzheimer-Erkrankung sein.
   b. ist das ein sicheres Zeichen für eine Alzheimer-Erkrankung.
   c. ist das ein Anzeichen für Konzentrationsschwäche.

4. Schlechte Erfahrungen als Kind
   a. können zu totalem Gedächtnisverlust bei Erwachsenen führen.
   b. können zu Gedächtnisstörungen in Bezug auf die eigene Biografie führen.
   c. können die Lese- und Schreibfähigkeit behindern.

5. Das episodische Gedächtnis
   a. gibt es auch bei Tieren.
   b. hat den höchsten Grad an Komplexität.
   c. ist am unempfindlichsten.

6. Der Professor tut etwas zum Ausgleich gegen den Stress:
   a. Er joggt und arbeitet zu Hause.
   b. Er entscheidet, wann er arbeitet und reist, und er macht Sport.
   c. Er joggt, schwimmt und geht wandern.

2 Eine umständliche Unterhaltung

Formen und Strukturen
S. 166

Ersetzen Sie die unterstrichenen Teile durch Modalverben und formulieren Sie die Sätze um.

1. ▸ Professor Markowitsch, <u>erlauben Sie</u>, dass ich Ihnen eine kurze Frage stelle?
2. ▷ <u>Sie haben die Erlaubnis</u> zu fragen, was Sie wollen. *Sie kann / durfe*
3. ▸ <u>Sind Sie</u> noch <u>verpflichtet</u>, Vorlesungen zu halten? *müssen*
4. ▷ Ja, <u>es besteht die Pflicht</u>, acht Stunden Vorlesung pro Woche zu halten. Darüber hinaus <u>habe ich die Möglichkeit</u>, mich auf meine Forschung zu konzentrieren. *Kann / können*
5. ▸ Dann <u>haben Sie</u> sicher <u>Kraft</u> genug, viel zu publizieren. *können*
6. ▷ Ja schon. Aber leider <u>bin ich gezwungen</u>, viel zu reisen. Das kostet mich eine Menge Zeit. *muss ich viel reise*

> 1. *Professor Markowitsch, darf / kann ich Ihnen eine kurze Frage stellen?*

3 Man kann es auch anders sagen

Formen und Strukturen
S. 166

Umschreiben Sie folgende Ausdrücke. Häufig gibt es mehrere Möglichkeiten.

> es ist (nicht) möglich | es besteht die Möglichkeit | jemand ist (nicht) in der Lage | jemand ist unfähig/fähig zu | jemand erlaubt einem etwas

1. Leider kann ich heute nicht zu unserer Arbeitsgruppe kommen.
2. Könnten wir den Termin auf morgen verschieben?
3. Meine Freundin kann 30 Vokabeln am Tag lernen.
4. Ich kann mir nur acht Wörter auf einmal merken. *Ich bin unfähig, mir mehr als 8 Wörter zu merken*
5. Könnte ich Sie begleiten, wenn Sie auch gerade dorthin gehen? *Erlauben sie mir, sie zu begleiten wen...*

> 1. *Es ist mir leider nicht möglich, heute zu unserer Arbeitsgruppe zu kommen.*

Lebenslanges Lernen

1 Wozu das alles?

Formen und Strukturen S. 160

a Wozu Fortbildung? Schauen Sie sich die Grafik im Lehrbuch, S. 102, an und formulieren Sie Sätze.

1. zur Aktualisierung des beruflichen Wissens
2. zur Förderung der beruflichen Karriere
3. zum Erwerb eines Berufsabschlusses
4. zur Sicherung ihres Arbeitsplatzes
5. zum Nachholen eines Schulabschlusses
6. …

1. _30 % der Arbeitnehmer besuchen Fortbildungsveranstaltungen, um ihr berufliches Wissen zu aktualisieren._

b Antworten Sie mit „um … zu" oder „damit".

1. Welches Ziel hat die Hamburger Schule mit ihrer Unterrichtsreform verfolgt? (die Kinder schon früh experimentieren können)
2. Wozu sollen auch falsche Vorstellungen der Kinder zugelassen werden? (die Kinder diese artikulieren und selbst korrigieren lernen)
3. Wozu müssen Kinder experimentieren? (über den Weg des Irrtums zu neuen Erkenntnissen gelangen)
4. Wofür müssen die Schulen die passenden Lerngelegenheiten schaffen? (die Kinder besser lernen)
5. Wozu kleben die Zettel auf den Holzlatten? (klar sein, was die Kinder gelernt haben und als nächstes lernen müssen)
6. Warum müssen die Kinder in der Gruppe leise sprechen? (die anderen nicht stören)

1. _Die Hamburger Schule hat den Unterricht reformiert, damit die Kinder schon früh experimentieren können._

c Ergänzen Sie die fehlenden Subjunktionen.

1. Frau Grün sagt, ____dass____ wir ganz anders lernen sollten, _____ es normalerweise üblich ist.
2. Kinder lernen am besten, _____ sie Fehler selbst korrigieren.
3. _____ Herr Vorberg in die Schule ging, war der Unterricht noch sehr konventionell.
4. Anna und Metin gehen gern in die Reformschule, _____ sie dort den Unterricht mitgestalten.
5. Die Schüler brauchen keine Angst zu haben, _____ sie etwas nicht verstehen.
6. Herr Gerner ist der Meinung, _____ Kontrolle nötig ist, _____ richtig zu lernen.
7. _____ die Schüler ihren Arbeitsplatz wechseln können, arbeiten sie mit Rollcontainern.

2 Abzählreime

Hören 33-34 Aussprache

a Hören Sie. Welche Buchstaben werden verschluckt? Unterstreichen Sie!

Norden, Süden, Osten, Westen,
bei der Mama schmeckt's am besten!
Geh nach Haus und du bist raus!

Auf dem grünen Rasen saßen sechs Sachsen und lasen,
als die Bücher ausgelesen, sind sie ganz schnell weg gewesen.

b Lesen Sie die folgenden Wörter und achten Sie darauf, das richtige „e" zu „verschlucken".

verletzten | Quotienten | erfinden | beeinflussten | Instrumenten
heißen | Ziele setzen | Skizzen | genießen | vernetzen

Hören 🔵 35
Aussprache

3 Höflichkeit ist eine Zier ...

a Hören Sie den Dialog und achten Sie dabei besonders auf die unterstrichenen Wörter. Hören Sie eher „m" oder eher „n"?

b Sprechen Sie den Dialog mit verteilten Rollen nach. Achten Sie besonders auf die Aussprache von „-ben" und „-pen".

1. ▶ <u>Haben</u> Sie heute Abend Zeit?
   ▷ Leider nicht, da <u>haben</u> wir schon was vor.
2. ▶ Und morgen Abend?
   ▷ Ich glaube, das ginge? Und wohin soll's gehen?
3. ▶ Wir wär's mit dem „<u>Lumpen</u>"?
   ▷ Lieber nicht. Da gibt es bessere <u>Kneipen</u>.

4. ▶ O.k., <u>haben</u> Sie einen Vorschlag?
   ▷ Was halten Sie vom „<u>Suppenkasper</u>"?
5. ▶ Na ja. Das ist aber keine Kneipe.
   ▷ Aber auben Sie mir, das Bier dort schmeckt prima.

4 Sprichwörter

Hören 🔵 36
Aussprache

a Hören Sie die Sprichwörter. In welchen Wörtern hören Sie einen ähnlichen Laut wie in „eng" oder englisch „angry"? Unterstreichen Sie?

1. Was du heute kannst besorgen, das verschiebe nicht auf morgen!
2. Man muss das Glück beim Schopfe packen.
3. Die Augen sind der Spiegel der Seele.

Hören 🔵 37
Aussprache

b Lesen Sie den Reim und achten Sie auf die Aussprache von „-cken". Hören Sie den Reim anschließend auf CD und sprechen Sie ihn noch einmal nach.

> Mein Hut, der hat drei Ecken, drei Ecken hat mein Hut.
> Und hätt' er nicht drei Ecken, so wär' er nicht mein Hut.

5 Nachfragen: Kannst du mir das sagen?

Hören 🔵 38
Aussprache

a Hören Sie die folgenden Sätze und markieren Sie, ob der unterstrichene Konsonant stimmlos wie in „es" (sl) oder stimmhaft wie in „so" (sh) ist.

1. <u>D</u>u, <u>s</u>ag mal! [sh] ☐ Kannst <u>d</u>u mir das <u>s</u>agen? ☐ ☐
2. Könntest <u>d</u>u mir das noch mal erklären? ☐
3. Ganz allein gemacht? ☐ Aber wie hast <u>d</u>u das <u>g</u>emacht? ☐ ☐
4. Wie kamst <u>d</u>u denn <u>d</u>azu? ☐ ☐

Hören 🔵 39
Aussprache

b Hören Sie den folgenden Volksreim und sprechen Sie ihn nach!

> Lass das,
> meine Mutter hasst das.
> Mein Vater liebt das.
> Bei dir piept was!

> **Aussprache:**
> Häufig beeinflusst ein Laut den folgenden Laut, z. B.:
> 1. d + en; t + en; s, z, ß + en → ohne „e" [n̩] wie in Norden (Nordn), Westen (Westn), grüßen (grüßn)
> 2. b + en; p + en → bm/pm [bm̩]/[pm̩] wie in haben (habm), Lampen (lampm)
> 3. g + en; k + en → nasal [ŋg]/[ŋk] wie in „eng", „angry", wie in morgen (morgn), drücken (drückn)
> 4. stimmloser + stimmhafter Konsonant → stimmhafter wird stimmloser oder weniger stimmhafter Konsonant wie in hast du (hastu), das Buch (daspuch)

Grammatik: Das Wichtigste auf einen Blick

Formen und
Strukturen
S. 166, 170

1 Modalverben: objektiver Gebrauch

Struktur von Sätzen mit Modalverben:

Pos. 1	Pos. 2	Mittelfeld	Satzende	
Heute	will	er für das Klavierkonzert	üben.	*Präsens*
Er	hat	immer schon Musiker	werden wollen.	*Perfekt*
(Er sagte,) er	wolle	am liebsten Musik	studieren.	*Konjunktiv I*
Ich	könnte	mir das gut	vorstellen.	*Konjunktiv II*
Ich selbst	hätte	allerdings nie Musiker	werden können.	*Konj. II d. Vergangenheit*

Hauptsatz: Das konjugierte Modalverb steht an Position 2, der Infinitiv am Satzende.
Perfekt: „haben" + Infinitiv + Infinitiv des Modalverbs:
• Er hat Musiker werden wollen. *(nicht: „gewollt")*

Nebensatz: Das Modalverb steht am Satzende, nach dem Infinitiv:
• Frag ihn doch bitte, ob er das wirklich tun will.

Objektiver Gebrauch der Modalverben:
Modalverben modifizieren eine Aussage; das kann z. B. ein Wunsch, eine Notwendigkeit oder Fähigkeit sein.

	Infinitiv	Bedeutung
• Studenten, die Musiklehrer werden wollen, üben täglich mehrere Stunden lang.	wollen	*Wunsch, Absicht*
• Jeder Student muss auch theoretische Kurse belegen. • Als Fachmann muss man ständig lernen..	müssen	*Autorität* *Notwendigkeit*
• Anne-Sophie Mutter kann wunderbar Violine spielen. • „Können" kann vieles bedeuten. • Du kannst jetzt die Bücher wieder zurückbringen, ich bin fertig.	können	*Fähigkeit* *Möglichkeit* *Erlaubnis*
• Nur wenn Kinder Fehler machen dürfen, lernen sie wirklich. • In der Vorlesung darf man nicht rauchen.	dürfen	*Erlaubnis* *Verbot*
• Kathrin soll / sollte mehr Klavier üben. (Das sagt der Klavierlehrer.)	sollen	*Aufforderung /* *Rat durch andere*
• Die Studentin möchte ihren Text im Kurs vorlesen.	möcht-	*vorsichtiger Wunsch*

Oft kann ein Modalverb allein stehen, ohne Infinitiv:
• Er kann gut Italienisch (sprechen). / Ich möchte ein Eis (haben).

Formen und
Strukturen
S. 160

2 Wie man Ziel und Zweck ausdrücken kann: finale Nebensätze und Angaben

Finale Nebensätze geben ein Ziel oder einen Zweck an: **Mit welcher Absicht? Wozu? Wofür?**
• Er übt jeden Tag intensiv Klavier, damit er am Konservatorium studieren kann.

Wenn Hauptsatz und Nebensatz dasselbe Subjekt haben, kann man statt „damit" auch „um ... zu" + Infinitiv benutzen.
• Er übt Klavier, um am Konservatorium studieren zu können.
• Um sein Ziel zu erreichen, übt er jetzt 6 Stunden täglich.

Alternative Möglichkeiten, finale Angaben auszudrücken:

Nebensatz	Adverb	Präposition + Nomen
• Ich lese die Zeitung, um gut informiert zu sein.	• Ich will gut informiert sein, dafür lese ich die Zeitung.	• Ich lese die Zeitung um der besseren Information willen.
damit, um ... zu	dafür, dazu	zwecks, um ... willen + G, zu diesem Zweck, für + A, zu + D

9 Gefühle

Gefühle

Wortschatz

1 Fühlen und Denken

a Finden Sie zu jedem Nomen das passende Adjektiv.

~~Angst~~	Berechnung	Eifersucht	Einsicht	Wut	Liebe
Stolz	Vernunft	Vorsicht	Einsamkeit	Verständnis	
Neid	Vertrauen	Mitleid	Leichtsinn	Misstrauen	

wütend	vertrauensvoll	neidisch
berechnend	eifersüchtig	einsichtig
~~ängstlich~~	vorsichtig	vernünftig
mitleidig / mitleidvoll	einsam	
misstrauisch	verständnisvoll	
lieb / liebevoll	leichtsinnig	stolz

Angst – ängstlich,

b Geben Sie Beispiele für Situationen, in denen man so fühlt, denkt oder handelt.

Ängstlich bin ich, wenn ich nachts allein bin / wenn ich im Flugzeug sitze / wenn ...

Sprechen

2 Gefühle beschreiben

Arbeiten Sie zu zweit: Eine Person wählt eine der folgenden Situationen und beschreibt ihre Gefühle, Körperreaktionen, Handlungen, die andere muss herausfinden, um welche Situation es sich handelt.

Ich bin nervös und habe Angst. Meine Hände sind feucht. Ich habe Bauchschmerzen.

– vor einer längeren Reise in ein unbekanntes Land
– vor dem Start des Flugzeugs
– an einem Sommertag am Strand
– auf einem gefährlichen Bergweg
– vor einer Prüfung
– beim Konzert Ihrer Lieblingsband

– beim Besuch eines schwerkranken Freundes im Krankenhaus
– nachdem Sie aus Versehen die teure Vase Ihrer Gastgeber kaputt gemacht haben
– wenn Sie eine einfache Prüfung nicht geschafft haben
– auf einer formellen Party
– ...

Lesen

3 Erich Fried

Leider ist der rechte Rand beim folgenden Text zum Teil unleserlich. Rekonstruieren Sie den Text, indem Sie jeweils das fehlende Wort an den Rand schreiben. Geben Sie nur eine Lösung an.

Wer kennt es nicht das Gedicht „Was es ist". Aber wer kennt den Autor Erich Fried? Viele halten ihn heute für einen romantischen Lyriker, der sich ausschließlich mit **der** Bsp. eigenen Gefühlswelt beschäftigt. Im Gegenteil: Der mehrfache Vater stand mitten **im** 1 Leben und am Puls der Zeit. Er war ein Mensch voller politischem Bewusstsein. Denn **für** 2 ihn waren Politik und Schriftstellerei eng miteinander verwoben. Gerade diese machte **ihn** 3 zu einem der umstrittensten Autoren im deutschsprachigen Raum. Fried setzte sich **nicht** 4 nur in seinen Gedichten mit den politischen Themen seiner Zeit auseinander. Er trat auch öffentlich für seine politische Meinung ein, indem er an Demonstrationen teilnahm **und** 5 Vorträge hielt. So gilt er bis heute als einer der Hauptvertreter der politischen Lyrik **in** 6 Nachkriegsdeutschland. 1921 in Wien geboren, floh der Sohn aus jüdischer Familie 1938 vor den Nazis nach London. Dort war er bereits direkt nach dem zweiten Weltkrieg **als** 7 Mitarbeiter bei verschiedenen Zeitschriften tätig. 1952–1968 arbeitete er als politischer Kommentator für den britischen Sender BBC. Als Schriftsteller machte er sich **mit** 8 zahlreichen Gedichtbänden, einem Roman (Der Soldat und ein Mädchen, 1960), und Übersetzungen (z. B. fast die gesamten Werke Shakespeares) einen Namen. 1944 erschien sein erster Lyrik-Band im Exil-Verlag des österreichischen PEN-Clubs. **Er** 9 wurde 1963 Mitglied der Gruppe 47 und 1974 in den PEN-Club aufgenommen. **Nach** 10 langem Krebsleiden starb Fried 1988 in Baden-Baden, wurde aber in London beigesetzt.

4 Was es ist

In einem Gedichtband mit Liebeslyrik soll das Gedicht von Erich Fried zusammen mit einem Foto veröffentlicht werden. Sie sollen zusammen mit einem/r Kollegen/in eines der drei Fotos auswählen.

– Wählen Sie ein Foto aus und begründen Sie Ihren Vorschlag.
– Widersprechen Sie dem Vorschlag Ihres/r Gesprächspartners/in.
– Finden Sie am Ende des Gesprächs eine gemeinsame Lösung.
– Die Redmittel unten können Ihnen helfen.

Was es ist

Es ist Unsinn
sagt die Vernunft
Es ist was es ist
sagt die Liebe

Es ist Unglück
sagt die Berechnung
Es ist nichts als Schmerz
sagt die Angst
Es ist aussichtslos
sagt die Einsicht
Es ist was es ist
sagt die Liebe

Es ist lächerlich
sagt der Stolz
Es ist leichtsinnig
sagt die Vorsicht
Es ist unmöglich
sagt die Erfahrung
Es ist was es ist
sagt die Liebe

Vorschläge machen und eine Entscheidung treffen:
Weitere Redemittel finden Sie in Lektion 12 im Arbeitsbuch.

Einen Vorschlag machen und begründen:
Ich würde vorschlagen, wir nehmen … | Ich würde Foto … wählen, weil … | Ich finde, Foto … passt am besten, denn… | Ich halte das Foto mit … für gut, da … | Wenn ich allein entscheiden könnte, würde ich … | Ginge es nach mir, würde ich … | Wenn Sie mich fragen / wenn du mich fragst, würde ich …

Einem/r Gesprächspartner/in widersprechen:
Meiner Meinung nach passt Foto … besser, weil … | Findest du nicht, dass …? | Das finde ich nun gar nicht, denn … | Ich teile Ihre / deine Ansicht nicht, da … | Deine Argumente überzeugen mich nicht (im Geringsten), weil … | Da stimme ich dir / Ihnen nicht zu, schließlich … | Das sehe ich (ganz) anders, denn …

Zu einer Entscheidung kommen:
Also: Wir müssen uns entscheiden. | Deine Argumente haben mich überzeugt, wir nehmen also … | Ich sehe, du bist nicht dagegen, dass …, also können wir … | Bei dem Foto … waren wir uns am ehesten einig, also nehmen wir das. | Also: Wir können uns einfach nicht einigen. Mein Vorschlag ist: Diesmal entscheidest du, das nächste Mal ich.

9 Gefühle

Emotionen

Lesen

1 Auswirkungen der Gefühle

Lesen Sie den Text im Lehrbuch, S. 106/107, noch einmal und entscheiden Sie, ob die Aussagen richtig (r) oder falsch (f) sind. Notieren Sie die entsprechende Textstelle.

			Zeile/n
1. Gefühle haben Einfluss auf unser Denken und auf unser Handeln.	☒	f	Z. 3/4
2. Alles, was wir sehen, hören, riechen, schmecken oder fühlen, wird bewertet.	r	f	_____
3. Negative Gefühle bewirken, dass uns in kritischen Situationen viele Handlungsalternativen zur Verfügung stehen.	r	f	_____
4. Positive Gefühle haben eine größere Auswirkung auf den Körper als auf den Geist.	r	f	_____
5. Die Psychologin B. Frederickson hat die positiven Auswirkungen positiver Gefühle nachgewiesen	r	f	_____
6. Für die Menschen wäre ein Maximum an Glück erstrebenswert.	r	f	_____

2 Eine besondere Liebe

Formen und Strukturen S. 179

a Sortieren Sie die Präpositionen. Nehmen Sie ggf. ein einsprachiges Wörterbuch zu Hilfe.

während bis ab dank aus durch gegenüber ungeachtet aufgrund ohne innerhalb um von entlang außer bei entgegen infolge von mit nach seit zu außerhalb gegen trotz wegen (an)statt vor für

Akkusativ	Dativ	Genitiv
	während,	während,

b Ergänzen Sie die passenden Präpositionen aus Übungsteil a.

Die beiden Schwestern Lisa (15) und Lili (12) unterscheiden sich sehr [1] _von_ anderen Geschwistern ihres Alters, denn sie führen eine außergewöhnliche Beziehung: Lili kam [2] _mit_ einer Behinderung auf die Welt. Das hat das Familienleben komplett verändert. [3] _Seit_ Lilis Geburt musste Lisa damit leben lernen, dass ihre Schwester dauernd im Mittelpunkt stand. [4] _In_ der Familie und des Freundeskreises wurde Lilis Behinderung akzeptiert. Aber in ihrem Heimatdorf wurde die Familie oft [5] _wegen_ Lilis Behinderung von vielen Aktivitäten ausgeschlossen. Auch die Nachbarn waren oft sehr unsicher, wie sie sich [6] _gegen_ Lili verhalten sollten. Lisa hat viel für ihre Schwester gekämpft und sich [7] _gegen_ die vielen Beschimpfungen gewehrt. Das war eine schwere Zeit. Dann ist Lili genau wie ihre Schwester in den örtlichen Kindergarten gegangen. [8] _Durch_ die Förderung dort haben die anderen Kinder die Scheu [9] _dank/vor_ Lilis Behinderung verloren und luden sie [10] _trotz_ ihrer Schwierigkeiten im Alltag zu sich nach Hause ein. Viele Freundschaften, die [11] _bis_ heute andauern, sind in dieser Zeit entstanden. „Eines ist sicher", sagt Lisa heute, „ein Leben [12] _ohne_ Lili könnten wir uns gar nicht vorstellen, denn sie zeigt uns eine andere Sicht auf die Welt."

3 Wohin mit den Gefühlen?

Formen und Strukturen S. 179

Wechselpräpositionen: Dativ (Wo?) oder Akkusativ (Wohin?). Markieren Sie.

Er steht an ☒ dem ☐ das Fenster, hinter ☒ der ☐ die Gardine. Weltvergessen beobachtet er die Menschen, die über ☐ der ☒ die Straße gehen. Kaum bemerkt er den Hund, der an ☐ dem ☒ den Baum pinkelt. Neben ☒ dem ☐ den Baum parkt ein Auto. In ☒ dem ☐ das Auto sitzt eine alte Frau und liest mit verweintem Gesicht einen Brief. Der Regen prasselt laut auf ☐ dem ☒ das Dach des alten Wagens. Endlich steigt die Frau aus ihrem Auto. Nun steht sie vor ☒ dem ☐ das Haus und starrt zu ihm herauf. Sie zerreißt den Brief, wirft die Schnipsel durch die Luft und schreit: „Ja es ist aus!" Er, der seine Gefühle zwischen ☒ den ☐ die Zeilen und hinter ☒ den ☐ die Gardinen versteckt, hatte es nicht gewagt, es ihr nach all den Jahren ins Gesicht zu sagen.

4 Gefühlsverstrickungen

Ergänzen Sie die fehlenden Präpositionen.

1. Melitta ist __bei__ allen Kollegen beliebt.
2. Aron ist verliebt __in__ Melitta.
3. Aber Melitta ist _____ Nico begeistert. *von*
4. Daher ist Aron wütend __auf__ Nico.
5. Nico ist jedoch __mit__ Bea verheiratet.
6. Bea ist stolz __auf__ Nico.
7. Trotzdem ist Nico froh __über__ Melittas Gefühle.

8. Melitta ist eifersüchtig __auf__ Bea.
9. Bea ist deshalb verärgert __über__ Melitta.
10. Nico ist nicht zufrieden __mit__ dieser Situation.
11. Aron ist enttäuscht __von__ Melitta. *+ über*
12. Melitta ist erstaunt __über__ Aron. *von*
13. Alle sind müde __von__ diesem Chaos und wären dankbar __für__ ein gutes Ende.

5 Kein Glück

Üben Sie Adjektive und Verben mit Präpositionen. Welche Präpositionen fehlen?

Lieber Jan,

hoffentlich geht es dir besser als mir. Ich muss mir heute den Frust von der Seele schreiben. Hier habe ich niemanden, [1] __mit__ dem ich reden könnte. Ich vermisse dich sehr. Stell dir vor, was mir passiert ist. Du weißt doch noch, wie dankbar ich [2] __für__ deinen *Akk.* Tipp war, mich [3] __bei__ der Firma Sonntheimer zu bewerben. Beim Bewerbungsgespräch schien der Chef [4] __von__ mir begeistert zu sein. Ich habe mich dann riesig [5] __über__ die schnelle Einstellung gefreut, und meine Arbeit hat mir sehr gefallen. Alles war in Ordnung, bis – ja bis ich mich [6] __in__ Bianka, meine Arbeitskollegin, verliebte. Ich wusste ja nicht, dass der Chef sich auch [7] __für__ sie interessierte. Was dann kam, kannst du dir sicher vorstellen: Er war wütend und eifersüchtig [8] __auf__ mich, er war nicht mehr zufrieden [9] __mit__ meiner Arbeit und immer verärgert [10] __über__ mich. Bei jeder Gelegenheit zeigte er mir seine Abneigung und seinen Hass. Bleibt nur noch zu sagen, dass Bianka sich natürlich [11] __für__ ihn entschieden hat. Ich bin wirklich enttäuscht [12] __von__ ihr. Ich habe diese Situation nicht mehr lange durchgehalten. Also habe ich gekündigt und bin wieder arbeitslos. Es kann nur besser werden!

Ich grüße dich herzlich
Lukas

6 Verben und Ergänzungen

a Schauen Sie sich die Verben in der Mail in Übung 5 noch einmal an und finden Sie für jedes der im Spickzettel rechts stehenden Modelle mindestens ein Verb. Tragen Sie Ihre Ergebnisse in die Tabelle ein.

Verben und ihre Ergänzungen:

Verben können unterschiedliche Ergänzungen haben. Hier die häufigsten:
- Verb + Akkusativ (Er liebt eine Frau.)
- Verb + Dativ und Akkusativ (Er schenkt ihr einen Ring.)
- Verb + Dativ (Der Ring gefällt ihr nicht.)
- Verb ohne Ergänzung (Er denkt nach.)
- Verb mit Präpositionalergänzung (Er leidet unter ihrer Gefühlskälte.)
- Verb mit Reflexivpronomen und Präpositionalergänzung (Er wundert sich über ihr Verhalten.)

Verb +	Akkusativ	Dativ	ohne Ergänzung	Präposition	Reflexivpr. + Präp.
Es geht		x			

b Ordnen Sie nun auch folgende Verben in die Tabelle ein und formulieren Sie für jedes Verbmodell mindestens einen Satz. Bei manchen Verben gibt es mehrere Lösungen.

ärgern   fürchten   bewundern   drohen   sehnen   bitten   empfehlen
empfinden   träumen   verstehen   vertrauen   warnen   glauben   suchen
beantworten   lächeln   helfen   auffallen   verabreden   lieben   zittern
misstrauen   beleidigen   sorgen   schützen   verstehen   hassen   schaden
nachdenken   erinnern   versprechen   leiden   jubeln   danken

Stark durch Gefühle

1 Filmbesprechung

Lesen Sie die Inhaltsangabe des Films und entscheiden Sie, welche Wörter aus dem Kasten unten in die Lücken 1 bis 10 passen. Sie können jedes Wort nur einmal verwenden.

Der Film Equilibrium – Killer of Emotions von Kurt Wimmer zeigt die Zukunft in einem totalitären System mit Bürgern [1] _ohne_ Emotionen. Der Herrscher, ein Mann der sich „Vater" nennt, hat menschliche Gefühle zur Ursache für alle Kriege erklärt. Daher muss jeder Bürger [2] _zur_ (zu den) Unterdrückung sämtlicher Gefühle täglich seine Dosis Prozium einnehmen. Bücher, Kunst, Kultur – also alle Erinnerungen [3] _an_ frühere, gefühlsgeprägte Zeiten sind verboten.

Der Protagonist John Preston lebt in der sauberen, funktionierenden, festungsartig bewachten Stadt Libria, [4] _die_ von den Ruinen zerstörter Gebäude umgeben ist. Jeder Bürger der Stadt nimmt mehrmals täglich das Mittel „Prozium II" ein, um die Intensität jeglicher Gefühle auf ein Minimum zu reduzieren. Doch es gibt Widerständler, die [5] _auf_ ihres Bedürfnisses zu fühlen in die Illegalität gedrängt wurden. Um diese „Verbrecher" zu bekämpfen, wurde eine neue Elitepolizeieinheit geschaffen: Die „Grammaton-Kleriker". Diese haben die Aufgabe, Widerständler zu finden, zu eliminieren und auch alles, [6] _was_ Gefühle auslöst, wie Kunst, Literatur, Haustiere, Tonträger, Computerspiele, Dekoration zu vernichten.

Preston ist einer der ranghöchsten Grammaton-Kleriker Librias. Eines Tages vergisst er [7] _jedoch_, sich seine Prozium-Dosis zu injizieren; er lernt Gefühle kennen und lieben. Dieser Umstand lässt ihn im Verlauf der Handlung mit der Führung des Widerstandes zusammenkommen und ein Komplott ausarbeiten. Die Widerstandsführer lassen sich [8] _von_ Preston verhaften, um ihm eine Audienz beim „Vater", dem Führer des totalitären Regimes Libria, zu ermöglichen. Mit seinem Tod, so erhoffen sich die Rebellen, wird auch das System fallen und Gefühle werden wieder in die Gesellschaft Einzug halten.

Doch der Plan schlägt fehl. Preston [9] _wird_ (passiv) gefangen genommen, kurz bevor er dem Vater begegnet. Es gelingt ihm jedoch, sich gewaltsam zu befreien, und den Weg zum Führer bahnen. Er muss aber feststellen, [10] _dass_ dieser schon lange tot ist. Nach einem spektakulären Kampf schafft Preston es, die Führung des Regimes auszuschalten und die Kommunikationssysteme Librias zu deaktivieren, um so den Rebellen den endgültigen Schlag – einen Angriff auf die Prozium-Werke – zu ermöglichen.

an   jedoch   bei   weil   die   für   hat   zwar   ~~ohne~~   aufgrund   von   was   wird   dass   zur

2 Kino, Kino

a Klären Sie die Bedeutung der Begriffe und streichen Sie dann die Wörter, die nicht zum Thema Film passen.

Dokumentarfilm   Drehbuch   DVD   Filmfestival   Handlung   Hauptdarsteller Kamera   Kino   Komödie   Schutzfilm   Krimi   Oscar   Regisseur   Vorspann Schauspieler   Seite   SMS   Spielfilm   Studio   Szene   Tastatur   Thema Verfilmung   Video   Zeichentrickfilm   Zeile   Abspann   Drehbank   Schausteller

b Erzählen Sie von einem Film, den Sie gesehen haben.

Der Film, den ich gesehen habe / über den ich sprechen möchte, heißt … | In dem Film geht es um … | Der Film handelt von einer … | Das war einer der besten / schlechtesten Filme, den ich je gesehen habe. | Was mir am besten / wenigsten gefallen hat, war … | Die Handlung war spannend / langweilig. | Ich kann den Film empfehlen, denn … | Ich kann nur abraten, den Film zu sehen, weil …

3 Pleiten, Pech und Pannen

a Ergänzen Sie die fehlenden Präpositionalpronomen.

1. Ich habe Tom vor einem Monat auf einer Party kennen gelernt. Ich freue mich ___*darüber*___.
2. Dann haben wir uns für einen Film verabredet. Ich freue mich _____.
3. Aber Tom kommt nicht und ich warte. Ich ärgere mich _____.
4. Er kommt eine Stunde zu spät. Er entschuldigt sich _____.
5. Er hatte noch im Büro zutun. Ich zeige _____ Verständnis.
6. Im Kino sind unsere Plätze besetzt. Wir beschweren uns _____.
7. Wir sitzen nun in der ersten Reihe. Wir sind _____ zufrieden.
8. Wir essen zu viel Popcorn. Wir bekommen _____ Bauchschmerzen.
9. Nach dem Kino gehen wir in ein Restaurant, sprechen über den Abend und lachen _____.

b Stellen Sie Fragen zu den Sätzen in Übungsteil a.

> *Worüber freut sie sich? – Sie freut sich darüber, dass sie Tom kennen gelernt hat.*

4 Gefühlsausbrüche

Was sagt man in welcher Situation?

| Enttäuschung Lust Ekel Freude Sehnsucht Ärger Überraschung |

1. Das darf doch nicht wahr sein! *Überraschung*
2. Du bist ein Schatz! _____
3. Mmh, lecker! Vanilleeis. _____
4. Das ist ja phantastisch! _____
5. Igitt, igitt! Das ist ja widerlich! _____
6. Oh je! _____
7. Mist! _____
8. Ach, das wäre wirklich wunderbar! _____

5 Gefühlsbetonte Redewendungen

Welche Erklärung passt zu welcher Redewendung?

1. Das ist mir runter gegangen wie Öl.
2. Ich war von den Socken.
3. Ich war im 7. Himmel.
4. Ich war am Boden zerstört.
5. Ich bin aus allen Wolken gefallen.
6. Das geht mir unter die Haut.
7. Ich hatte Schmetterlinge im Bauch.
8. Ich bekam eine Gänsehaut.
9. Ich musste kaltes Blut bewahren.
10. Ich habe Blut und Wasser geschwitzt.
11. Ich machte ein langes Gesicht.
12. Ein Stein ist mir vom Herzen gefallen.
13. Das Herz ist mir in die Hose gefallen.
14. Ich wäre am liebsten im Erdboden versunken.

A Das berührt mich sehr.
B Ich hatte sehr große Angst.
C Ich musste meine Gefühle unter Kontrolle haben.
D Ich war erleichtert.
E Ich zitterte vor Entsetzen.
F Ich habe mich sehr geschämt.
G Ich war enttäuscht.
H Ich war total überrascht.
I Ich bekam plötzlich große Angst.
J Das hat mir gut getan.
K Ich war erstaunt.
L Ich war todunglücklich.
M Ich war überglücklich.
N Ich war verliebt.

1. ☑ J
2. ☐
3. ☐
4. ☐
5. ☐
6. ☐
7. ☐
8. ☐
9. ☐
10. ☐
11. ☐
12. ☐
13. ☐
14. ☐

6 Reaktionen

Welches Wort fehlt? Ergänzen Sie.

| geärgert tolles kalt ~~leid~~ glücklich übertrieben |

1. Das tut mir ___*leid*___.
2. Das muss ein _____ Gefühl sein.
3. Du warst bestimmt total _____.
4. Das hätte mich auch _____.
5. Wie kannst du nur so _____ sein?
6. Das finde ich _____.

Gefühle verstehen

Formen und
Strukturen
S. 168

1 San Salvador

Welches der Modalverben passt Ihrer Meinung nach am besten? Begründen Sie die Aussagen mit Informationen aus dem Text im Lehrbuch, S. 110 / 111.

1. Die Hauptperson ☐ muss ☐ könnte ☐ mag Paul heißen.
2. Er ☐ mag ☐ muss ☐ könnte ein Schriftsteller sein.
3. Er ☐ muss ☐ dürfte ☐ könnte mit Hildegard zusammen leben.
4. Er ☐ könnte ☐ dürfte ☐ muss sich zu Hause unwohl fühlen.
5. Er ☐ kann ☐ dürfte ☐ muss für den Abend nichts vorhaben.
6. Der „Löwe" ☐ sollte ☐ dürfte ☐ kann ein Restaurant sein.
7. Es ☐ könnte ☐ muss ☐ dürfte Mittwoch sein.
8. Er ☐ mag ☐ könnte ☐ muss Südamerika kennen.

Formen und
Strukturen
S. 168

2 Wie sicher ist das?

a Wie sicher ist das? Ordnen Sie die Modalverben den Prozentangaben zu.

| kann | müsste | mag |
| dürfte | könnte | muss |

40%	50%	60%	75%	85%	95%

b Welches Modalverb passt in welche Lücke?

| dürfte | dürfte | ~~mag~~ | mag | kann | kann nicht | muss | könnten |

1. ▸ Iris ist sicher, dass Marta heute kommt.
   ▹ Sie _mag_ sicher sein, aber ich glaube es nicht.
2. ▸ Was _____ so ein Hochzeitskleid wohl kosten?
   ▹ Das _____ schon so 2.000 kosten. Da bin ich ziemlich sicher.
3. Du hast viel gelernt. Es _____ daher für dich kein Problem sein, sie zu bestehen.
4. Er ist gerade ins Büro gegangen. Er _____ dort sein. Es gibt gar keine andere Möglichkeit.
5. Das ist unmöglich. Sie _____ tot sein. Ich habe gerade mit ihr telefoniert.
6. Ich hol dich ganz bestimmt ab. Es _____ aber sein, dass es einen Stau gibt und ich dann ein bisschen später komme.
7. Wenn wir konzentriert arbeiten, _____ wir bis morgen fertig werden.

Formen und
Strukturen
S. 168

3 Weinen und Lachen

Schreiben Sie den Text neu und ersetzen Sie die unterstrichenen Modalangaben durch Modalverben.

Tränen und Lachen sind menschliche Ausdrucksmöglichkeiten, die wahrscheinlich nicht leicht zu deuten sind. Denn Tränen können Ausdruck für mehrere unterschiedliche Gefühlszustände sein: Es ist nicht sicher, dass sie Kummer bedeuten. Es ist gut möglich, dass jemand auch vor Wut weint. Auch Sie haben mit großer Wahrscheinlichkeit schon vor Freude Tränen in die Augen bekommen. Andererseits ist Lachen bestimmt nicht nur ein Zeichen für Freude. Der eine lacht vielleicht aus Verachtung, möglicherweise ist er aber auch ängstlich. In Situationen, in denen wir etwas sehr Unangenehmes erleben, lachen wir wahrscheinlich auch. Es gibt vermutlich zahlreiche Menschen, die in bedrohlichen Situationen aus Unsicherheit lächeln.

> Tränen und Lachen sind menschliche Ausdrucksmöglichkeiten, die nicht leicht zu deuten sein dürften.

Formen und
Strukturen
S. 168

4 Die Bedeutung von „werden"

Lesen Sie die Sätze und markieren Sie welche Bedeutung „werden" darin hat.

	als Vollverb	als Futur	wie ein Modalverb
1. Er wird langsam müde.	x		
2. Sie werden kaum über sich geredet haben.			
3. Sie wird ins Kino gegangen sein.			
4. Sie werden sich heute Abend noch sehen.			
5. Er ist alt geworden.			
6. Sie wird sich um die Kinder kümmern.			

Fingerspitzengefühl

Lesen

1 Militärschnitt

Bringen Sie die Sätze der Zusammenfassung in die richtige Reihenfolge.

- [ ] „frag doch deine Susana. Die wird es dir bestätigen können."
- [ ] Als der junge Mann dann noch wörtlich sagt:
- [ ] Der Kunde wünscht einen Militärschnitt,
- [1] Ein neuer Kunde betritt den Friseursalon und Susana,
- [ ] Er weiß, dass er Susanas Mann damit doppelt provoziert:
- [ ] Er wird von Susanas Mann bedient, der sehr eifersüchtig ist.
- [ ] hat der Friseur sich nicht mehr unter Kontrolle.
- [ ] die Frau des Friseurs, scheint ihn zu kennen.
- [ ] und zum anderen, weil er bei den Frauen auch an Susana denkt.
- [ ] weil die Frauen das angeblich mögen.
- [ ] Zum einen, weil dieser Militärs nicht ausstehen kann,

Formen und
Strukturen
S. 168

2 Wer war's?

Welche Aussagen passen zu wem? Ordnen Sie zu.

Der Kunde	könnte erst seit kurzer Zeit in dem Ort leben.
Die Frau	muss ihren Mann belogen haben.
Der Friseur	könnte von der Untreue seiner Frau gewusst haben.
	dürfte den Kunden gebeten haben, nicht zu kommen.
	dürfte die Absicht gehabt haben, den Friseur zu provozieren.
	muss zum ersten Mal im Laden gewesen sein.
	muss beim Eintritt des Kunden in den Friseurladen einen Schreck bekommen haben.
	dürfte den Kunden getötet haben.
	mag den Kunden aus Versehen getötet haben, was aber unwahrscheinlich ist.

Formen und
Strukturen
S. 168

3 Katinka, Manuel und die anderen

Mit welchen Vermutungen zur Mail im Lehrbuch, S. 113, sind Sie einverstanden? Markieren Sie.

	Ja	Nein
1. Katinka dürfte Manuel nicht geliebt haben.	☐	☐
2. Sie könnte Manuels neue Freundin kennen gelernt haben.	☐	☐
3. Manuel dürfte Selma nicht gekannt haben.	☐	☐
4. Manuel muss Katinka sehr geliebt haben.	☐	☐
5. Sie mag ihm immer wieder Hoffnung gemacht haben.	☐	☐

Formen und
Strukturen
S. 168

4 Muss, müsste, dürfte, könnte, kann oder mag so gewesen sein

Sagen Sie das Gleiche mit Modalverben. Manchmal gibt es mehrere Lösungen.

1. Er war <u>sicher</u> zu Hause.
2. Er hat die Klingel <u>bestimmt</u> gehört.
3. Er hat <u>wahrscheinlich</u> keine Lust gehabt, mit uns zu sprechen.
4. <u>Es ist gut möglich, dass</u> er verärgert war.
5. <u>Vielleicht</u> schämte er sich aber auch wegen seiner chaotischen Wohnung.
6. <u>Möglicherweise</u> hatte er wieder zu viel getrunken.
7. <u>Unter Umständen</u> war seine Geliebte bei ihm.
8. <u>Sicher</u> war es ihm peinlich zu öffnen.
9. <u>Es stimmt vielleicht, dass</u> es ihm peinlich war, aber ich kann es mir nicht vorstellen.

> 1. *Er muss zu Hause gewesen sein.*

Formen und
Strukturen

→TELC

5 Selmas Antwort

Lesen Sie Selmas Antwort auf Katinkas Mail im Lehrbuch, S. 113, und entscheiden Sie, welches Wort (a, b oder c) jeweils in die Lücken passt.

Liebe Katinka,

ich überlege die ganze Zeit, wie es sein kann, dass du jetzt wegen Manuel eifersüchtig bist. Wo du doch seine Gefühle nie [1] *erwidern* konntest. Ich habe sogar nachgelesen, was Psychologen so über Eifersucht schreiben. Ganz interessant. Ich schicke dir mal einen Auszug, vielleicht hilft dir das [2] _____. „Eifersucht verstehen wir als ein Gefühl, das äußere Ereignisse und andere Menschen in uns auslösen können. [3] _____ der andere bestimmte Dinge tut, müssen wir mit Eifersucht reagieren. Fakt ist aber, dass wir unsere Eifersucht selbst in uns auslösen. Eifersucht in ein Zeichen von großen Selbstzweifeln. Es zeugt von der Einstellung, unbedingt die Liebe und Aufmerksamkeit des Partners zu brauchen. Betroffene haben kein ausreichendes Selbstbewusstsein und leben in der ständigen Sorge [4] _____, nicht gut genug zu sein.

Menschen, die sich ihrer Stärken und Schwächen bewusst sind und sich so akzeptieren können, wie sie sind, scheinen weniger häufig eifersüchtig zu sein. Sie definieren sich selbst nicht danach, wie beliebt sie [5] _____ anderen sind. Sie haben gelernt, selbst für ihre Bedürfnisse zu sorgen. Stark eifersüchtige Menschen hingegen brauchen die permanente Bestätigung durch andere und können mit sich selbst oft wenig [6] _____." Eifersucht ist eher die Angst vor dem Verlust der Liebe als ein Ausdruck von Liebe. Das dürfte stimmen. Oder? Was meinst du? Meiner Meinung nach solltest du dich zusammennehmen, all die wild gewordenen Emotionen und auch das Selbstmitleid vergessen, [7] _____ sich jetzt in deinem Herzen breit gemacht hat. Bei dir muss erst mal Ruhe einkehren. Aber: [8] _____ dich bald an den Computer und beantworte die E-Mail deines lieben Freundes. Bitte mach keine Andeutungen von all dem Chaos in deinen [9] _____. Ich weiß, dass du in ein paar Tagen von den Folgen des Eifersucht-Überfalls geheilt sein wirst. Du besitzt nämlich innere Stärke. Also schreib die Antwort auf die Mail, in der stehen [10] _____: „Ich freue mich für Dich." Nur Mut, meine Liebe! Ich denke an dich und umarme dich herzlich,
Selma

1. **a.** erwidern	3. **a.** Dass	5. **a.** in	7. **a.** dessen	9. **a.** Gefühlen
b. antworten	**b.** Weil	**b.** mit	**b.** das	**b.** Gefühl
c. reagieren	**c.** Als	**c.** bei	**c.** von dem	**c.** Gefühle

2. **a.** doch	4. **a.** davor	6. **a.** anfangen	8. **a.** Sitze	10. **a.** mag
b. eigentlich	**b.** damit	**b.** angefangen	**b.** Setzt	**b.** möchte
c. ja	**c.** dabei	**c.** anzufangen	**c.** Setz	**c.** sollte

6 Modalpartikeln

a An welche Stelle passen die Modalpartikeln? Fügen Sie sie zunächst selbst ein, hören Sie danach die Sätze 1 bis 15 und korrigieren Sie ggf. Ihre Eintragung.

Partikel	Beispielsatz
eigentlich	1. Hast _____ du _*eigentlich*_ Geschwister _____?
	2. Du _____ könntest _____ mir _____ helfen _____.
	3. Ich _____ habe _____ keine _____ Zeit _____.
ja	4. Das _____ habe _____ ich _____ dir _____ schon _____ gesagt _____.
	5. Du _____ wirst _____ ganz _____ rot _____!
	6. Er _____ wollte _____ nicht _____ auf _____ mich _____ hören _____!
doch	7. Räum _____ endlich _____ mal _____ dein Zimmer _____ auf _____!
	8. Du _____ fährst _____ sicher _____ mit dem Auto _____?
	9. Du _____ hast _____ Medizin _____ studiert _____?
denn	10. Kannst _____ du _____ mich _____ nicht _____ verstehen _____?
	11. Wo _____ wohnst _____ du _____?
	12. Wie _____ spät _____ ist _____ es _____?
bloß	13. Wenn _____ er _____ schon _____ heute _____ kommen _____ würde _____!
	14. Was _____ mach _____ ich _____?
	15. Sag _____ ihm _____ nichts _____ von unserem Gespräch _____!

b Hören Sie nun die Sätze 1 bis 15 noch einmal und sprechen Sie sie nach. Achten Sie darauf, dass die Modalpartikeln bei der Aussprache nicht besonders betont werden.

Formen und
Strukturen
S. 181

c Welche Bedeutung haben die Modalpartikeln in den Sätzen aus Übungsteil a? Tragen Sie ein.

eigentlich	macht eine Aufforderung vorsichtiger Satz _____	genaueres Nachfragen Satz _1_	„im Grunde …, aber" Satz _____
ja	Überraschung Satz _____	das ist schon bekannt Satz _____	Verärgerung Satz _____
doch	höfliche Bitte / Ratschlag Satz _____	Erinnerung an Bekanntes / Bestätigung Satz _____	Ungeduld / insistieren Satz _____
denn	Vorwurf / ungläubig Satz _____	Interesse / Höflichkeit Satz _____	Nachfrage Satz _____
bloß	Warnung / Drohung Satz _____	Ratlosigkeit Satz _____	Wunschsatz Satz _____

7 Bloß kein Stress

Formen und
Strukturen
S. 181

Ergänzen Sie die fehlenden Modalpartikeln. Manchmal gibt es mehrere Lösungen.

> bloß   bloß   ~~denn~~   doch   eigentlich   einfach   einfach   ja   ja   ja   wohl

Ralf: Wie geht's dir _*denn*_ ?

Pit: Ach, ich bin _____ müde. Seit Januar habe ich _____ einen neuen Job. Die Arbeit gefällt mir _____ ganz gut, aber es ist viel, _____ zu viel für mich.

Ralf: Pass _____ auf! Du weißt _____ , dass Peter einen Herzinfarkt hatte.

Pit: Na, der hat doch _____ nicht zu viel gearbeitet!

Ralf: Na ja, im Grunde schon! Der hatte _____ auch immer Stress und keine Freizeit. Und dann hat er _____ auch viel getrunken und viel geraucht. Wie du!

Pit: Jetzt hör _____ auf, mir Angst zu machen!

9 Gefühle

Gemischte Gefühle

1 Bücher

Lesen

Lesen Sie die Klappentexte im Lehrbuch, S. 114 / 115, noch einmal und entscheiden Sie, ob folgende Aussagen den Inhalt des jeweiligen Textes richtig wiedergeben.

A Wenn man die Reflexe und Instinkte von Katzen genau kennt, kennt man auch ihre Gefühlswelt.
☐ steht im Klappentext ☒ steht nicht im Klappentext

B Birgit Winter hat bewiesen, dass Pflanzen intelligente Gefühlswesen sind.
☐ steht im Klappentext ☐ steht nicht im Klappentext

C Der Umgang mit Gefühlen kann mit Hilfe dieses Buches erlernt werden.
☐ steht im Klappentext ☐ steht nicht im Klappentext

D Das Buch richtet sich an Menschen, die sich von allen Gefühlen befreien wollen.
☐ steht im Klappentext ☐ steht nicht im Klappentext

E Patricia Sleet zeigt in diesem Buch, wie emotionale Erpressung funktioniert.
☐ steht im Klappentext ☐ steht nicht im Klappentext

F Es handelt sich um ein Lehrbuch für Personen, die Gefühle anderer verstehen müssen.
☐ steht im Klappentext ☐ steht nicht im Klappentext

G Das Buch gibt Antwort auf die Frage, warum Musik Gefühle auslöst.
☐ steht im Klappentext ☐ steht nicht im Klappentext

H In diesem Kinderbuch geht es um die Überwindung von Angst.
☐ steht im Klappentext ☐ steht nicht im Klappentext

2 Stimmt das?

Lesen

Was passt zusammen? Ordnen Sie den Satzanfängen jeweils das richtige Ende zu.

1. „Der kleine Hase" dürfte	A die Gefühlswelt der Hörer stark beeinflussen.	1. ☑ C
2. A. Stein könnte	B viele Beispiele aus ihrer eigenen Praxis benutzt haben.	2. ☐
3. B. Winter muss	C für ängstliche Kinder sehr hilfreich sein.	3. ☐
4. Im Buch von M. Hösch muss es	D Psychologe sein.	4. ☐
5. Musik dürfte	E sich gut in der Pflanzenforschung auskennen.	5. ☐
6. P. Sleet dürfte für ihr Buch	F einige Fallbeispiele geben.	6. ☐

3 Im Buchladen

Wortschatz

a Wer liest was? Vier Begriffe bleiben übrig.

> Krimi   Reiseliteratur   Fachliteratur   Sachbuch   Kochbuch   Hörbucher   Bastelbuch
> ~~Fantasy-Romane~~   Comics   Ratgeberliteratur   Historienromane   Kinderbuch   Wörterbuch

1. Petra flüchtet sich in ferne Welten der Zukunft. Sie liest nur _Fantasy-Romane_.
2. Bernd ist Psychologe und macht gerade eine Zusatzausbildung. Er kauft sich _____
3. Claudia kann sich nur bei Spannung entspannen. Sie sucht den neuesten _____.
4. Klaus kocht sehr gerne. Heute soll es ein _____ über dänische Vorspeisen sein.
5. Axel ist oft lange mit dem Auto unterwegs. Deshalb liebt er _____.
6. Maria möchte in die Karibik fliegen. Dafür sucht sie die entsprechende _____.
7. Tim mag keine Bücher, dennoch liest er in jeder freien Minute _____.
8. Als Geschenk für ihre neunjährige Nichte sucht Hanne ein _____.
9. Tobi lernt gerade Chinesisch. Er braucht deshalb ein gutes _____.

b Sie möchten ein Buch bestellen. Welche Begriffe passen nicht zum Thema?

> ISBN-Nummer   vergriffene Auflage   Personalausweis   Belletristik   Adresse   Buche
> Gebundene Ausgabe   Taschenbuch   Klappentext   CD-Rom   Titel   Zusammenfassung
> Autor   Verlag   Neue Auflage   Buchhaltung   Kapitel   Abschnitt   Cover   Tagebuch

Grammatik: Das Wichtigste auf einen Blick

1 Nomen, Verben und Adjektive mit festen Präpositionen

Formen und Strukturen
S. 180

Ebenso wie die Verben können Adjektive und Nomen feste Präpositionen haben.
• Der Ausgang der Wahl ist abhängig vom Wetter.
• Sie war zuerst sehr wütend auf ihn, aber dann verstand sie sein Verhalten.

| abhängig von + D | abhängen von + D | die Abhängigkeit von + D |
| ärgerlich über + A | sich ärgern über + A | der Ärger über + A |

2 Präpositionalpronomen

Formen und Strukturen
S. 178

da(r) + Präposition als Ersatz für Präposition + Nomen

Präpositionalpronomen ersetzen ein Nomen mit Präposition, wenn es sich um eine Sache oder eine Aussage handelt. Die Präposition hängt vom Verb ab.

Bei Sachen:
• Er wartet auf das Essen. ▶ Er wartet darauf. *(„da(r)" + Präposition = Präpositionalpronomen)*
▶ Worauf wartet er? *(Frage: „wo(r)" + Präposition)*

Präpositionalpronomen können auch für ganze **Aussagen** stehen:
• Ilse geht heute zur Buchmesse. ▶ Darauf hat sie sich schon lange gefreut. *(sich freuen auf)*

Wenn die Präposition mit einem Vokal beginnt: „darauf", „darüber", ... sonst: „damit", „dazu", „dafür"...

da(r) + Präposition als Hinweis auf einen Nebensatz:
• Er wartet auf die Ankunft seines Bruders *(„warten auf" + Nomen)*
• Er wartet darauf, dass sein Bruder kommt *(„warten darauf, dass" + Nebensatz)*

3 Wie man Vermutungen formulieren kann: subjektiver Gebrauch der Modalverben

Formen und Strukturen
S. 168

Modalverben können auch subjektiv gebraucht werden, d. h., der Sprecher oder die Sprecherin drücken damit ihre persönliche Vermutung oder Meinung aus. Statt mit Modalverben kann man subjektive Einschätzungen auch folgendermaßen ausdrücken, z. B:

Er mag fachlich gut sein, aber sonst ist er schwierig.	Es stimmt vielleicht, dass er fachlich gut ist, aber sonst ist er schwierig.
Sie kann / könnte davon gewusst haben.	Unter Umständen / Eventuell / Vielleicht / Möglicherweise hat sie davon gewusst.
Das dürfte schon so gewesen sein.	Wahrscheinlich / vermutlich ist es so gewesen. / Ich nehme an, dass es so gewesen ist. / Das wird wohl so gewesen sein.
Er müsste schon weggegangen sein.	Bestimmt / Sehr wahrscheinlich ist er schon weggegangen. / Es ist so gut wie sicher, dass er schon weggegangen ist.
Er muss schon weggegangen sein.	Ganz bestimmt / zweifellos ist er schon weggegangen. / Ich bin mir sicher, dass er schon weggegangen ist.

4 Modalpartikeln

Formen und Strukturen
S. 181

Modalpartikeln sind kurze Wörter, die dem Satz eine besondere, oft emotionale Färbung geben. Die Aussage wird verstärkt, abgeschwächt oder in Frage gestellt. Modalpartikeln stehen immer im Mittelfeld, meist direkt nach dem Verb. Sie sind immer unbetont.
• Hey, Paul, du bist ja schon da!

| • ja *(Überraschung Bekanntes, Ungeduld)*
• doch *(Bekanntes Höflicher Rat, Ungeduld)*
• halt / eben *(Da kann man nichts machen.)* | • eigentlich *(vorsichtige Aufforderung, genauere Frage, im Grunde)*
• mal *(macht die Aufforderung freundlicher)* |

Arbeiten international

Arbeiten international

1 Internationales Wortnetz

Wortschatz

Was fällt Ihnen zu „Arbeiten im Ausland" ein? Ergänzen Sie das Wortnetz.

2 Persönliche Erfahrungen im Ausland

Wortschatz
Schreiben

Schreiben Sie mithilfe der Wörter im Schüttelkasten Sätze, die die unterstrichenen Ausdrücke erklären.

> abzahlen   annehmen   aufmachen   ~~auswandern~~   immer noch   sich entschließen
> festgefahren   innerhalb   multikulturell   sich über Wasser halten   unbeschadet
> verfügen über   von vorne anfangen   zurechtkommen mit   das Dreifache von   auslösen

1. Karin Schneider und ihr Mann <u>verließen</u> vor vier Jahren Deutschland in Richtung Australien.
2. Unflexibilität und <u>stagnierende</u> Karriereaussichten hatten starke Unzufriedenheit <u>verursacht</u>.
3. Sie <u>entschieden sich dafür</u>, nach Australien zu gehen.
4. Sie haben in Australien <u>ganz neu begonnen</u>.
5. <u>Im Zeitraum</u> von vier Jahren haben sie sich hoch gearbeitet und verdienen <u>3x soviel wie</u> früher.
6. Oskar Wiesner <u>hatte</u> genügend Kapital, um eine Schreinerei <u>aufzubauen</u>.
7. Er hat die Aufbauphase aber nicht <u>ohne Schaden</u> überstanden.
8. Er verstand die Mentalität seiner Kunden nicht und <u>konnte nicht damit umgehen</u>.
9. Er <u>bezahlt</u> seine Schulden <u>nach und nach</u>.
10. Jutta Schultinger hat Arbeiten <u>akzeptiert</u>, die weit unter ihrer Ausbildung lagen.
11. Sie wollte auf diese Weise <u>das Nötigste für ihren Lebensunterhalt verdienen</u>.
12. Sie fand schnell einen Freundeskreis <u>mit Menschen aus unterschiedlichen Kulturen</u>.

> 1. *Karin Schneider und ihr Mann wanderten vor vier Jahren nach Australien aus.*

3 Jeder, der ins Ausland geht …

Formen und
Strukturen
S. 177

Wählen Sie aus, welches von den folgenden Artikelwörtern oder Pronomen passt. Manchmal gibt es zwei Lösungen. Achten Sie auch auf die Endungen.

> diejenigen   irgendein   ~~jeder~~   keiner   manche   sämtliche   mehrere   niemand

1. ___Jeder___, der ins Ausland geht, sollte die Landessprache können, denn natürlich kann _____ ohne Sprachkenntnisse in einem fremden Land zurechtkommen.
2. _____ fällt es leicht, allein zu lernen, aber die meisten brauchen doch Unterricht.
3. Man sollte allerdings nicht _____ Kurs machen, sondern sich vorher möglichst genau über die Qualität informieren.
4. _____ Spracheninstitute werben natürlich mit ihrer besonderen Qualität, aber leider ist meist nur ein Teil von ihnen wirklich gut.
5. Man sollte bei _____ anfragen, Referenzen oder Zertifizierung überprüfen, dann findet man sicherlich _____ heraus, die in Frage kommen.

4 Heimkehr in die Fremde – ein Artikel für die Zeitschrift „Rückkehrer"

a Eine Freundin kritisiert den Entwurf zu dem Artikel für die Zeitschrift „Rückkehrer". Wie finden Sie die Stellungnahme der Freundin? Kreuzen Sie an.

☐ höflich   ☐ unhöflich   ☐ zu direkt   ☐ unklar   ☐ klar   ☐ überkritisch

Liebe Clara,

Du hattest mich gebeten, mich zu deinem Entwurf für den Artikel in der Zeitschrift „Rückkehrer" zu äußern. Ich habe ihn also sehr gründlich gelesen. Allerdings sind ein paar Änderungen nötig:

1. Grundsätzlich muss die Stilebene geändert werden. Es klingt alles sehr „gehoben". Du solltest mehr umgangssprachliche Elemente oder Zitate einbauen, damit das Ganze lebhafter und persönlicher wirkt. Es geht ja um persönliche Erfahrungsberichte von Leuten, die nach dem Auslandseinsatz nach Deutschland zurückkommen und über ihre Schwierigkeiten am Anfang berichten. So wie du es beschreibst, klingt es ziemlich langweilig.

2. Auch der Aufbau muss geändert werden. Du beginnst mit theoretischen Erklärungen zur Situation der Rückkehrerinnen und Rückkehrer. Dann kommen praktische Beispiele. Umgekehrt wäre das erheblich besser: Zuerst die persönlichen Aussagen der Rückkehrer, dann die Erläuterung, warum das ganz typisch in dieser Situation ist, und später noch mal praktische Beispiele.

3. Du benutzt zu viele Abkürzungen (BMZ, GTZ etc.). Die kennen nur die Leute aus der Szene.

Das war alles. Falls etwas unklar ist, kannst du mailen oder anrufen. Ich kann auch konkretere Änderungsvorschläge machen.

Sei herzlich gegrüßt und frohes Schaffen – Iris

b Bitte formulieren Sie die Stellungnahme der Freundin höflicher, indem Sie die folgenden Sätze in den Text einbauen bzw. Textstellen ersetzen.

Briefanfang: vielen Dank für den Entwurf für den Artikel … | …, wenn Du einverstanden bist. | Allerdings würde ich einige Änderungen vorschlagen … | … und er gefällt mir vom Ansatz her sehr gut.

Punkt 1: … , also ein bisschen steif. | Grundsätzlich würde ich die Stilebene insgesamt ein wenig verändern. | Das könnte ruhig ein wenig farbiger dargestellt werden. | Vielleicht könntest du ab und zu einige umgangssprachliche Elemente einbauen oder auch Zitate, …

Punkt 2: Dadurch würde das Ganze lebhafter, s. Punkt 1. | Auch am Aufbau würde ich etwas ändern. | Ich würde vorschlagen, dass du genau umgekehrt vorgehst: …

Punkt 3: … zwar …, aber vielleicht sind ja auch andere an dem Artikel interessiert. | Noch eine Kleinigkeit: Vielleicht solltest du die typischen Abkürzungen vermeiden.

Briefschluss: Ich hoffe, du findest mich nicht zu kritisch! | … natürlich jederzeit gern … | …, wenn du das möchtest. | So das wäre es, was mir an deinem Entwurf aufgefallen ist.

Wege ins Ausland

1 Eurodesk

Kombinieren Sie die Wörter im Kasten zu zusammengesetzten Nomen, die im Zusammenhang mit Eurodesk stehen. Achten Sie darauf, dass manchmal ein Fugen-s steht.

| Agentur | Aufenthalt | Aufenthalt | Ausland | Beratung | Beratung |
| Camp | Dienst | Dienst | National | ~~Netz~~ | Service | Stelle | ~~Werk~~ |

1. Eurodesk ist ein europäisches Information*snetzwerk* _____.
2. Es hat _____ in 29 Staaten und über 600 regionale _____.
3. Es unterstützt _____aufenthalte aller Art.
4. Es vermittelt Sprach_____, Work_____, Freiwilligen_____, Schul_____ oder Tätigkeiten im Zivil_____.
5. Es bietet Telefon_____ und _____tage zur genaueren Information an.

2 Ein Beratungsgespräch – aber geht es nicht höflicher?

Verändern Sie das folgende Telefongespräch mithilfe der Ausdrücke im Kasten, sodass es höflicher wird.

> Guten Tag, hier Martina Jung. | ~~Was kann ich für Sie tun?~~ | Und vielen Dank! | Hätten Sie gerade einen Moment Zeit, oder passt es jetzt nicht? | Gern geschehen. | Könnten Sie mir vielleicht etwas anderes empfehlen? | Was möchten Sie denn wissen? | Entschuldigen Sie, wenn ich Sie unterbreche. | Entschuldigen Sie, wenn ich kurz dazwischenfrage. | Das kann ich verstehen, es gibt wirklich viele. | Verzeihung, wie meinen Sie das? | Hm. Entschuldigen Sie, wenn ich noch mal unterbreche.

▶ Hier Hahn-Rehmer, Eurodesk. _Was kann ich für Sie tun?_ _____

▷ _____ Ich brauche eine Beratung.

_____

▶ Doch, doch. Es passt schon. Dafür sind wir ja da. _____

▷ Ich möchte ein Praktikum im Ausland machen und …

▶ _____ Haben Sie schon auf unsere Homepage geschaut?

▷ Ja schon, aber ich bin ganz verwirrt wegen der vielen Möglichkeiten.

▶ _____ Worum geht es Ihnen denn hauptsächlich bei Ihrem Auslandsaufenthalt?

▷ Ich möchte Erfahrung sammeln: fachlich, sprachlich, interkulturell.

▶ Aha! Ich würde Ihnen aber von einem Praktikum abraten, weil …

▷ _____. Warum denn kein Praktikum?

▶ Als Studienanfänger fehlt es Ihnen eigentlich noch an fachlicher Kompetenz.

▷ Stimmt, das verstehe ich. _____

▶ Sie könnten mit einem Freiwilligendienst ins Ausland gehen, da …

▷ _____ Was gibt es denn da für Möglichkeiten?

▶ Eine ganze Reihe. Ich würde Ihnen empfehlen, sich noch einmal im Internet schlau zu machen. Dann können Sie gern noch mal auf mich zukommen.

▷ _____

▶ Ich meinte, Sie können mich dann gern noch mal anrufen.

▷ Alles klar. Auf Wiederhören. _____

▶ _____ Wiederhören!

3 Kann Frau Unduraga sich bewerben oder nicht? – Anrufe beim „ijgd"

a Lesen Sie den Text und ergänzen Sie die Sätze unten.

> Der „ijgd" – Verein "Internationale Jugendgemeinschaftsdienste Bundesverein e.V." – Gesellschaft für internationale und politische Bildung – verfolgt mit seinen Programmen folgende Ziele:
> – Förderung des Verständnisses zwischen Angehörigen verschiedener Nationen, sozialer Schichten, Religionen und Weltanschauungen
> – Abbau von Vorurteilen
> – Mitwirkung von Jugendlichen als Freiwillige an sozialen; kulturellen und ökologischen Projekten in Deutschland (ca. 40 Jugendliche pro Jahr aus dem europäischen Ausland)

1. Der Verein will das Verständnis zwischen Angehörigen verschiedener Nationen _____
2. Er will bewirken, dass Vorurteile _____
3. Jugendliche aus dem europäischen Ausland können an Projekten _____

b Wie geht der Dialog auf S. 119 weiter (Variante A und B)? Folgende Sätze helfen Ihnen.

> Könnten Sie mir freundlicherweise die Adresse geben? | Schade! Trotzdem vielen Dank! | O.k. Darf ich noch mal anrufen, falls ich etwas nicht verstehe? | ~~Leider nicht. Zurzeit können sich leider nur Jugendliche aus dem europäischen Ausland bewerben.~~ | Gut, das geht gerade noch. | Auf unserer Homepage finden Sie alles: www.ijgd.de. | 24. | Nichts zu danken. Auf Wiederhören! | Ja. Darf ich fragen, wie alt Sie sind? | Und was empfehlen Sie, wie soll ich mich bewerben? | Gern, dafür sind wir ja da. | Auf Wiederhören. | Am besten wenden Sie sich an unsere Partnerorganisation in Spanien. | Vielen Dank noch mal und auf Wiederhören. | Wiederhören

▶ Hier Reinhardt, „ijdg" – Büro Bonn. Was kann ich für Sie tun?

▷ Guten Tag, hier Silvia Unduraga. Ich hätte ein paar Fragen zu Ihrem Freiwilligenprogramm. Passt es jetzt, oder soll ich später noch mal anrufen?

▶ Nein, nein – das passt schon!

A ▷ Also, ich komme aus Chile, kann ich mich bei Ihnen bewerben?

  ▶ *Leider nicht. Zurzeit ...* _____

  ▷ _____

B ▷ Also, ich komme aus Spanien, kann ich mich bei Ihnen bewerben?

  ▶ _____

  ▷ _____

Vorbereitungen

Schreiben

→GI

1 Kannst du mal drübergucken?

Ein Freund möchte ein Freiwilligenjahr in Deutschland verbringen und bittet schriftlich um Informationen. Er hat Sie gebeten, über seinen Brief zu schauen, weil Sie besser Deutsch können als er. Korrigieren Sie den Brief wie folgt.

– Schreiben Sie die richtige Form an den Rand (Beispiel 1).
– Wenn die Wortstellung falsch ist, schreiben Sie das falsch platzierte Wort an den Rand zusammen mit dem Wort, mit dem es vorkommen soll (Beispiel 2).

Mainz, den 25. November		
Sehr geehrten Damen und Herren,	1	*geehrte*
im kommenden Jahr ich möchte ein Jahr in Deutschland	2	*möchte ich*
verbringen, und zwar – als möglich – im Europäischen	3	
Freiwilligendienst (EVS). Eine Freundin hat mir auf Ihre	4	
Angebote aufmerksam gemachen.	5	
Daher möchte ich gern wissen, welchen Voraussetzungen man	6	
erfüllen muss, um über Ihre Organisation vermittelt zu sein.	7	
Wie Sie sehen können, ich kann schon gut Deutsch, auch wenn	8	
ich muss noch viel lernen.	9	
Am liebsten würde ich bei einem sozial Projekt mitarbeiten.	10	
Über eine balde Antwort würde ich mich sehr freuen.	11	
Mit freundlicher Grüßen	12	

2 Zu viel Stress

Lesen
Schreiben

Bringen Sie die Sätze in die richtige Reihenfolge. Denken Sie auch an die formale Gestaltung des Briefes.

Elisa hat so viel mit den Vorbereitungen für ihren Aufenthalt in Deutschland zu tun, dass sie momentan sehr gestresst ist. Sie hat einen Brief an das Wohnheim entworfen, der ziemlich durcheinander ist.

> Sehr geehrter Herr Gruber, | Ich habe mich jetzt für einen Platz in einem der renovierten Doppelzimmer entschieden. | Könnten Sie mir bitte eine kurze Bestätigung zukommen lassen? | In der Anlage finden Sie den von mir ausgefüllten und unterschriebenen Mietvertrag. | vielen Dank für Ihr Schreiben vom … mit den Zusatzinformationen. | Mit freundlichen Grüßen | Vielen Dank im Voraus.

3 Anfrage und Angebot – ein Briefpuzzle

Lesen
Schreiben

Der Computer ist abgestürzt und ein Hotelangestellter hat die ausgedruckten Briefe aus Versehen zerrissen. Ordnen Sie die Briefteile so, dass zwei aufeinander abgestimmte Briefe entstehen: eine Anfrage und ein Angebot.

ab 1.10. dieses Jahres werde ich als Leiter der Auslandsabteilung der Firma Riemer nach Lyon versetzt.

Könnten Sie mir auch mitteilen, ab wann es Sonderpreise für längere Aufenthalte gibt?

Angebot Hotel

Da Sie sechs Nächte bleiben, gewähren wir Ihnen einen Sonderrabatt von 10%.

Damit Sie mich schnell informieren können, wäre ich Ihnen dankbar, wenn Sie mir per E-Mail antworten könnten.

Das angenehmste liegt im 3. Stock, geht nach hinten raus und liegt Richtung Westen.

Es sollte sehr ruhig sein und nicht direkt neben dem Aufzug oder zur Straße hin liegen.

Es ist sehr geräumig, hat einen Balkon, ein eigenes Bad und WC und ist mit Minibar, TV und Internetanschluss ausgestattet. Sie haben von dort einen wunderschönen Blick über die ganze Stadt.

Friedhelm Schokolinski
Riemer-AG
Fürth

Deshalb wende ich mich heute mit einer Anfrage an Sie:

Hier meine Adresse: schokolinski@riemer.de

Hotel de l'Opéra
Michel Delpech

Bei meiner Suche nach einem preisgünstigen Zimmer in einem ruhig gelegenen Hotel bin ich im Internet auf Ihre Adresse gestoßen.

Über eine baldige Antwort würde ich mich sehr freuen.

und verbleiben mit freundlichen Grüßen

Aufgrund dessen plane ich, nächste Woche ein paar Tage in Ihre Stadt zu kommen, um mich nach einer Wohnung umzusehen.

Natürlich bräuchten wir Ihre genauen Ankunfts- und Abfahrtstermine, damit wir die Belegung überprüfen können.

Sehr geehrte Damen und Herren,

Sehr geehrter Herr Schokolinski,

Bitte schicken Sie mir ein verbindliches Angebot für ein Einzelzimmer mit Bad und WC für fünf oder sechs Übernachtungen.

Es kostet 73 € pro Nacht, inklusive Frühstück.

Sollten Sie noch Fragen haben, setzen Sie sich bitte mit uns in Verbindung.

Mit freundlichen Grüßen

wir bedanken uns für Ihr Interesse an unserem Etablissement und freuen uns, Ihnen folgendes Angebot unterbreiten zu können:

Anfrage

Wir würden uns freuen, Sie bald in unserem Hause begrüßen zu dürfen

Wir haben mehrere Einzelzimmer in verschiedenen Preisklassen, je nach Lage und Ausstattung.

Anfrage

Sehr geehrte Damen und Herren,
ab 1.10. dieses Jahres werde ich als Leiter der Auslandsabteilung der Firma Riemer nach Lyon versetzt.

Angebot Hotel

Sehr geehrter Herr Schokolinski,

4 Unterschiedliche Briefstile – oder „gehobenes" Deutsch

Welche Wendungen entsprechen sinngemäß denjenigen im Brief an Elisa, Lehrbuch, S. 121?
Tragen Sie die entsprechenden Ausdrücke in die Tabelle ein.

Hochverehrte Frau von der Grün,

für Ihre Anfrage unseren allerbesten Dank.

Es bereitet uns große Freude, dass Sie im Rahmen des Europäischen Freiwilligendienstes nach
Deutschland kommen.
Wir sehen uns allerdings gezwungen, unser großes Bedauern darüber auszudrücken, dass
derzeit kein freies Einzelzimmer mehr zur Verfügung steht. Wir verfügen aber noch über einige
frisch renovierte Doppelzimmer. Als Anlage erhalten Sie – Ihrem Wunsch entsprechend – eine
Informationsbroschüre, aus der Sie Größe und Ausstattung der noch zur Disposition stehenden
Zimmer sowie die Höhe der Miete ersehen können.

Falls Sie Interesse an einem Platz in einem der Doppelzimmer haben sollten, möchten wir die
Bitte äußern, dass Sie die Rücksendung des ausgefüllten und unterschriebenen Mietvertrages
(ebenfalls beiliegend) möglichst bald veranlassen. Erst wenn Sie diese Voraussetzung erfüllt
haben, können wir die Reservierung vornehmen. Bei Rückfragen wenden Sie sich bitte direkt an
das Verwaltungssekretariat. Wir freuen uns, Ihnen umgehend Auskunft zu geben

und verbleiben mit vorzüglicher Hochachtung

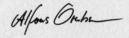

Brief an Frau von der Grün	Brief an Elisa
Hochverehrte	Sehr geehrte
unseren allerbesten Dank	vielen Dank

5 Vor der Ausreise die Versicherungsfrage klären

Schreiben Sie einen Brief an eine Versicherungsgesellschaft, in dem Sie sich nach den
Konditionen für den Abschluss einer Auslandskrankenversicherung erkundigen. Benutzen Sie
auch die Ausdrücke unten.

Anfrage | Ich bitte Sie, mir Ihre Konditionen für … zu nennen. | Ich bitte Sie, mir ein
Angebot für eine … zu unterbreiten. | Für eine baldige / schnelle Antwort / Nachricht /
Information wäre ich Ihnen sehr dankbar. | Mit freundlichen Grüßen | Ich danke Ihnen
im Voraus für Ihre Bemühungen.

6 Planung vor der Ausreise

a Unterstreichen Sie in den folgenden Sätzen die Wörter mit den Lautkombinationen „ng" und „nk".

1. Ich muss mir wirklich über Vieles Gedanken machen.
2. Was sind die Voraussetzungen?
3. Welche Bedingungen muss ich erfüllen?
4. Welche Vorbereitungen muss ich treffen?
5. Wird es mir gelingen, einen guten Nachmieter zu finden?
6. Woran muss ich noch denken?
7. Gastgeschenke kaufen.
8. Für den Anfang leichte Kleidung mit langen Ärmeln wegen der Moskitos besorgen.
9. Anke anrufen und nach ihren Erfahrungen mit der internationalen Schule fragen.

Aussprache von „ng" und „nk":

Diese Kombinationen werden nasal, also
durch die Nase (als ob Sie Schnupfen hätten)
gesprochen und im Wörterbuch mit den Zeichen
[ŋg] bzw. [ŋk] dargestellt.

b Hören Sie jetzt die Sätze, und achten Sie dabei besonders auf die Aussprache der von Ihnen unterstrichenen Wörter. Sprechen Sie nun die Sätze nach.

Hören ○ 46
Aussprache

7 Ein bisschen Auffrischung

Wie heißen die Formen dieser unregelmäßigen Verben? Ergänzen Sie und sprechen Sie dann die drei Formen schnell hintereinander. Vergleichen Sie sie anschließend mit der Aufnahme auf der CD und sprechen Sie noch einmal.

hängen	fangen	singen	sinken	springen	trinken	klingen	gelingen
hing gehangen							

Hören ○ 47
Aussprache

8 Konkrete und Unsinnspoesie

a Hören Sie die zwei Gedichte und achten Sie auf die Aussprache.

ping pong

    ping pong ping

    pong ping pong

       ping pong

In der Nacht die Sterne funkeln.
Und der Rundfunk funkelt auch.
Funkeln tun auch die Karfunkeln,
und ein funkelnagelneuer Anzug auch.

(Karfunkel = roter Granat)

b Lesen Sie die Gedichte nun laut. Vielleicht können Sie sich auch selbst dabei aufnehmen und Ihre Interpretation dann noch einmal anhören.

Paragrafendeutsch

1 Der Mietvertrag

Lesen
Wortschatz

a Lesen Sie nun den Vertrag im Lehrbuch, S. 122, noch einmal. Entscheiden Sie, ob die Aussagen richtig (r) oder falsch (f) sind.

1. Die Warmmiete beträgt 320 Euro.   r̶   f
2. Der Vertrag kann eventuell verlängert werden.   r   f
3. Der Mieter muss alle Paragraphen der Hausordnung kennen.   r   f
4. Der Mieter muss das Zimmer renovieren, wenn er auszieht.   r   f
5. Der Mieter ist für das Verhalten seiner Besucher verantwortlich.   r   f
6. Der Mieter muss eine Kündigungsfrist von 30 Tagen einhalten.   r   f
7. Der Hausmeister kann dem Mieter die Renovierung abnehmen.   r   f

b Welche Wörter passen wo? Ergänzen Sie ggf. auch die Endungen.

> Abschluss Ausstattung inbegriffen ~~Kaltmiete~~ Kaution Komfort kündigen
> Monatsmieten Nebenkosten renovieren teilmöbliert unmöbliert zusätzlich

1. Die Warmmiete setzt sich aus _Kaltmiete_ und _____ zusammen.
2. Die Telefonkosten sind natürlich nicht _____, die zahlt man gesondert.
3. Meistens muss man bei _____ des Mietvertrages eine _____ von zwei oder drei _____ zahlen.
4. Es gibt drei Möglichkeiten: ein möbliertes, ein _____ oder ein _____ Zimmer.
5. Ein Appartement mit allem _____ ist natürlich teurer als eins mit einfacher _____.
6. Oft muss man das Treppenhaus selbst putzen oder _____ bezahlen.
7. Wenn man ausziehen will, muss man vorher _____ und die Wohnung _____.

Formen und
Strukturen
S. 175

2 Nachweise International – Teilnahme, Engagement und Kompetenz von Jugendlichen

a Lesen Sie den folgenden Text, markieren Sie dabei die Partizipien I und II und beschriften Sie sie jeweils mit PI und PII.

> International geförderte *(PII)* Jugendarbeit eröffnet interkulturell spannende Erfahrungsfelder. Sie bietet mit ihren vielen verschieden aufgebauten Programmen einen Rahmen, in dem sich Jugendliche selbstverantwortlich und explorierend mit sich selbst, mit Menschen aus anderen Kulturen und mit den unterschiedlichsten Themen auseinandersetzen können.
> Die dabei entwickelten bzw. zur Verfügung stehenden Kompetenzen sind erforderlich, um den wachsenden Anforderungen in einer globalisierten Welt gerecht zu werden.

b Der zweite Teil des Textes ist sehr umständlich geschrieben. Verkürzen Sie ihn, indem Sie die Relativsätze auflösen und Partizip I oder II als Adjektiv verwenden. Streichen Sie die Wörter, die wegfallen, und schreiben Sie dann den Satz neu.

> Die „Nachweise international" dokumentieren auf attraktive Weise die Kompetenzen, ~~die~~ von Jugendlichen gezeigt ~~werden~~, ihre Teilnahme und ihr Engagement. Eine Steuerungsgruppe, ~~die~~ vom „Bundesministerium für Familie, Senioren, Frauen und Jugend" unterstützt und durch den IJAB koordiniert wird, hat ein dreigliedriges Nachweissystem für Teilnehmende und Teamer/innen in der internationalen Jugendarbeit entwickelt: „Teilnahmenachweis international", „Engagementnachweis international", „Kompetenznachweis international".
> Ziel dieses Nachweissystems ist es, Jugendarbeit in Deutschland, die international gefördert wird, – auch für die Jugendlichen selbst – sichtbarer zu machen.
> Jede Organisation kann dabei eigenverantwortlich entscheiden, ob sie die Nachweise, die angeboten werden, einsetzen möchte und welche der drei Varianten jeweils die ist, die passt.

Die „Nachweise international" dokumentieren auf attraktive Weise die von Jugendlichen gezeigten Kompetenzen, ihre Teilnahme und ihr Engagement.

Eine vom …

Ziel dieses Nachweissystems ist es, …

Jede Organisation kann dabei eigenverant-wortlich entscheiden, ob …

c Ergänzen Sie die Endungen der Partizipien als Adjektive oder Nomen.

> *Partizipien als Adjektive oder Nomen:*
> *Sie erhalten die gleichen Endungen wie Adjektive.*

Teilnahmenachweis international

Dieser für die Jugendlichen ausgestellte Nachweis steht allen zu, die an einer internationalen Maßnahme teilgenommen haben. Er enthält vor allem trägerbezogen___ Informationen und beschreibt die festgelegt___ Bildungsziele der Maßnahme, ohne auf die personenbezogen___ Aspekte der Teilnehmend___ im Einzelnen einzugehen.

Engagementnachweis international

Dieser für Teilnehmend___ und Teamer/innen eines internationalen Projekts gedacht___ Nachweis enthält alle Informationen des „Teilnahmenachweises". Zusätzlich werden hier individuell gezeigt___ Engagement sowie während des Treffens geleistet___ Beiträge der Jugendlichen beschrieben.

Kompetenznachweis international

Dieser Teil der Nachweise International bescheinigt in detailliert___ Form individuell gezeigt___ Kompetenzen von Jugendlichen in internationalen Projekten. Er ist gedacht für Teilnehmend___ und für Teamer/-innen der internationalen Jugendarbeit. Die Nachweise werden von Fachkräften ausgestellt. Diese lernen in einer speziellen Ausbildung einen sachlich fundiert___ und wertschätzend___ Umgang mit Jugend-lichen zu zeigen, zu dokumentieren und den Jugendlichen die entsprechend___ Rückmeldung zu geben.

(Die Texte in Übung 2a, b und c wurden nach Informationen aus der Homepage vom Internationalen Jugendaustausch- und Besucherdienst der Bundesrepublik Deutschland (IJAB) e.V. erstellt.)

Formen und
Strukturen
S. 164, 175

3 Die Teilnehmenden – das Gelernte

a Was sind das für Leute? Was sind das für Sachen? Definieren Sie!

1. die an dem Seminar Teilnehmenden → *die Leute, die an dem Seminar teilnehmen*
2. das in der Schule Gelernte → *das, was in der Schule gelernt wird*
3. ein bei der Hausverwaltung Angestellter → _____
4. die Lernenden → _____
5. die Vortragende → _____
6. das von den Jugendlichen Geleistete → _____
7. einer der in dem Projekt Engagierten → _____
8. das neulich Besprochene → _____
9. die durch die Stiftung Geförderten → _____

b Vereinfachen Sie den Text, indem Sie statt den Relativsätzen Partizipien als Nomen verwenden.

1. Die Leute, die zu der Tagung eingeladen waren, äußerten sich begeistert zur Qualität der Leute, die vortrugen.
2. Allerdings gab es viele Verspätungen und diejenigen, die vor dem Saal warteten, wurden langsam ungeduldig.
3. Diejenigen, die teilnahmen, äußerten sich dann aber sehr zufrieden über den Diskussionsverlauf.
4. Das, was in der Diskussion beschlossen wurde, wurde protokolliert und gilt nun für alle.
5. Am letzten Tag gab es leider einige Leute, die verletzt wurden, als ein Leuchter von der Decke fiel.

> 1. *Die zu der Tagung Eingeladenen äußerten sich begeistert zur Qualität der Vortragenden.*

Weg – aber wohin?

Wortschatz
Schreiben

1 Was sind die Voraussetzungen?

Ersetzen Sie die unterstrichenen Wörter und Ausdrücke durch passende Synonyme aus dem Kasten und formulieren Sie die Sätze entsprechend um. Lesen Sie – falls notwendig – den Text im Lehrbuch, S. 124, noch einmal.

> beschließen   träumen von   Einwanderung   engagiert   entsenden
> frei zugänglich sein   hinsichtlich   liegen an   seit langem   einnehmen
> umsetzen   ~~Vereinigte Staaten~~   verfügen über   sich wenden an

1. Die <u>USA</u> sind für viele das Land ihrer Träume. <u>Der Grund dafür</u> sind u. a. die unternehmerischen Freiheiten.
2. Geschäftsideen können leichter <u>realisiert</u> werden als in Europa.
3. Es gibt weniger Beschränkungen <u>in Bezug auf</u> erforderliche Ausbildungswege.
4. Viele, die in die USA auswandern, <u>haben den Traum</u>, eine große Karriere zu machen.
5. Für viele ist Neuseeland <u>seit langer Zeit</u> ein beliebtes Urlaubsziel.
6. Neuseeland gibt nur Personen mit guter Ausbildung die Möglichkeit der <u>Immigration</u>.
7. Wer nach Neuseeland will, muss sehr gute berufliche Qualifikationen <u>haben</u>.
8. In China arbeiten meistens Deutsche, die von ihrer Firma dorthin <u>geschickt</u> werden.
9. Am besten fragt man bei Firmen, die in China <u>aktiv</u> sind.
10. Die Liste der bei der Deutschen Handelskammer registrierten Firmen <u>kann sich jeder ansehen</u>.
11. Griechenland <u>besetzt</u> bei den Lebenshaltungskosten einen Spitzenplatz.
12. Wer sich <u>entscheidet</u>, in Griechenland zu arbeiten, braucht viel Idealismus.
13. Wenn Sie in Griechenland einen Job suchen, sollten Sie einen Euroberater <u>kontaktieren</u>.

> 1. *Die Vereinigten Staaten sind für viele das Land ihrer Träume. Das ...*

2 Auslandstätigkeit, was ist hierbei sozial- und arbeitsrechtlich zu beachten?

Lesen Sie den Text und entscheiden Sie, ob die Aussagen richtig (r) oder falsch (f) sind.

Da Deutschland eine stark exportorientierte Volkswirtschaft hat, sind immer mehr deutsche Arbeitnehmer im Ausland beschäftigt. Der Regelfall ist die Entsendung aus einem bereits bestehenden Arbeitsverhältnis in Deutschland. Dabei ist Folgendes zu beachten: Der Begriff der Entsendung entstammt dem Sozialrecht, setzt eine zeitlich begrenzte Beschäftigung voraus und hat dabei zur Folge, dass der Sozialversicherungsschutz im Ausland nicht verloren geht. Die Entsendung beinhaltet, dass das Arbeitsverhältnis zum inländischen Arbeitgeber fortbesteht und dass es bei Beendigung des von vornherein per Vertrag zeitlich begrenzten Auslandsaufenthalts wieder auflebt. Wichtig ist, dass eine Rückkehr vereinbart worden ist. Die Vertragsgestaltung für die Auslandstätigkeit kann sowohl durch die Modifikation eines bestehenden Anstellungsvertrages als auch durch den Abschluss eines neuen befristeten Vertrages erfolgen.

Bei einer Entsendungsvereinbarung ist insgesamt zwischen zwei wichtigen Bereichen zu unterscheiden, die stets zu regeln sind: Einmal die Vorbereitung (Stichworte: crosskulturelles Training, Sprache, politisches Umfeld), die Tätigkeit sowie die Aufenthaltsumstände im Beschäftigungsland (Aufgabe, Berichtspflicht, Steuern, Sozialversicherung, Unterkunft, Umzug, Lebenshaltungskosten, Heimreisen) und andererseits die Rückkehr- und Weiterbeschäftigungsmodalitäten des Mitarbeiters nach Beendigung des Auslandsaufenthalts (derselbe Arbeitsplatz, gleichwertige Tätigkeit).

1. Die Zahl der Deutschen, die im Ausland arbeiten, steigt.   r̶ f
2. Arbeitgeber der im Ausland Tätigen ist die Firma vor Ort.   r f
3. Entsendung bedeutet, dass der Mitarbeiter nur für eine bestimmte Zeit im Ausland tätig ist.   r f
4. Nach der Rückkehr muss ein neuer Vertrag geschlossen werden.   r f
5. Für die Tätigkeit im Ausland braucht kein neuer Vertrag geschlossen zu werden.   r f
6. In der Entsendungsvereinbarung müssen Vorbereitung, Tätigkeit und Weiterbeschäftigung nach der Rückkehr geregelt sein.   r f
7. Zur Vorbereitung gehören interkulturelles Training, Sprachunterricht und Landeskunde.   r f
8. Der Mitarbeiter muss nach der Rückkehr jede Aufgabe in der Firma annehmen, die ihm angeboten wird.   r f

3 Ohne Visum keine Einreise

Formen und Strukturen S. 162

Die Merksätze im Ausländeramt sind kurz und prägnant. Aber was bedeuten sie eigentlich? Formulieren Sie die Sätze aus. Benutzen Sie „ohne … zu" oder „ohne dass". Achten Sie auch auf die Zeit der Verben.

1. Ohne Visum keine Einreise!
   Sie dürfen nicht einreisen, ohne ein Visum zu haben.

2. Ohne Vorliegen eines Arbeitsvertrags kein Visum!
   Sie erhalten keinen Arbeitsvertrag, ohne dass ein Visum vorliegt.

3. Ohne vorherige Unterschrift unter dem Arbeitsvertrag keine Arbeitsaufnahme!
   Sie dürfen die Arbeit nicht aufnehmen, ohne …

4. Ohne finanzielle Absicherung kein Aufenthalt im Gastland!
   Man darf sich nicht im Gastland aufhalten, ohne …

5. Ohne Prüfung der Unterlagen durch die Bundesagentur für Arbeit keine Arbeitsgenehmigung!
   Man erhält keine Arbeitsgenehmigung, ohne …

6. Ohne Aufenthaltsgenehmigung keine Erwerbstätigkeit!
   Man darf keine Erwerbstätigkeit ausüben, ohne …

Kulturschocks

Lesen
Wortschatz

1 Mein größter Kulturschock

Lesen Sie den Text im Lehrbuch, S. 126, noch einmal und unterstreichen Sie dort die Ausdrücke und Wörter, die den folgenden Definitionen entsprechen.

Abschnitt 1

1. kurz nachdem ich in Berlin angekommen war
   → *kurz nach meiner Ankunft in Berlin*
2. beschädigte Fassaden
3. eigenartig

Abschnitt 2

4. im Schatten von großen Bäumen
5. Das war nur fast richtig.
6. Ich fing an zu schwitzen.
7. Die deutsche Normalität stimmte mit der von Edgar Allan Poe überein.

Abschnitt 3

8. Buddhisten glauben an Wiedergeburt.

9. die ruhelosen Seelen
10. Die Seelen suchen nach Vergeltung und Gerechtigkeit.
11. Sie versuchen, Macht über andere Seelen zu bekommen.
12. die einsamsten Hügel

Abschnitt 4

13. Aus Liebe hält man Vieles aus.
14. Ich machte mir vor, dass …

Abschnitt 5

15. ein unverzichtbarer Teil
16. Er bekehrt mich nicht zur Gemeinsamkeit.
17. wenn ich ihn nicht betreten muss

Formen und
Strukturen
S. 162

2 Ohne genaue Vorstellung

Die Brasilianerin Adriana erzählt, dass sie nach Deutschland gekommen ist, ohne eine genaue Vorstellung davon zu haben, wie das Leben in diesem Land ist. Formulieren Sie die Sätze um, indem Sie „ohne … zu" oder „ohne dass" benutzen. Achten Sie auch auf die richtige Zeit der Verben.

1. Ich bin nach Deutschland gekommen und hatte nicht viel Ahnung von dem Land.
2. Meine Deutschlehrerin hatte mir Vieles erzählt, aber sie ging nicht auf Einzelheiten ein.
3. Sie hat mir auch einiges erklärt, aber ich habe sie nicht richtig verstanden.
4. Leider habe ich nur zugehört und nicht nachgefragt.
5. Ich habe viel Zeit mit „Vorbereitungen" verbracht, aber sie haben mir nicht viel genützt.
6. Deshalb bin ich in unangenehme Situationen gekommen und wusste keinen Ausweg.
7. Niemand sollte ins Ausland gehen und sich vorher nicht gut vorbereiten.
8. Jetzt lebe ich gern in Deutschland, aber ich habe meine Heimat natürlich nicht vergessen.

1. *Ich bin nach Deutschland gekommen, ohne viel Ahnung von dem Land zu haben.*
2. *Meine Deutschlehrerin hatte mir Vieles erzählt, …*

Sprechen

3 Endlich draußen, aber verstehen wir uns eigentlich?

Besprechen Sie in Ihrer Arbeitsgruppe, was auf den beiden Zeichnungen passiert. Stellen Sie Vermutungen an, notieren Sie sie und tauschen Sie sich dann im Kurs aus.

Grammatik: Das Wichtigste auf einen Blick

1 Partizip I und Partizip II als Attribut

Formen und Strukturen S. 175

Wenn die Partizipien **vor** dem Nomen stehen, werden sie wie Adjektive dekliniert:
- Für viele ist Neuseeland ein beliebtes und spannend**es** Urlaubsziel. *(Partizip I)*
- Sie verließen Deutschland wegen der festgefahren**en** Karriereaussichten. *(Partizip II)*

Erweiterte Partizipien vor dem Nomen

Die Partizipien als Adjektive können, besonders in offiziellen oder wissenschaftlichen Texten, durch weitere Informationen ergänzt werden. Man versucht damit, möglichst knapp zu schreiben und Nebensätze zu vermeiden. Das Partizip mit seinen Erweiterungen steht zwischen dem **Artikel** und dem **Nomen**, auf das es sich bezieht. Auch hier wird das Partizip wie ein Adjektiv dekliniert.
- Sie finden in der Anlage **den Mietvertrag**, der von mir ausgefüllt worden ist. *(Passiv, Vergangenheit)*

Sie finden in der Anlage **den** von mir ausgefüllt**en Mietvertrag**. *(Partizip II)*

- **Die Vorschriften**, die im Wohnheim gelten, sind einzuhalten. *(Aktiv, gleichzeitig)*

Die im Wohnheim geltend**en Vorschriften** sind einzuhalten. *(Partizip I)*

2 Modale Nebensätze und Angaben

Formen und Strukturen S. 162

Modale Nebensätze geben die Art und Weise eines Geschehens an. Hierzu kann man auch die instrumentalen Angaben rechnen: **Wie geschieht etwas?**
- Sie verließen das Haus, ohne dass die Nachbarn sie sahen.
- Ohne dass ich mich besonders angestrengt hätte, begann ich plötzlich abzunehmen. *(Konjunktiv II: entgegen der Erwartung)*
- Ohne das Geld zu beachten, nahmen sie die Dokumente mit.
- Sie kauften das Haus, ohne einen Kredit aufzunehmen.

11 Leistungen

Leistungen

Formen und
Strukturen
S. 182

1 Adjektive und ihr Gegenteil

Wortbildung Adjektive I:
Das Gegenteil von Adjektiven wird durch verschiedene Präfixe (a–, des–, il–, in–, non–, un–) oder Suffixe (–arm, –los, –scheu) ausgedrückt.

a Welche Präfixe passen zu welchen Adjektiven?
Ordnen Sie zu. Manchmal gibt es mehrere Lösungen.

~~eitel~~ typisch konformistisch eigensinnig normal harmonisch offiziell
interessiert entschlossen sozial talentiert organisiert ausgeglichen
kompetent moralisch informiert formell verbal

a-	des-	in-	non-	un-
				uneitel

Wortbildung Adjektive II:
Wenn Sie die Wortbildung bei Adjektiven wiederholen möchten, schauen Sie noch einmal in Lektion 3 nach.

b Wie heißen die Adjektive richtig?

1. ziel~~reich~~   *zielstrebig* _____
2. risiko~~voll~~ _____
3. macht~~reich~~ _____
4. konflikt~~strebig~~ _____
5. varianten~~freudig~~ _____

6. ideen~~freudig~~ _____
7. hoffnungs~~reich~~ _____
8. chancen~~voll~~ _____
9. humor~~reich~~ _____
10. kontakt~~voll~~ _____

c Wie heißt das Gegenteil der Adjektive aus Übungsteil b? Ergänzen Sie die Tabelle. Manchmal gibt es mehrere Lösungen.

-arm	-los	-scheu
	ziellos,	

2 Frau Schmitz von nebenan

Formen und
Strukturen
S. 182

Ergänzen Sie die Adjektive mit den Präfixen aus Übung 1 und den Suffixen „-arm", „-reich", „-haltig", „-voll", „-los", „-frei", „scheu" und ggf. die entsprechenden Endungen.

1. Als moderne Frau ernährt sie sich natürlich fett*arm*_____ und vitamin_____. Zucker_____ Nahrungsmittel und alkohol_____ Getränke meidet sie.
2. Selbstverständlich fährt sie ein schadstoff_____ Auto und tankt blei_____, denn sie hat ja ein Bewusstsein für ihre Umwelt.
3. Es versteht sich von selbst, dass sie sich immer geschmack_____ kleidet. Dabei ist sie völlig _____eitel und ein kleinwenig _____konformistisch.
4. Ihr Chef schätzt sie als ideen_____ und fantasie_____ Mitarbeiterin. Ihren oft _____entschlossenen Kunden gegenüber ist sie verantwortungs_____ und verkauft nur risiko_____ Wertpapiere.
5. Ihren Kindern ist sie eine liebe_____ Mutter und ihrem Mann eine temperament_____ Ehefrau, denn sie erträgt kein _____harmonisches Familienleben.
6. Anderen Menschen begegnet sie stets vorurteils_____, aber nicht konflikt_____.
7. Sie wohnt in einer reiz_____ Gegend, ihr modernes Reihenhaus ist nun endlich schulden_____ und sehr stil_____ eingerichtet.
8. Ihr Mann war noch nie arbeits_____ und ihre Kinder sind sehr humor_____ und gar nicht gefühl_____.
9. Alles in allem leben sie ein sorgen_____ Leben und sind wunsch_____ glücklich.
10. Kann man das überhaupt neid_____ anerkennen?

3 Was meinen Sie?

a Ergänzen Sie die Sätze mit den Wörtern aus dem Schüttelkasten.

| die | der | meines | dafür | ~~nach~~ | aus | für | auf | zu | zu | dass |

1. Meiner Meinung / Ansicht _nach_ lassen sich sportliche und kreative Leistungen nicht vergleichen.
2. Ich halte den Vergleich von sportlichen und kreativen Leistungen _____ unzulässig.
3. _____ Erachtens ist der Vergleich von sportlichen und kreativen Leistungen nicht möglich.
4. _____ meiner Sicht lassen sich sportliche und kreative Leistungen nicht vergleichen.
5. Ich stehe _____ dem Standpunkt, dass ein Vergleich von sportlichen und kreativen Leistungen nicht möglich ist.
6. Ich sehe _____ Sache so: Ein Vergleich von sportlichen und kreativen Leistungen kann kein akzeptables Ergebnis bringen.
7. Ich bin dagegen, sportliche und kreative Leistungen _____ vergleichen.
8. Ich bin _____, sportliche und kreative Leistungen getrennt zu betrachten.
9. Ich bin _____ der Überzeugung gekommen, dass ein Vergleich von sportlichen und kreativen Leistungen nicht gerecht sein kann.
10. Ich habe den Eindruck / das Gefühl, _____ der Vergleich von sportlichen und kreativen Leistungen nicht fair ist.
11. Ich bin _____ Meinung / Überzeugung / Ansicht, dass man sportliche und kreative Leistungen nicht vergleichen kann.

b Notieren Sie die Redemittel zur Meinungsäußerung und ergänzen Sie diese ggf.

4 Da regt sich Widerspruch

a Lesen Sie die Redemittel zum Widerspruch und ordnen Sie sie in die Tabelle ein.

~~Ich habe da andere Erfahrungen gemacht.~~ | ~~Das kann ich nicht bestätigen.~~ | ~~Das stimmt so nicht.~~ | Mir scheint das fraglich. | Das kann doch nicht Ihr Ernst sein. | Ich sehe das etwas anders. | So kann man das meiner Meinung nach nicht sagen. | Da bin ich aber ganz anderer Meinung. | Das ist mir neu. | Sind Sie da sicher? | Da haben Sie etwas falsch verstanden. | Ganz im Gegenteil. | Ihre Argumente überzeugen mich nicht ganz. | Ich bin da nicht so sicher. | Dem kann ich nicht zustimmen. | Ich glaube, Sie haben da etwas übersehen. | Da habe ich Bedenken. | Da muss ich Ihnen leider widersprechen.

Vorsichtiger Widerspruch	Klarer Widerspruch	Massiver Widerspruch
Ich habe da andere Erfahrungen gemacht.	Das kann ich nicht bestätigen.	Das stimmt so nicht.

b Begründen Sie Ihre Zuordnung.

5 Was man alles leisten kann ...

a Setzen Sie die Nomen aus dem Schüttelkasten in die passende Lücke.

| Hilfe | ~~Beitrag~~ | Folge | Widerstand | Gesellschaft | Zahlungen |

Es war einmal ein Spitzensportler, der leistete mit seinen Erfolgen einen großen [1] _Beitrag_ für seine Sportart. Er wurde so bekannt, dass immer viele Menschen ihm [2] _____ leisten wollten. Als er sich bei einem Wettkampf verletzte, leistete ein Arzt sofort [3] _____. Kurze Zeit später wurde er wegen der Verwendung von Dopingmitteln verhaftet. Er leistete der Polizei keinen [4] _____ . Der Sportverband leistete nach dem Skandal keine weiteren [5] _____ mehr und der Sportler war bald finanziell am Ende. Obwohl er versprach, in Zukunft allen Vorschriften [6] _____ zu leisten, durfte er nicht mehr professionell Sport treiben.

b Finden Sie Synonyme für die Nomen-Verb-Verbindungen mit „leisten" in Übungsteil a und formulieren Sie die Sätze neu.

> *Es war einmal ein Spitzensportler, der hatte viel für seine Sportart getan.*

6 Hilfe für Gedächtnismeister

Lesen
Sprechen

a Hier sind einige populäre Eselsbrücken aus Deutschland und ihre Verweise. Ordnen Sie zu.

1. Acht, Null, Null – Karl stieg auf den Stuhl.	**A** Reihenfolge der Himmelsrichtungen	1. $\boxed{C}$
2. Nie ohne Seife waschen.	**B** Orthographieregel	2. ☐
3. Wer brauchen nicht mit zu gebraucht, braucht brauchen überhaupt nicht zu gebrauchen.	**C** Kaiserkrönung Karls d. Großen in Rom	3. ☐
4. Drei, sieben, fünf – die Völker machen sich auf die Strümpf.	**D** Reihenfolge der Planeten im Sonnensystem (Merkur, Venus, …)	4. ☐
5. Fensterputz bei Sonnenschein bringt dir nur Enttäuschung ein.	**E** Grammatikregel für Modalverb	5. ☐
6. Wer nämlich mit h schreibt ist dämlich.	**F** Beginn der Völkerwanderung	6. ☐
7. Mein Vater erklärt mir jeden Sonntag unseren Nachthimmel.	**G** Haushaltstipp	7. ☐

b Kennen Sie weitere Eselsbrücken auf Deutsch oder welche in Ihrer Muttersprache?

Schneller, höher, weiter

1 Die Zeiten ändern sich

Formen und
Strukturen
S. 169–172

a Lesen Sie den folgenden Text und markieren Sie alle konjugierten Verben.

> Die gelernte Physiotherapeutin, Frau B., war unzufrieden mit der „Massenabfertigung" ihrer Patienten in der Praxis, in der sie arbeitete. Nachdem sie sich immer häufiger mit Kollegen gestritten hatte, suchte sie Rat bei einem Coach. Doch erst nach sieben Sitzungen gewann Frau B. Klarheit über ihre berufliche Zukunft, kündigte und eröffnete eine eigene Praxis, die sich auf motorische Probleme von Kleinkindern spezialisiert hat und auch Seminare für Eltern anbietet. Der Coach hat sie im gesamten Prozess erfolgreich unterstützt. „Ohne ein gutes Coaching hätte ich diese Herausforderung nie gepackt", meint Frau B., die heute selbst Chefin von sieben Angestellten ist.

b Notieren Sie die Verben und die verwendete Zeit. Ergänzen Sie die Verbformen.

1. *war – Präteritum (sein – sie ist – sie war – sie ist gewesen)*
2. _____
3. _____
4. _____
5. _____
6. _____
7. _____
8. _____
9. _____
10. _____
11. _____
12. _____
13. _____

c Arbeiten Sie zu dritt. Einer ist der Quizmaster und liest die Aussagen vor. Die anderen entscheiden, ob die Aussagen richtig (r) oder falsch (f) sind. Für jede korrekte Antwort gibt es einen Punkt.

1. Bei trennbaren Verben steht im Präsens das Präfix am Satzende.   r   f
2. Bei den regelmäßigen Verben kann es bei der 2. und 3. Person Präsens einen   r   f
    Vokalwechsel geben.
3. Das Perfekt wird mit einer konjugierten Form von „haben" oder „sein" und dem   r   f
    Partizip II gebildet.
4. Das Perfekt wird vor allem schriftlich für Ereignisse in der Vergangenheit genutzt.   r   f
5. Die Verben der Bewegung und Zustandsveränderung bilden das Perfekt mit „sein".   r   f
6. Die Modalverben haben keine Perfektform.   r   f
7. Bei allen Verben wird das Präteritum mit -t- gebildet.   r   f
8. In Märchen verwendet man kein Präteritum.   r   f
9. Einige Verben (z. B. haben und sein) werden in der Vergangenheit kaum im Perfekt,   r   f
    sondern überwiegend im Präteritum verwendet.
10. Das Plusquamperfekt wird benutzt, wenn ein Ereignis vor einem anderen Ereignis in   r   f
    der Vergangenheit stattfindet.
11. Das Plusquamperfekt wird mit dem Präteritum von „haben" und „sein" und dem   r   f
    Partizip II gebildet.

d Arbeiten Sie zu dritt. Korrigieren Sie alle falschen Aussagen. Sie können auch die Referenzgrammatik (Kapitel 4.4 – 4.7) zu Hilfe nehmen.

2 Was passiert zuerst, was danach?

Formen und
Strukturen
S. 160, 169–172

a Verbinden Sie die Sätze mit „nachdem" und setzen Sie die Verben in die passende Zeitform.

1. Sie eröffnete ein eigenes Geschäft. Sie kündigte bei ihrer Firma.
    Sie eröffnete ein eigenes Geschäft, nachdem sie bei ihrer Firma gekündigt hatte. /
    Nachdem sie bei ihrer Firma gekündigt hatte, eröffnete sie ein eigenes Geschäft.

2. Das Geschäft lief sehr gut. Sie engagierte eine Werbeagentur.
    _____

3. Sie wurde sehr bekannt. Sie gewann einen wichtigen Preis.
    _____

4. Sie übergab ihre Firma an ihre Kinder. Sie hat Millionen verdient.
    _____

5. Sie will nun das Leben genießen. Sie hat sehr viel gearbeitet.
    _____

b Verbinden Sie die Sätze mit „als" und setzen Sie die Verben in die passende Zeitform.

1. Er erbte eine Million. Er arbeitete schon lange als Tellerwäscher.
    Als er eine Million erbte, hatte er schon lange als Tellerwäscher gearbeitet.

2. Er traf seine Traumfrau. Er bekam gerade das Geld.
    _____

3. Sie kannten sich einen Monat. Er machte ihr einen Heiratsantrag.
    _____

4. Sie heirateten einen Monat später. Er schenkte ihr ein Haus.
    _____

5. Er verlor ein Jahr später sein Vermögen an der Börse. Seine Frau gewann eine Million im Lotto.
    _____

c Setzen Sie die angegebenen Verben in der passenden Zeitform ein.

Claus Hipp – Deutscher Gründerpreis 2005

Claus Hipp [1] _____wurde_____ (werden) am 22. Oktober 1938 in München als Sohn des Babykost-Herstellers Georg Hipp geboren. Seit 1968 [2] _____ (leiten) er das Unternehmen, Deutschlands Nummer eins bei Babynahrung. Schon sein Vater, der Firmengründer Georg Hipp, [3a] _____ (beginnen) 1956 mit der Nutzung von ökologischem Landbau [3b] _____, als noch niemand sonst von Bio-Produkten [4] _____ (sprechen). Doch erst Claus Hipp [5a] _____ (ausbauen) die Firma zu einem ökologisch orientierten Unternehmen [5b] _____. 2005 [6] _____ (erhalten) er für sein Lebenswerk den deutschen Gründerpreis.
Der „Vater aller Gläschen" [7a] _____ (bewähren) sich aber nicht nur als Geschäftsführer [7b] _____, sondern [8a] _____ (machen) sich auch als freischaffender Künstler einen Namen [8b] _____. So [9] _____ (malen) er und [10a] _____ (ausstellen) seine Bilder von Moskau bis New York unter dem Künstlernamen „Nikolaus Hipp" [10b] _____. Sein Leben [11] _____ (sehen) der Vater von fünf Kindern als eine Verflechtung von mehreren ihm lieb gewordenen Beschäftigungen, die einander im Gleichgewicht [12] _____ (halten).

3 Beschreibung einer Grafik

Wortschatz

a Ordnen Sie die Wörter in die Tabelle ein.

> ~~abnehmen~~   konstant bleiben   zunehmen   gleich bleiben   zurückgehen   steigen
> den Höhepunkt erreichen   senken   sich stabilisieren   die Talsohle erreichen   wachsen
> sich verschlechtern   den Spitzenwert erreichen   erhöhen   sinken   fallen   stagnieren
> den Tiefstand erreichen   den Höchstwert erreichen   sich verbessern

↗	↘	⤒	⤓	→
	abnehmen			

b Lesen Sie den Text und tragen Sie die Angaben in die Grafik ein.

Zahl der Gründungen von Ich-AGs

	Jan.	Feb.	März	April	Mai	Juni	Juli	Aug.	Sep.	Okt.	Nov.	Dez.
500												
450												
400												
350												
300												
250												
200												
150												
100												
50												

An der Stadt H. wird exemplarisch die Zahl der Gründungen von „Ich-AGs" (Einzelunternehmen, das von einem Arbeitslosen gegründet und vom Staat finanziell unterstützt wird) im Jahr 2006 gezeigt. Nach einem Tiefstand Ende 2005 wurden im Januar des Jahres 2006 170 Neugründungen angemeldet. Bis März wuchsen die Zahlen und im März wurde mit 310 Ich-AGs der Höhepunkt des ersten Halbjahres 2006 erreicht. Die Zahlen blieben im April konstant, im Mai und Juni nahmen die Zahlen wieder leicht ab auf 270 Gründungen. Von Juli bis September stiegen die Zahlen wiederum stetig an, bis sie im September einen Spitzenwert von über 400 Neugründungen erreichten. Die hohen Zahlen blieben bis Mitte November gleich, dann jedoch fielen sie bis zum Jahresende stetig und lagen Ende Dezember bei knapp 330.

Wir müssen nur wollen

1 CD-Empfehlungen

Lesen
Schreiben

a Lesen Sie die vier CD-Empfehlungen.

Rosenstolz – Das große Leben

Große Gefühle besingen die 12 Lieder des 13. Albums „Das große Leben". Faszinierend mit wie vielen Spielarten der Liebe sich die beiden Bandmitglieder auseinandersetzen.

Das Duo überrascht nach einigen Mainstream-Songs wieder mit schrägen Klängen wie in „Ich geh in Flammen auf" oder dem rockigen Stück „Bester Feind".

Ihre Geschichte vom großen Leben erzählen Rosenstolz mit Piano, Wurlitzer-Orgel, Bläsern und Streichern. Damit ist ihnen ganz sicher ein ganz großer Wurf in der deutschen Popmusik gelungen.

Herbert Grönemeyer – 12

Mit seinem Album „12" hat Herbert Grönemeyer wieder ein ebenso tiefgründiges wie unkonventionelles Album herausgebracht.

Die Single „Stück vom Himmel" setzt sich mit dem Thema Religion auseinander. Das Stück hat das Zeug zum Ohrwurm. „Kopf hoch, tanzen" hingegen bildet thematisch wie musikalisch einen Gegensatz. In dem Titel geht es darum, nicht permanent alles zu analysieren, sondern auch zu leben. In der Ballade „Du bist die", die der Sänger seiner Freundin gewidmet hat, beschreibt er mit seiner ausdrucksvollen poetischen Sprache die Liebe zwischen zwei unabhängigen Menschen.

Element of Crime – Romantik

Die deutsche Rockband „Element of Crime" ist auch auf diesem Album alles andere als experimentierfreudig. Mit ihrem zeitlosen Rock bleiben sie sich und ihren Fans treu. Allerdings erinnert uns die Band mit diesem Album immer wieder daran, dass Romantik auch mit Witz und Ironie verbunden sein kann. Genial einfach sind die Texte der Band, die von Alltagskomik („Alle vier Minuten"), Herbstphantasien („Fallende Blätter") oder von heiteren Liebeserklärungen wie in „Seit der Himmel" erzählen. Die Liebeslieder aber sind die Spezialität der Rockpoeten: Sie sind gnadenlos romantisch ohne Kitsch und Klischees.

Diese CD muss man einfach haben!

Sportfreunde Stiller – You have to win Zweikampf

Mit der CD „You Have To Win Zweikampf" hat sich die Münchner Band „Sportfreunde Stiller" ihrem Lieblingsthema Fußball gewidmet.

Der musikalische Fußballfan darf sich über elf Songs über das runde Leder mit ganz unterschiedlichen Melodien freuen.

Das Spiel wird eröffnet mit dem Song „Unser Freund ist aus Leder" und mit der Single „,54, ,74, ,90, 2006" ist die Stimmung bei dem Fans auf dem absoluten Höhepunkt. Dazwischen gibt es eingängige Melodien, die schnell zu Ohrwürmern werden, und lustige Texte, die ohne Sprachkunst und Tiefgang auskommen und den Schlachtenbummlern in den Stadien zur Hymne werden können.

b Markieren Sie die wichtigsten Informationen zu den CDs.

c Eine Freundin hat Sie nach deutscher Musik gefragt. Schreiben Sie eine Mail und empfehlen Sie ihr eine der CDs. Benutzen Sie die Ergebnisse aus Übungsteil b.

> Liebe Anna,
> in deiner letzten Mail hast du mich nach deutscher Musik gefragt. Also, meine Empfehlungen für dich sind …
>
>
>
> Viele Grüße und schreib bald wieder!

Wortschatz

2 Echte Fans

Ergänzen Sie den Text mit den Wörtern aus dem Schüttelkasten.

| Zugaben CDs Internet DVD Sound Cassetten Tickets Konzert Lyrics |
| Audiodatei Fanartikel MP3-Player Hintergrundinfos Webseite Videoclips |

Als Musikfan besitzt man nicht nur Unmengen von [1] _____CDs_____ oder [2] _____,
sondern sieht sich die neuesten [3] _____ im Fernsehen an oder lädt sich die aktuellen
Top Ten als [4] _____ für den [5] _____ herunter. Wenn einem eine Band gut
gefällt, surft man auf ihre [6] _____ und sucht nach [7] _____. Dort findet
man die Texte, auch [8] „_____" genannt, und vielleicht sogar die nächsten Tourdaten.
Ein [9] _____ seiner Lieblingsgruppe kann ein ganz besonderes Ereignis werden –
wenn [10] _____ und Lichtshow stimmen und das Publikum die Band für weitere
[11] _____ auf die Bühne holt. Man sollte sich rechtzeitig [12] _____
besorgen – entweder an der Vorverkaufskasse oder gleich im [13] _____. Nach dem
Konzert kann man sich noch die schönsten [14] _____ kaufen. Zu Hause sieht man sich
das Konzert noch einmal auf [15] _____ an.

3 Der Sprechrhythmus

Hören 48
Aussprache

a Im Deutschen wechseln betonte und unbetonte Silben in unterschiedlicher Reihenfolge. Hören
Sie und sprechen Sie nach: betont – unbetont [● ○].

1. Sonntag | Montag | Heute Mittag | Morgen Abend
2. Hallo! | Bis dann! | Komm doch! | Setz dich!

Hören 49
Aussprache

b Hören Sie und sprechen Sie nach: unbetont – betont [○ ●].

1. das Wort | der Satz | der Text | das Buch
2. Paß auf! | Geh weg! | Sieh her! | Hör zu!

Hören 50
Aussprache

c Hören Sie und sprechen Sie nach: betont – unbetont – unbetont [● ○ ○].

1. Danke schön! | Bitte schön! | Augenblick! | Sicherlich!
2. Schreib mir doch! | Halt das mal! | Geh schon mal! | Wart doch noch!

Hören 51
Aussprache

d Hören Sie und sprechen Sie nach: unbetont – betont – unbetont [○ ● ○].

1. das Lernen | die Schule | der Alltag | der Urlaub
2. Versteh doch! | Da war nichts! | Das stimmt nicht! | Ich weiß es.

Hören 52
Aussprache

e Hören Sie und sprechen Sie nach: unbetont – unbetont – betont – unbetont [○ ○ ● ○].

1. Guten Morgen! | Guten Abend! | Gute Reise! | Alles Gute!
2. Ohne Sorgen | heute Morgen | bringt das Leben | uns zum schweben.

Hören 53
Aussprache

f Hören Sie und notieren Sie den Silbenrhythmus.

1. Gute Nacht ○ ○ ● _____
2. Grüß Gott! _____
3. Mach weiter! _____

4. Hörst du? _____
5. Schöne Grüße! _____
6. Gib mir das! _____

7. Komm her! _____
8. Alles klar! _____
9. Vergiss es! _____

Hören 54-55
Aussprache

g Hören Sie die Kinderverse und sprechen Sie nach.

Es regnet, es regnet, es regnet seinen Lauf	Heile, heile Segen,
und wenn's genug geregnet hat,	sieben Tage Regen,
dann hört es wieder auf.	sieben Tage Sonnenschein,
	wird alles wieder heile sein.

Ein kluger Kopf

1 Welcher Typ sind Sie?

Lesen
Sprechen

a Auswertung des EQ-Selbsttests im Lehrbuch, S. 134. Wie oft haben Sie „ja", „nein" oder „ich weiß nicht" angekreuzt? Lesen Sie die Antworten.

Typ A. Der / die Empathische

Sie haben mehr als sechs Aussagen mit „ja" beantwortet.

Sie fühlen sich nur in Gesellschaft richtig wohl und gehen bei jeder Gelegenheit auf Ihre Mitmenschen zu. Kein Wunder also, dass man gern mit Ihnen im Team arbeitet und Ihnen auch Dinge anvertraut, die anderen verborgen bleiben. Ihre Hilfsbereitschaft in Ehren, aber passen Sie auf, dass man Sie nicht ausnutzt. Achten Sie darauf, dass auch Ihre eigenen Interessen nicht zu kurz kommen.

Typ B. Der / die Individualist/in

Sie haben mehr als sechs Aussagen mit „nein" beantwortet.

Sie verlassen sich am liebsten auf sich selbst. Ob im Job oder in der Freizeit – Sie brauchen Ihre Freiheit und möchten allein entscheiden, wo es lang geht. In Ihren Beziehungen erwarten Sie, dass man emotional allein klar kommt, denn diese Erwartungen haben Sie ja auch an sich selbst. Sie mögen es, wenn man auf Sie zugeht, aber Sie selbst bleiben erst einmal distanziert. Fürchten Sie sich etwa vor Enttäuschungen?

Typ C. Der / die Selbstunsichere

Sie haben mehr als sechs Aussagen mit „ich weiß nicht" beantwortet.

Sie haben sich offenbar über Ihre Beziehungen zu Ihren Mitmenschen bisher nur wenig Gedanken gemacht. Vielleicht liegt das daran, dass Sie sich selbst erst einmal gut kennen lernen sollten. Schreiben Sie die Geschichte Ihres Lebens mit all seinen Beziehungen auf. Finden Sie in einem Prozess des autobiografischen, kreativen Schreibens heraus, wer Sie sind und was Sie (von anderen) wollen.

Typ D. Der/ die Egoist/in

Sie haben jeweils weniger als sechs Aussagen mit „ja / nein / ich weiß nicht" beantwortet.

Sie mögen Gesellschaft, aber Sie selbst sind sich am wichtigsten. Sie freuen sich über die Hilfe Ihrer Nachbarn. Wenn aber jemand Ihre Hilfe braucht, dann haben Sie keine Zeit. Sie wollen über Ihre Sorgen reden, aber für die Probleme anderer haben Sie kein offenes Ohr. Werden Sie sensibler für die Bedürfnisse anderer. Versuchen Sie auf Ihre Mitmenschen einzugehen, frei nach dem Motto: eine gute Tat pro Tag.

b Überlegen Sie, ob die Ergebnisse treffend sind und warum bzw. warum nicht.

2 Emotionale Intelligenz

Lesen

Lesen Sie den Text im Lehrbuch, S. 135, noch einmal und entscheiden Sie, ob die Aussagen richtig (r) oder falsch (f) sind..

1. Im Alltag haben es Menschen mit emotionaler Intelligenz oft schwer. r **X**
2. Menschen mit emotionaler Intelligenz haben wenig Probleme, mit ihrer Familie gut auszukommen. r f
3. Für emotional intelligente Menschen spielen sowohl die Mitmenschen als auch sie selbst eine wichtige Rolle. r f
4. Emotionale Intelligenz erhöht die Chancen im Berufsleben. r f
5. Die emotionale Intelligenz kann man fördern, indem man die Ängste der Mitmenschen besser kennen lernt. r f
6. Emotional intelligente Menschen sehen in der Auseinandersetzung mit anderen eine Chance. r f
7. Auch ohne großen Wortschatz fällt es einem leicht, Gefühle gut zu beschreiben. r f
8. Der richtige Umgang mit Kritik ist ein Zeichen für emotionale Intelligenz. r f
9. Beschäftigen sie sich mit Ihrer Lebensgeschichte, das hilft beim Kontakt zu anderen. r f

3 Konsekutive und konzessive Konnektoren

a Was passt? Verbinden Sie die Satzteile bzw. Sätze.

1. Menschen mit hohem EQ können gut zuhören,	A dass sie ständig an sich arbeiten.	1.	B
2. Sie können gut auf die Bedürfnisse anderer eingehen.	B dennoch verstehen sie ihre Mitmenschen nicht immer.	2.	☐
3. Sie üben zwar konstruktiv Kritik,	C versuchen sie für andere da zu sein.	3.	☐
4. Obwohl sie ein gutes Selbstbewusstsein haben,	D aber Kritik anzunehmen fällt auch Ihnen schwer.	4.	☐
5. Selbst wenn sie wenig Zeit haben,	E reden nicht so gerne über eigene Schwächen.	5.	☐
6. Emotionale Intelligenz ist ihnen so wichtig,	F Ungeachtet dessen können sie auch auf ihre eigene Bedürfnisse achten.	6.	☐

b Ergänzen Sie die fehlenden Konnektoren. Es gibt meist mehrere Lösungen.

> infolgedessen   obschon   ungeachtet   infolge   so … dass
> wenngleich   folglich   trotz   trotzdem   dennoch   obwohl

1. _Obwohl / Obschon / Wenngleich_ sich viele Menschen für emotional intelligent halten, muss das nicht unbedingt stimmen.

2. Heutzutage wächst die Bedeutung von emotionaler Intelligenz auch im Berufsleben, _____ bleiben auch andere Qualifikationen wichtig.

3. _____ ihrer zunehmenden Bedeutung ist es sehr schwierig, emotionale Intelligenz während eines Bewerbungsverfahrens nachzuweisen.

4. Bei Bewerbungsgesprächen oder Auswahlseminaren müssen sich die Personalmitarbeiter _____ von ihrer Menschenkenntnis leiten lassen.

5. _____ langer Einstellungsgespräche oder komplexer Bewerbungsverfahren zeigt sich emotionale Intelligenz erst richtig im (Berufs-)Alltag.

6. _____ es eine zusätzliche Belastung zum Arbeitsalltag ist, kann man berufsbegleitend Trainingskurse zur Förderung der emotionalen Intelligenz besuchen.

7. Denn wer sich selbst _____ gut kennt, _____ er Komplexe und Ängste abbauen kann, profitiert an erster Stelle auch selbst von dieser „Qualifikation".

8. _____ der Auseinandersetzungen mit sich und den anderen gewinnt man einen neuen Blick auf die Dinge.

9. _____ wird man durch den Einsatz von emotionaler Intelligenz nicht zum perfekten Mitarbeiter, zur perfekten Kollegin oder zum perfekten Partner, jedoch sicher zu einem sehr angenehmen Mitmenschen.

10. _____ passt auch hier die Redewendung: Übung macht den Meister.

c Schreiben Sie Sätze. Verwenden Sie die angegebenen Konnektoren und Stichwörter.

1. derart … dass / Erfolge beim Coaching / überzeugend / sein / Gespräch / sich lohnen
   Die Erfolge beim Coaching sind derart überzeugend, dass sich ein Gespräch lohnt.

2. gleichwohl / Qualität eines Coaches / nicht immer gleich / sein
   _____

3. Berufsbild des Coaches / nicht geschützt / sein / infolgedessen / viele Scharlatane / es gibt
   _____

4. somit / Vergleich der Angebote / unbedingt empfehlenswert / sein
   _____

5. wenngleich / selbst ein guter Coach / keine positive Veränderungen / garantieren / können
   _____

6. selbst wenn / besten Coach / Sie / haben / eigene Bereitschaft / am wichtigsten / sein
   _____

Schule machen

1 Zu Besuch in Deutschlands bekanntester Versuchsschule.

Lesen

Lesen Sie den Text im Lehrbuch, S. 136, noch einmal und entscheiden Sie, ob die Aussagen richtig (r) oder falsch (f) sind.

1. Der Unterricht beginnt um acht Uhr mit einer kreativen Stunde.   r   X
2. Die Schüler lernen in einem großen unterteilten Saal.   r   f
3. In der Laborschule lernt man auch einen fairen Umgang miteinander.   r   f
4. In der Schule unterrichten auch Ärzte, deshalb heißt sie Laborschule.   r   f
5. In der Laborschule werden die Schüler individuell gefördert.   r   f
6. Die Schüler können ihre Leistungen selbst benoten.   r   f
7. Der Leistungsvergleich der Schüler untereinander ist in der Laborschule besonders wichtig.   r   f
8. Behinderte Schüler können die Laborschule nicht besuchen.   r   f
9. Es wird kritisiert, dass die Schüler zu wenig lernen.   r   f
10. Das Sozialverhalten der Schüler aus der Laborschule ist nicht sehr gut.   r   f

2 Ein Leserbrief

Schreiben

→GI

Eine ausländische Freundin bittet Sie darum, einen Brief zu korrigieren, den Sie an den Westdeutschen Rundfunk (WDR) geschrieben hat. Korrigieren Sie den Brief wie folgt.

– Schreiben Sie die richtige Form an den Rand (Beispiel 1).
– Wenn ein Wort an der falschen Stelle steht, schreiben Sie es an den Rand, zusammen mit dem Wort, mit dem es vorkommen soll (Beispiel 2).

Ihr Artikel vom … unter www.wdr.de „Zu Besuch in Deutschlands bekanntester Versuchsschule"

Sehr geehrten Redaktion,   *geehrte*   1

Ich habe gelesen Ihren Artikel mit großem Interesse, denn ich habe selbst zwei Kinder im schulpflichtigen Alter.   *Interesse gelesen*   2

In meiner persönlichen Sicht kann ich nur bestätigen, dass eine gute Schulbildung sehr wichtig für die Entwicklung der Kinder ist.   _____   3

Allerdings bin ich mich nicht sicher, ob die Schüler in der Versuchsschule auch wichtige Kompetenzen wie Ordnung, Fleiß, Pünktlichkeit und den Umgang mit Hierarchien lernen.   _____   4

Dies sind wichtige Voraussetzung für den Eintritt in das Berufleben.   _____   5

Lassen Sie mich Folgendes zum Beispiel anführen: Ein Auszubildender kann die Inhalte seiner Ausbildung weder selbst bestimmen noch durch Projektarbeit selbst entdecken.   _____   6

Der Meister und die Berufsschule geben den Stoff vor und der Jugendliche muss deren Autorität zweifellos akzeptiert.   _____   7

Auch die Schüler der Laborschule müssen nach ihrer Schulzeit „draußen" den Leistungsdruck und den Leistungsvergleichen standhalten. Mich würde sehr interessieren, wie sie umgehen damit.   _____   8   _____   9

Von einer guten Schule ich erwarte, dass sie ihre Schüler auf das spätere Leben vorbereitet. Das bedeutet heutzutage, das die Schüler lernen, sich in einer modernen Leistungsgesellschaft zurecht zu finden.   _____   10   _____   11

Mit freundlichen Gruß,   _____   12

Barbara Osswald

Der Preis geht an ...

1 Reden halten – leicht gemacht

Zu welchen der Phasen A bis F einer Rede gehören die folgenden Sätze / Satzteile. Notieren Sie den richtigen Buchstaben hinter jeden Satz.

A Begrüßung	C Pro-Argumente und Beispiel	E Schlussfolgerung
B Einleitung	D Contra-Argumente	F Dank

1. Keine Frage! Die anderen Leistungen waren ebenfalls ... Trotzdem ... _D_
2. Es ist mir eine Freude, ... _____
3. Sehr geehrte Damen und Herren, ... _____
4. Ich danke Ihnen für Ihre Aufmerksamkeit! _____
5. All das lässt nur eine Schlussfolgerung zu: ... _____
6. Ein Beispiel für seine / ihre herausragende Leistung ist, ... _____
7. Liebe Anwesende, ... _____
8. Es ist bewundernswert, wie ... _____
9. Ich möchte heute ein Thema zur Sprache bringen, ... _____
10. Danke! _____
11. Trotzdem ... _____
12. Somit gibt es nur einen Gewinner. _____
13. Besonders gut gefällt mir, ... _____
14. Ich freue mich, ... _____
15. Zwar haben die anderen Kandidaten auch ... gezeigt, aber ... _____
16. Sie / Er hat eindrucksvoll gezeigt, dass... _____
17. Deshalb hat sie / er den Preis verdient. _____
18. Sie/Er handelt wie ein echtes Vorbild, weil ... _____
19. Liebes Publikum, ... _____
20. Deswegen liegt klar auf der Hand, ... _____
21. Auch wenn die anderen Kandidaten... _____
22. Wie Sie sicher schon gehört haben, ... _____
23. Liebe / Verehrte Jury, ... _____

2 Wie war die Rede?

a Setzen Sie aus den Silben Adjektive zur Beschreibung einer Rede zusammen.

~~amü~~	be	einfalls	en	end	enthu	feier	ge	geistert	lang
lich	los	lust	~~sant~~	siastisch	spann	tragen	trock	weilig	ig

amüsant, ...

b Sortieren Sie die Adjektive aus Übungsteil a nach ihrer Bedeutung und ergänzen Sie jede Spalte um vier weitere Adjektive.

positiv	negativ
amüsant	

3 Erinnern Sie sich? Menschen um uns

Welche Personen gehören dazu? Sammeln Sie möglichst viele Begriffe.

1. enge Familie: _Vater / Papa,_
2. Verwandtschaft: _Schwiegervater,_
3. Bekanntenkreis: _Bekannte/r,_
4. Arbeitsumfeld: _Kollege, Kollegin,_

Grammatik: Das Wichtigste auf einen Blick

Formen und
Strukturen
S. 162

1 Konsekutive Nebensätze und Angaben

Konsekutive Nebensätze geben an: **Was ist die Folge?**

„so" + Adjektiv oder Adverb im Hauptsatz, dass im Nebensatz:
- Kerstin verdient in den USA so gut, dass sie nicht wieder nach Europa zurückgehen will.
- Sie hatte dort derartig gute Chancen / solch gute Chancen, dass sie am liebsten für immer da geblieben wäre.

„so dass" kann auch zusammen am Anfang des Nebensatzes stehen:
- Kerstin hat in den USA die Karrieremöglichkeiten genutzt, sodass sie jetzt das Fünffache verdient.

Alternative Möglichkeiten, konsekutive Angaben auszudrücken:

Nebensatz	Verbindungsadverb	Präposition + Nomen
• Er verdiente so viel, dass er sich ein Haus kaufen konnte.	• Er verdiente sehr viel. Infolgedessen konnte er sich endlich ein Haus kaufen.	• Infolge seines guten Verdienstes konnte er sich endlich ein Haus kaufen.
sodass; solch ..., dass; derartig ..., dass	folglich, infolgedessen, somit, also, demzufolge, demnach, somit	infolge + G, infolge von + D

Formen und
Strukturen
S. 161

2 Konzessive Nebensätze und Angaben

Konzessive Nebensätze geben einen „Gegengrund" an: **Trotz welcher Umstände ...?**
- Obwohl es in den Großstädten Kanadas genauso turbulent zugeht wie in europäischen Großstädten, lebt man dort sehr viel freier und unkomplizierter.

Alternative Möglichkeiten, konzessive Angaben auszudrücken:

Nebensatz / Hauptsatz	Verbindungsadverb	Präposition + Nomen
• Ich gehe spazieren, obwohl es regnet. • Auch wenn es regnet, gehe ich spazieren. • Zwar regnet es, aber ich gehe spazieren.	• Es regnet. Trotzdem gehe ich spazieren. (Ich gehe trotzdem spazieren.)	• Trotz des Regens gehe ich spazieren.
obwohl, obgleich, selbst wenn, wenn... auch, auch wenn; obschon, wenngleich *veraltet*); zwar – aber	trotzdem, dennoch, gleichwohl, indessen	trotz + G, ungeachtet + G *(gehobene Sprache)*

12 Sprachlos

Sprachlos

Wortschatz

1 Gefühle – gefühlvoll – gefühllos?

a Welchen Artikel haben die Nomen? Ergänzen Sie!

b Wie heißen die Adjektive zu den Nomen? Ergänzen Sie ggf. auch die passenden Präpositionen.

1.	_der_ Stolz	_stolz auf + A._	7.	____ Verständnis	_____
2.	____ Angst	_____	8.	____ Dankbarkeit	_____
3.	____ Verärgerung	_____	9.	____ Verzweiflung	_____
4.	____ Zorn	_____	10.	____ Erleichterung	_____
5.	____ Neugier	_____	11.	____ Enttäuschung	_____
6.	____ Freude	_____	12.	____ Erstaunen	_____

Wortschatz

2 Starke Gefühle

a Was wird mit den folgenden Sätzen ausgedrückt? Ordnen Sie zu. Manchmal sind mehrere Lösungen möglich.

a. Mir fehlen die Worte.
b. Was soll man da noch sagen?
c. Wie?!! Bist du wahnsinnig?
d. Mein Beileid!
e. Sag's mir einfach.
f. Zum Glück!
g. Ist nicht wahr!
h. Mir hat es echt die Sprache verschlagen!
i. Ich muss jetzt leider aufhören.

j. Gott sei Dank, das wurde auch Zeit.
k. Keine Ursache, das mache ich doch gerne.
l. Und?
m. Mir bleibt die Spucke weg.
n. So eine Frechheit!
o. Echt?
p. Nie und nimmer!
q. Ich kann dir gar nicht sagen, wie dankbar ich dafür bin.

Erstaunen	Neugier	Dankbarkeit	Unterstützung	Verärgerung	Bedauern
a,					

Hören 🔴 56
Aussprache

b Hören Sie die Sätze aus Übungsteil a, zeichnen Sie die Satzmelodie mit Pfeilen ein (↗, ↘, →). Hören Sie dann noch einmal und sprechen Sie die Sätze nach.

> a. _Mir fehlen die Worte._ ↘

c Welche der Sätze aus Übungsteil a passen zu den folgenden Situationen? Manchmal sind mehrere Lösungen möglich.

1. Eigentlich ist es ja verrückt, aber ich habe mir jetzt doch einen Sportwagen bestellt.
2. Ich hab' zwar wenig Zeit, aber o.k.: Ich lese deine Examensarbeit Korrektur.
3. Stell dir vor, meine Oma hat den Jackpot im Lotto geknackt!!
4. Martina hat jetzt doch eine Gehaltserhöhung bekommen.
5. Wie hast du denn reagiert, als du gehört hast, dass nicht du, sondern Rolf Abteilungsleiter wird?
6. Ähm … ich weiß gar nicht, wie ich anfangen soll.
7. Wir haben jetzt schon eine Stunde telefoniert, hast du trotzdem noch ein bisschen Zeit?
8. Vielen Dank für deine Unterstützung!
9. Fred hat jetzt endlich die Führerscheinprüfung geschafft.
10. Würdest du nach Alaska auswandern wollen?
11. Meine Cousine ist gestern gestorben.
12. Bei mir kannst du Tag und Nacht anrufen. Da ist doch nichts dabei!

1	2	3	4	5	6	7	8	9	10	11	12
a, c,											

d Schreiben Sie sechs Äußerungen zu besonderen / überraschenden Situationen auf je einen Zettel. Arbeiten Sie dann zu zweit und reagieren Sie auf die Äußerungen des anderen mit den Sätzen aus Übungsteil a. Tauschen Sie sich dann im Kurs aus.

3 Standardsprache – Umgangssprache

Schreiben Sprechen

a Wählen Sie rechts jeweils die passende Antwort auf die Äußerung links: a oder b?

b Handelt es sich dabei um eine eher standardsprachliche, formelle (f) oder umgangssprachliche, informelle (i) Situation? Markieren Sie die Dialoge entsprechend mit f oder i.

1. ▶ Frau Robertz, wären Sie so freundlich und würden mir die Akte Maier bringen?
  a. ▷ Aber gern, Herr Winter!
  b. ▷ Wird gemacht Chef!
    1. [a] [f]

2. ▶ Ein wirklich meisterhaft gespieltes Klavierkonzert. Sehr empfehlenswert!
  a. ▷ Klasse Pianist!
  b. ▷ Unglaublich, dass ein so junger Mann schon so hervorragend spielt!
    2. ☐ ☐

3. ▶ Hallo, Frau Kollegin! Ich hab' jetzt doch allen Kollegen das Programm gemailt.
  a. ▷ Na also! Warum nicht gleich so!
  b. ▷ Das wurde auch wirklich Zeit, Herr Mindt!
    3. ☐ ☐

4. ▶ Guten Abend! Ich möchte Ihnen gern Herrn Dankwart vorstellen.
  a. ▷ Sehr erfreut. Jürgens ist mein Name.
  b. ▷ Hallo, Herr Dankwart! Ich bin Peter Jürgens.
    4. ☐ ☐

5. ▶ Liebe Kolleginnen, das ist Jasmin Breyer, unsere neue Kollegin. Frau Breyer, das sind Frau Weis und Frau Schmidt.
  a. ▷ Super klasse, endlich zu dritt!
  b. ▷ Schön, dass Sie bei uns anfangen. Wir können Unterstützung gebrauchen.
    5. ☐ ☐

6. ▶ Stell dir vor, seine Schwester ist gestorben.
  a. ▷ Oje, das muss ja schrecklich sein für ihn!
  b. ▷ Richten Sie ihm bitte mein herzliches Beileid aus!
    6. ☐ ☐

7. ▶ Ich beglückwünsche Sie zum Erfolg Ihrer Abteilung. Sie werden diesmal an der Incentive-Reise teilnehmen.
  a. ▷ Vielen Dank für die Auszeichnung. Da freue ich mich aber sehr!
  b. ▷ Super! Eine Incentive-Reise: echt cool!
    7. ☐ ☐

8. ▶ Carsten ist schon wieder krank!
  a. ▷ Das ist in keiner Weise verwunderlich. Sein Lebenswandel ist höchst ungesund!
  b. ▷ Kein Wunder, bei dem Lebenswandel!
    8. ☐ ☐

c Arbeiten Sie zu zweit. Erfinden Sie eigene Antworten, die zu den acht Situationen in Übungsteil a passen. Falls möglich, spielen Sie die Dialoge auch in der Klasse vor.

12 Sprachlos

Nichts sagen(d)

1 **Das sollten Sie schon kennen – Allerweltsthemen**

a Auf der Party herrscht Stimmengewirr. Über welches Thema unterhalten sich die Personen gerade und welche Wörter bzw. Wortteile können Sie identifizieren?

1. ▶ Was für ein scheußliches _Wetter_.   ▷ Ja, wirklich! Jetzt _____ es schon seit einer Woche. Alles nass!

2. ▶ Wien, Venedig, New York – _____-touren sind einfach wunderbar.   ▷ Ich fahre lieber ans _____, baden, faul in der Sonne liegen und lesen, lesen, lesen.

3. ▶ Wie finden Sie die deutsche _____?   ▷ Um ehrlich zu sein, ich esse lieber italienisch. Aber es gibt _____, die ich mag, z. B. Sauerbraten mit Klößen.

4. ▶ Haben Sie auch in dem großen _____ gestanden?   ▷ Nein, glücklicherweise hatte ich den Verkehrs-_____ gehört und bin anders gefahren.

5. ▶ Ziemlich warm für die Jahres_____? Finden Sie nicht auch?   ▷ Viel zu warm, und im Wetter_____ wurde etwas ganz anderes vorhergesagt.

6. ▶ Wo werden Sie dieses Jahr Ihren _____ verbringen?   ▷ Wie jedes Jahr, wir fahren ja immer in ein Familienhotel in die Schweizer _____.

7. ▶ Die Fahrt hierher war schrecklich! Es hat die ganze Zeit _____.   ▷ Erstaunlich, so viel _____ schon im November – alles weiß!

8. ▶ _____ Sie gern?   ▷ Ja, ich bin ein leidenschaftlicher _____, jedes Wochenende probiere ich ein neues Gericht aus.

9. ▶ Haben Sie's geschafft, pünktlich zu kommen? In der Innenstadt gab es ja kein _____!   ▷ Allerdings! Ich habe vom Zentrum bis hierher eine Stunde _____. Es wird immer schlimmer.

10. ▶ Letzte Woche habe ich in der _____ „Don Juan" gesehen, kann ich nur empfehlen.   ▷ Nein, das Gesinge ertrage ich leider nicht, aber wenn nächste Woche die Berlinale ist, gehe ich jeden Abend ins _____.

11. ▶ Finden Sie das _____ auch so gut?   ▷ Ja, wunderbar und so eine große _____. Von allem etwas!

12. ▶ Fahren Sie auch mit der _____?   ▷ Nein, ich bin begeisterter Auto_____.

Wetter	Essen	Verkehrssituation	Freizeit / Urlaub
1,			

b Schreiben Sie für jedes Thema mindestens einen Minidialog und spielen Sie sie in der Gruppe vor. Korrigieren Sie sich gegenseitig und tauschen Sie dann die Rollen.

2 **Reden – nur worüber?**

Wie heißen die Wörter und Ausdrücke? Wenn Sie die Texte im Lehrbuch, S. 142 / 143, noch einmal genau lesen, finden Sie es sicher heraus.

Text 1 – linke Spalte
1. sich an etwas sehr fest festhalten → _sich klammern an + A_
2. sich in einer peinlichen / hilflosen Situation fühlen → _____ sein
3. Man verlangt zu viel von sich selbst. → Man stellt zu _____.
4. Über heikle Themen sollte man nicht sprechen. → Man sollte sie _____.
5. Eine Unterhaltung hat Erfolg. → Sie _____.

Wortschatz
Schreiben

Wortschatz
Lesen

Text 1 – rechte Spalte

6. Das Wetter ist das Thema Nr. 1, um ein Gespräch anzufangen. → Es ist der _____.

7. Man ist sich nicht mehr ganz fremd. → Das Eis ist _____.

Text 2

8. Man sitzt / steht enger zusammen. → Man ist sich _____.

9. ein Gespräch anfangen → ins _____

10. Courage lohnt sich. → Courage _____ aus.

11. jemand will nichts mit einem zu tun haben → Er zeigt einem die _____.

Text 3

12. krampfhaft nichts sagen → _____

13. Jemand ist taktvoll. → Er hat _____.

14. In eine peinliche Situation kommen. → ins _____

15. Seien Sie vorsichtig mit dem Thema Politik! → _____ vor dem Thema Politik!

16. Auch über Religion oder Geld spricht man nicht. → Das sind _____.

Text 4

17. einen Kontakt herstellen → Kontakt _____

18. Sie interessieren sich wirklich für Ihren Gesprächspartner. → Sie schenken ihm _____.

19. Gespräche sollen zu gegenseitigem Vertrauen führen. → Sie sollen Vertrauen _____.

20. Hemmungen besiegen → Hemmungen _____

21. Sie sind Spezialist auf diesem Gebiet. → Sie _____.

3 Informationen und Argumente zusammenfassen

Lesen
Schreiben

a Lesen Sie den Text und entscheiden Sie, ob die Aussagen richtig (r) oder falsch (f) sind.

Linguisten fordern Unterricht in Dialekten

Neuerdings wird von Sprachwissenschaftlern die Einführung von Dialektunterricht in den Schulen gefordert. Auch der Linguist Jost Fischer gehört zu den Anhängern dieser Idee. Denn die Stigmatisierung 5 von Dialekten – also der Sprache, die viele Kinder zuhause sprechen – in der Gesellschaft führe häufig dazu, dass Kinder in der Schule frustriert würden und daher Störungen entwickelten. „Zweisprachig" – d. h. mit Mundart und Hochdeutsch – aufgewachsene 10 Kinder entwickelten zudem mehr Sprachkompetenz, was auch Auffassungsgabe und Denken trainiere. Aus diesem Grund plädiert Fischer dafür, dass der Schulunterricht reformiert und das Curriculum durch das Fach „Dialektdeutsch" ergänzt wird.

Beim Philologenverband stieß dieser Vorschlag zwar 15 auf Zustimmung, aber es gab auch Gegenstimmen. Diese meinten, es sei zwar falsch, Dialekt zu verleugnen, aber es sei auch nicht hilfreich, ein neues Fach einzuführen. Es sei besser das Thema „Mundart" ins bestehende Unterrichtssystem zu integrieren. Denn 20 die Möglichkeit, auch im Unterricht seinen Dialekt verwenden zu können, stärke die eigene Identität und vergrößere die Ausdrucksmöglichkeit der Kinder. All dies ist nicht unumstritten. Auf jeden Fall sollte am Ziel der fehlerfreien Beherrschung des Deutschen 25 festgehalten werden.

1. Dialekte sollen in den Schulen unterrichtet werden. r f

2. Dialekt sprechende Kinder entwickeln häufig Störungen, weil Dialekt sprechen als etwas Minderwertiges angesehen wird. r f

3. Der Philologenverband beurteilt die Einführung des neuen Faches „Dialektdeutsch" uneingeschränkt positiv. r f

4. Kinder, die einen Dialekt sprechen, haben ein stärkeres Identitätsgefühl. r f

b Welche Meinung zu diesem Problem unterstützt der Autor?

Zeile: _____., Formulierung: _____.

c Welche Informationen und welche Argumente finden Sie in dem Text?

Informationen	Argumente
Z. 1–4: Sprachwissenschaftler fordern …	

d Fassen Sie nun den Text in drei Sätzen zusammen.

> In dem Zeitungsartikel geht es darum, dass …

> **Zusammenfassungen:**
> Erinnern Sie sich, wie man eine Zusammenfassung schreibt? Redemittel dafür finden Sie im Lehrbuch, Lektion 6.

Die Kunst der leichten Konversation

1 Scheußliche Themen

Lesen
Sprechen

Sie möchten das Thema wechseln oder die Gesprächsgruppe verlassen, ohne unhöflich zu wirken. Welche der Sätze unten passen? Markieren Sie.

1. Ich geh' mal eben etwas frische Luft schnappen. Es ist ein bisschen heiß hier. [X]
2. Ich glaube, ich hole mir noch was vom Buffet. ☐
3. Das Thema ist mir zu heiß, ich geh' dann mal woanders hin. ☐
4. Ach, da hinten sehe ich gerade einen alten Bekannten. Ich geh' mal eben hin. ☐
5. A propos, da fällt mir eine Geschichte ein: … ☐
6. Jetzt möchte ich aber endlich noch zu einer anderen Gruppe gehen. ☐
7. Da Sie gerade von Krankheiten sprechen, ich habe letztens im Radio einen interessanten Bericht über Heiler gehört. ☐
8. Ach du lieber Gott, ich habe vergessen, meine Frau abzuholen. ☐
9. Das Thema interessiert mich nicht besonders, ich glaube, ich geh mal eben zu den anderen. ☐
10. Entschuldigen Sie, ich muss noch … ☐

2 So ein Gerede!

Wortschatz

a Welche Verben passen zu den Nomen? Manchmal gibt es mehrere Lösungen.

> führen   machen   treiben   betreiben   halten   abhalten   kommen

1. ein Gespräch _führen_
2. Konversation _____
3. Smalltalk _____
4. eine Unterhaltung _____
5. eine Besprechung _____
6. ein Schwätzchen _____
7. eine Diskussion _____
8. ein Interview _____
9. einen Plausch _____
10. ins Gespräch _____

b Welche Bedeutung haben die folgenden Nomen: neutral (n) oder negativ (neg)?

1. So ein Gerede! _neg_
2. Das viele Reden strengt an. _____
3. Die005Rederei ist einfach zuviel. _____
4. Quatschen macht vielen Menschen Spaß. _____
5. Wir hören jeden Samstag das Gequatsche der Sportreporter. _____
6. Ich erinnere mich oft an die Quatscherei meines Philosophielehrers. _____
7. Hören Sie bitte auf mit der Fragerei! _____
8. Fragen will gelernt sein. _____
9. Das Plaudern am sonntäglichen Kaffeetisch erinnert mich an meine Kindheit. _____
10. Das Geplaudere nervt ganz schön! _____

c Wie heißt die Regel?

> **!** Die Endung „-erei" beziehungsweise die Vorsilbe „Ge-„ zusammen mit der Endung „-e" geben dem Nomen eine _____ Bedeutung.

d Bilden Sie Nomen mit „-erei" und – wenn möglich – „Ge- … -e".

Bei Verben auf –ieren,
keine Nomen mit „Ge- …-e".

1. laufen   *die Lauferei*   *das Gelaufe*   4. singen   _____ _____
2. schreien   _____ _____   5. reisen   _____ _____
3. diskutieren   _____ _____   6. probieren   _____ _____

3 Höher, schneller, weiter – Sportreporter sind nie sprachlos.

Hören ◯ 57-61

→TELC

a Hören Sie folgende Kurznachrichten. Entscheiden Sie, ob die Aussagen richtig (r) oder falsch (f) sind.

1. Das bulgarische Eiskunstpaar Denkowa und Stawiski erhält die Bronzemedaille.   r   f
2. Der deutsche Skispringer Martin Schmitt erreichte den 13. Platz.   r   f
3. Die schwedische Skiläuferin Anja Pärson holt ihren fünften WM-Titel.   r   f
4. Der Deutsche Axel Teichmann erreicht beim Teamsprint nur den siebten Platz.   r   f
5. Der Schweizer Daniel Albrecht gewinnt die Silbermedaille im Riesenslalom.   r   f

Hören ◯ 62-71
Schreiben

b Hören Sie weitere Sportschlagzeilen, machen Sie sich Notizen und formulieren Sie dann die Schlagzeilen aus.

1. Jean Marie *schneller / Konkurrenten*   6. Die Norweger _____
2. Karl Maier _____   7. Die Chinesen _____
3. Silke Dach _____   8. Die Deutschen _____
4. Ihre Konkurrentin aus Kenia _____   9. Aber die Stimmung _____
5. Das deutsche Team _____   10. Im nächsten Jahr _____

1. *Jean Marie ist wieder schneller gelaufen als alle Konkurrenten.*

Mit Händen und Füßen

1 Die Macht der wortlosen Sprache

Lesen
Wortschatz

a Lesen Sie den Text und ergänzen Sie die fehlenden Wörter aus dem Schüttelkasten.

> Instrumente   vorstellbar   authentischer   ein Signal   sich treffen   geprägt   Beurteilung
> Kommunikation   herausgestreckte   entdeckt   wirkungsvoll   ~~sprachlos~~   gibt … preis

Der Körper ist niemals [1] *sprachlos*. Wenn Menschen [2] _____, reden sie miteinander – sogar wenn sie nicht sprechen. Die [3] _____ Brust ist [4] _____, ebenso wie die kleine Veränderung der Sitzhaltung, die geöffnete Handfläche, aber auch die Farbe der Krawatte oder das dezente Parfüm. Mimik, Gestik, Haltung und Bewegung, die räumliche Beziehung, Berührungen und die Kleidung sind wichtige [5] _____ der nonverbalen Kommunikation. Es ist die älteste Form der zwischenmenschlichen [6] _____. Auf diese Weise klären wir untereinander, ob wir uns sympathisch sind und ob wir uns vertrauen können. Der Körper [7a] _____ unsere wirklichen Gefühle [7b] _____, wer wir sind und was wir eigentlich wollen. Die nonverbalen Botschaften sind oft unbewusst und gerade deshalb so [8] _____. Ohne Körpersprache sind die täglichen sozialen Beziehungen gar nicht [9] _____. Wissenschaftler haben [10] _____, dass 95 Prozent des ersten Eindrucks von einem Menschen von Aussehen, Kleidung, Haltung, Gestik und Mimik, Sprechgeschwindigkeit, Stimmlage, Betonung und Dialekt [11] _____ werden und nur drei Prozent von dem, was jemand sagt. Und die [12] _____ der Person geschieht in weniger als einer Sekunde. Weil wir das körperliche Verhalten schwerer kontrollieren und beherrschen können als die verbalen Aussagen, gilt die Körpersprache als wahrer und [13] _____.

b Notieren Sie dann die Synonyme aus dem Text im Lehrbuch, S. 147.

1. *sprachlos → stumm*

Lesen
Wortschatz

2 Körpersprache

Ordnen Sie die folgenden Begriffe den hervorgehobenen Stellen im Text zu und formulieren Sie ggf. um.

a. sich entfernen ☐ —————

b. verglichen mit ☐ —————

c. der Effekt ☐ —————

d. der Abstand ☐ —————

e. wahrnehmen ☐ —————

f. die Gegenwart 1 —————

g. bestimmt ☐ —————

h. zu bemerken ☐ —————

i. etabliert ☐ —————

j. die Signale (Pl.) ☐ —————

Störe meine Kreise nicht! Noli turbare circulos meos

So soll Archimedes den anrückenden Römern zugerufen haben und daraufhin erschlagen worden sein. Die [1] **Anwesenheit** und Nähe eines anderen Menschen bis hin zum Körperkontakt haben eine direkte und starke [2] **Wirkung**. Eine Ohrfeige oder ein Kuss sind körperliche [3] **Botschaften**, die jeder versteht. Für die richtige [4] **Distanz** zu anderen Menschen haben wir ein feines Gespür und instinktiv nehmen wir in einem Raum den Platz ein, der für uns angenehm ist. Wenn wir zu Nähe gezwungen werden, wie zum Beispiel im Fahrstuhl, versuchen wir, die anderen zu ignorieren, und vermeiden jeden Blickkontakt. Das Distanzempfinden ist kulturell [5] **geprägt**. Ein Japaner zum Beispiel könnte einen Europäer im Gespräch als aufdringlich [6] **empfinden**, da dieser immer etwas näher kommen möchte, als es dem Japaner lieb ist. Der Europäer hält dagegen möglicherweise den Japaner für distanziert, da dieser immer etwas [7] **zurückweicht**. Auch bei Berührungen sind kulturelle Unterschiede [8] **festzustellen**. In den westlichen Ländern haben sich in den letzten Jahren das Berühren von Freunden und Bekannten, Umarmungen und Küssen auf Wange oder Mund weitgehend [9] **durchgesetzt**. Dennoch ist Europa eine Region, in der der Austausch von Körperkontakt [10] **im Vergleich zu** anderen Kulturen eher selten ist.

3 Knifflige Situationen

Schreiben
Sprechen

a Entwerfen Sie zu zweit Dialoge für folgende Situationen. Die Redemittel helfen Ihnen.

Ich habe festgestellt, dass … | Das ist nicht so einfach, weil … | Mir ist bewusst geworden, dass … | Ich bedaure, … | Da kann ich im Moment nichts machen. | Ich möchte eine Bestellung aufgeben. | Wären Sie so freundlich und würden … | Würde es Ihnen was ausmachen, …. | Ich muss mich leider darüber / über … beschweren. | Das ist ein bisschen schwierig, …

Rolle A: schwierige/r Kunde/in   **Rolle B: Hotelrezeptionist/in**

Die Dusche in Ihrem Zimmer defekt – sofortige Reparatur oder anderes Zimmer.

Es ist Wochenende. Reparatur nicht sofort möglich. Beruhigen Sie den Kunden mit einem Sonderangebot.

Sie stellen erst beim Zubettgehen fest, dass Ihr Zimmer direkt neben dem Aufzug liegt. Sie möchten umquartiert werden.

Um 23 Uhr ausgeschlossen; Hotel total ausgebucht.

Bestellung Kontinentalfrühstück mit vielen Extrawünschen; aufs Zimmer.

Entgegennahme Bestellung, da aufs Zimmer: teurer; da Sonderwünsche: teurer.

Matratze zu hart; Bett austauschen.

Geht, aber erst am nächsten Tag, da allein im Hotel.

Beschwerde über Hotelnachbarn; zu laut.

Entgegennahme Beschwerde; aber: Dauergast bleibt vier Wochen und hat schon bezahlt.

b Spielen Sie Ihre Szenen den anderen Gruppen vor. Die anderen nehmen Stellung.

– Welche Ausdrücke wurden verwendet? Welche finden Sie nützlich? Welche hätten noch verwendet werden können?
– Gab es sprachliche Unklarheiten? Wenn ja, welche?

4 Alles klar, oder doch nicht?

Wortschatz
Sprechen

a Welche Bedeutung haben die folgenden Gesten? Orden Sie zu.

1. Mir ist langweilig. ☐
2. Wie war das? ☐
3. Du bist doof! ☐
4. Pass nur auf! ☐

b Folgende Gesten können unterschiedliche Bedeutung haben. Ordnen Sie zu.

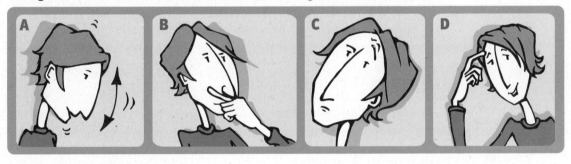

☐ 1. a. „Mir egal!" (Spanien)
   b. „Das ist mir durch die Lappen gegangen."
   (Frankreich)
☐ 2. a. „Ja." (in den meisten Ländern)
   b. „Nein." (Griechenland)

☐ 3. a. „Du bist verrückt!" (weltweit)
   b. „Das ist intelligent." (Europa, Amerika)
☐ 4. a. Flirt, Begrüßung (weit verbreitet)
   b. Skepsis (weit verbreitet)

c Was bedeuten folgende Gesten? Gibt es kulturelle Unterschiede? Vergleichen Sie?

d Kennen Sie noch andere Gesten? Tauschen Sie sich in Ihrem Kurs aus.

Der Ton macht die Musik

1 Da ist der Wurm drin …

Wortschatz
Schreiben

Welche Ausdrücke im Kasten entsprechen den unterstrichenen Satzteilen? Manchmal passt mehr als einer. Formulieren Sie die Sätze neu.

Der Punkt für mich ist, dass … | Entscheidend für mich ist, dass … | Ich erwarte, dass … | Ich möchte unterstreichen / hervorheben, dass … | Meine Forderung lautet, dass … | Ich würde mir wünschen, dass … | ~~Es kann nicht angehen, dass …~~ | Außerdem wäre wünschenswert, dass … | Es kann doch nicht im Sinne von … sein, … | Es kann doch nicht wahr sein, dass … | Ich finde es ungeheuerlich, dass … | Ich finde es unangemessen, dass… | Ich halte es für eine Frechheit / Unverschämtheit, dass …

Herr Schulte hat einen Kaffeeautomaten gekauft. Der hat von Anfang an nicht funktioniert. Er ist schon zweimal repariert worden und ist schon wieder kaputt. Herr Schulte geht wütend ins Geschäft. Aber weit und breit ist niemand zu sehen. Daher notiert er Sätze für einen Beschwerdebrief:

1. Es ist nicht akzeptabel, dass im ganzen Geschäft kein einziger Ansprechpartner zu finden ist.
2. Es ist kaum zu glauben, aber der Geschäftsführer hat auch nichts unternommen.
3. Für das Geschäft kann es doch auch nicht gut sein, wenn die Kunden frustriert hinausgehen.
4. Ich halte es für ganz und gar unglaublich, dass ein Geschäftsführer seine Kunden beschimpft.
5. Ich möchte betonen, dass es nicht übertrieben ist, ein neues Gerät zu verlangen, nachdem das alte zum dritten Mal in kurzer Zeit repariert werden muss.
6. Ich fände es schön, wenn der Verkäufer selbst darauf gekommen wäre.
7. Das Wesentliche für mich ist, dass das Gerät von Anfang an kaputt war.
8. Ich fordere deswegen, dass Sie das Gerät umgehend gegen ein Neues umtauschen.
9. Außerdem wäre es schön, wenn Sie mir eine Gutschrift zur Kompensation meiner Unannehmlichkeiten anbieten würden.

1. Es kann nicht angehen, dass im ganzen Geschäft kein einziger Ansprechpartner zu finden ist.

2 Wirklich nicht akzeptabel

Schreiben

→TELC

Verfassen Sie Beschwerdebriefe zu den folgenden Situationen. Benutzen Sie dabei auch die Redemittel aus dem Lehrbuch, S. 148 und 149.

Sich beschweren oder reklamieren, aber wie?
- *klar und einfach schreiben*
- *sich präzise ausdrücken*
- *Nominalstil vermeiden*
- *aggressiven Ton vermeiden*
- *klare Forderungen stellen und begründen*
- *ggf. eine Frist setzen*

A Ihre Familie überweist Ihnen monatlich einen Betrag zum Lebensunterhalt. Sie haben festgestellt, dass es mehrfach mehr als zehn Tage gedauert hat, bis der Betrag Ihrem Konto gutgeschrieben wurde. Das hat sogar schon dazu geführt, dass Sie Ihr Konto überzogen haben und Überziehungszinsen zahlen mussten. Telefonisch ist die Bank schlecht zu erreichen – die Warteschleife in der Hotline ist endlos. Beschweren Sie sich über diese Situation und verlangen Sie die Erstattung der Überziehungszinsen.
Nützliche Redemittel:
Ich bitte Sie um Erstattung der … auf mein Konto Nr. …
Im Sinne der Kundenfreundlichkeit wäre es …, wenn Sie …
… und erwarte mit Interesse Ihre Antwort.

B Sie haben einen DVD-Rekorder gekauft, der schon nach einem Monat kaputt war. Er wurde repariert und funktioniert jetzt schon wieder nicht. Im Geschäft will man ihn noch einmal reparieren. Sie wollen aber ein neues Gerät.
Man ist außerdem sehr unfreundlich zu Ihnen gewesen. Reklamieren Sie schriftlich bei der Geschäftsführung. Verlangen Sie ein neues Gerät. Weisen Sie auf die Gewährleistung hin.
Nützliche Redemittel:
Ich möchte Ihnen folgenden Sachverhalt darstellen: …
Ich bitte Sie um schnelle Erledigung dieser leidigen Angelegenheit.

C Der Vermieter will Ihnen die Kaution nicht zurückzahlen, weil er behauptet, Sie hätten den Teppichboden ruiniert. Das stimmt nicht: Der Teppichboden war laut Mängelliste, die bei Ihrem Einzug aufgestellt wurde, schon beschädigt. Verlangen Sie die Kaution zurück; setzen Sie eine Frist; drohen Sie mit gerichtlichen Schritten.
Nützliche Redemittel:
Sollte der Betrag von € … nicht bis zum … auf meinem Konto eingegangen sein, werde ich die Sache meinem Anwalt übergeben.

3 Ein „Schnäppchen" gekauft, was sie schnell bereut hat.

Ergänzen Sie die passende Relativpronomen „was" oder wo(r)-".

1. Inga hat sich oder einen neuen Fernseher gekauft, __was__ sie sich eigentlich im Moment nicht leisten kann.
2. Glücklicherweise hat sie ein „Schnäppchen" gemacht, _____ sie natürlich sehr froh war.
3. Leider war das Gerät schon nach zwei Tagen kaputt, _____ sie sich sehr geärgert hat.
4. Außerdem waren Bild- und Tonqualität miserabel, _____ heute eher sehr selten ist.
5. Alles, _____ der Verkäufer über diese unbekannte Marke gesagt hatte, war falsch.
6. Das Einzige, _____ sie jetzt tun kann, ist, das Gerät zurückzubringen und ihr Geld zurückzuverlangen, _____ es hoffentlich keinen Streit geben wird.
7. Das Schlimmste, _____ es kommen kann, ist ein „Gang zum Anwalt".

4 Vieles, wovon niemand weiß

Bilden Sie Relativsätze mit „was" oder „wo(r)- ".

Jan hat während seines Urlaubs ein schweres Unglück überlebt. Seitdem ist er „sprachlos".
1. Er hat Vieles erlebt. Er hatte noch nie darüber gesprochen.
2. Alles war schrecklich. Er hat es damals gesehen.
3. Vieles war falsch dargestellt. Die Presse hat davon berichtet.
4. Das Schlimmste war das Warten auf Hilfe. Jan erinnert sich daran.
5. Für die spontane Hilfsbereitschaft fremder Menschen ist er besonders dankbar.
6. Er wird jetzt mit einem Psychologen sprechen. Dazu hat ihm seine Familie dringend geraten.

> *1. Er hat Vieles erlebt, worüber er noch nie gesprochen hat. / Er hat Vieles, worüber er noch nie gesprochen hat, erlebt.*

Wer wagt, gewinnt

1 Sprachlos in der mündlichen Prüfung? Aber nein!

a Stellen Sie Ihrem/r Gesprächspartner/in Thema und Inhalt des Artikels vor. Nehmen Sie kurz persönlich Stellung zum Text. Sprechen Sie ca. 3 Minuten. Die Redemittel auf der nächsten Seite können Ihnen dabei helfen.

Worum geht es in dem Text:
– Was ist die Hauptaussage?
– Kennen Sie Menschen, auf die diese Aussage (überhaupt nicht) zutrifft?
– Wie ist Ihre persönliche Meinung dazu?

Glück in der Liebe
Der Ehemann der britischen Königin, Prinz Philip, hat sein Rezept für eine lang anhaltende Ehe verraten. „Das Geheimnis einer glücklichen Ehe ist, unterschiedliche Interessen zu behalten", sagte der 86-Jährige der Zeitung „Daily Telegraph". Und ein bisschen Selbstdisziplin gehöre dazu, damit man nicht alle seine verrückten Ideen in die Tat umsetze.

> **Die Hauptaussage eines Textes nennen:** In diesem Text geht es um … | Dieser kurze Artikel handelt von … | Bei dem Text handelt es sich um … | Die Hauptaussage ist …
> **Beispiele nennen:** Wenn ich das lese, muss ich an … denken. | Als ich das las, fiel mir sofort … ein. | Das erinnert mich übrigens an … | Ein Beispiel hierfür ist …
> **Eigene Meinung darstellen:** Das kann ich sehr gut / überhaupt nicht verstehen. | Ich kann dem (nur voll) / (überhaupt nicht) zustimmen. | Ich teile die Meinung des Autors (nicht). | Ich halte die Meinung / den Vorschlag des Autors für richtig / falsch / gefährlich / unsinnig / sinnvoll, weil …

Sprechen

→GI

b Sie sollen zusammen mit einem/r Kollegen/in für Ihr Geschäft für Musikinstrumente eine Internetseite gestalten und sind auf der Suche nach einem passenden Bebilderung. Sie sollen eines der drei Bilder auswählen.

- Wählen Sie ein Bild aus und begründen Sie Ihren Vorschlag.
- Widersprechen Sie dem Vorschlag Ihres/r Gesprächspartners/in.
- Finden Sie am Ende des Gesprächs eine gemeinsame Lösung.
- Die Redemittel unten können Ihnen helfen.

> **Einen Vorschlag machen und begründen:** Ich meine, wir sollten Bild … nehmen; denn … | Mein Vorschlag wäre Bild …, weil … | Wenn es nach mir ginge, würde ich … | Also, ich finde eindeutig Bild … am besten, weil …
> **Einem/r Gesprächspartner/in widersprechen:** Meiner Ansicht nach passt Bild … am besten, weil … | Da bin ich ganz anderer Meinung, denn … | Bild … ist zwar nicht schlecht, aber Bild … passt viel besser, weil … | Ich verstehe zwar deine Argumentation, aber ich finde trotzdem … | Da kann ich dir (gar nicht) zustimmen, denn …
> **Zu einer Entscheidung kommen:** Jetzt sollten wir uns langsam entscheiden. | Deine Argumente finde ich einleuchtend, wir nehmen also … | Ich glaube, du hast nichts dagegen, wenn wir … | Ich denke, wir fanden Bild … am besten, also sollten wir das nehmen. | Ich habe den Eindruck, wir können uns einfach nicht einigen. Wie wäre es mit einem Kompromiss: Diesmal entscheidest du, das nächst Mal bin ich an der Reihe.

Weitere Redemittel finden Sie in Lektion 9 im Arbeitsbuch.

2 Die Region macht die Musik.

Hören 🔘 72-77
Aussprache

a Hören Sie, was die Leute sagen. Aus welcher Region Deutschlands kommen sie wohl? Ordnen Sie nach der Reihenfolge ihres Sprechens zu!

Bayern	Berlin	Pfalz	Rheinland	Sachsen	Schwaben

b Wie heißen die Sätze wohl auf Hochdeutsch.

c Hören Sie noch einmal die regionalen Varianten. Welche Besonderheiten fallen Ihnen auf. Notieren Sie sie und tauschen Sie sich im Kurs aus.

Grammatik: Das Wichtigste auf einen Blick

Formen und
Strukturen
S. 156

1 Das Nachfeld: Vergleiche

Position 1	Position 2	Mittelfeld	Satzende	Nachfeld
Das Haus	hat	nach der Renovierung viel größer	ausgesehen	als vorher.
Skifahren	scheint	nicht so gefährlich	zu sein	wie Snowboarden.

In Vergleichssätzen kann ein Teil des Vergleichs noch nach dem Satzende stehen.

Formen und
Strukturen
S. 164

2 Beschreiben mit Relativsätzen

Relativsätze charakterisieren ein Nomen, ein Pronomen, oder auch den ganzen Hauptsatz.
Relativsätze beginnen mit einem Relativpronomen. Genus und Numerus des Relativpronomens
richten sich nach dem Nomen im Hauptsatz, auf das es sich bezieht.

Die Formen des Relativpronomens:

	m	n	f	Pl		m	n	f	Pl
Nom.	der	das	die	die	**Dat.**	dem	dem	der	denen
Akk.	den	das	die	die	**Gen.**	dessen	dessen	deren	deren

Der Kasus des Relativpronomens richtet sich nach der Funktion, den es im Nebensatz hat:
• Sind das **die Leute**, denen du die Bilder gezeigt hast? (Du hast die Bilder **den Leuten** gezeigt.)
• Da vorn ist **die Schule**, an der ich Abitur gemacht habe. (Ich habe **an der Schule** Abitur gemacht)
• Das ist **Frau Topf**, mit der ich lange telefoniert habe. (Ich habe **mit Frau Topf** lange telefoniert.)

Bei Ortsangaben kann man auch allgemein „wo" benutzen:
• Da vorn ist **die Schule**, wo ich Abitur gemacht habe.
• Das ist **das Dorf**, wo ich lange gelebt habe.

Wenn sich das Relativpronomen auf Indefinitpronomen, Demonstrativpronomen, Superlative
oder ganze Sätze bezieht, steht „was" oder ein Präpositionalpronomen mit „wo(r)" + Präposition:
• Das ist **alles**, was ich sagen wollte.
• In der Zeitschrift steht **nichts**, was mich interessiert.
• Es gibt **einiges**, was ich dir erzählen muss.
• Gibt es **etwas**, was ich für dich tun kann?
• Beim Smalltalk erfährt man **vieles**, was man nicht wissen will.
• Das ist genau **das**, was ich meine.
• Das ist **das Beste**, was mir passieren konnte.
• **Er ist sehr früh gekommen**, was mich sehr gefreut hat. (Die Tatsache, dass er früh gekommen
  ist, hat mich gefreut.)
• Ich verkaufe **manches**, worauf ich verzichten kann. (Ich kann **auf** manches verzichten.)
• In der Firma gibt es **einiges**, worüber ich mich ärgere. (Ich ärgere mich über einiges in der
  Firma.)
• Auf meinem Notizzettel steht **vieles**, woran ich denke sollte. (Ich sollte **an** vieles denken.)

Wenn sich das Relativpronomen auf eine unbestimmte Person bezieht, steht „wer", „wen", „wem":
• Wer heute noch den neuen MP3-Spieler bestellt, (der) erhält einen Rabatt von 10%.
• Wen häufig Magenschmerzen plagen, (der) sollte Alkohol und fette Speisen meiden.
• Wem diese Band gefällt, (der) kann sie heute Abend im Stadion live erleben.
• Wem diese Band gefällt, (dem) raten wir, eine CD von ihr zu kaufen.
• Wem diese Band gefällt, (den) laden wir zu einer Probe ein.
• Wem diese Band gefällt, dessen CDs lassen wir signieren.

Der Relativsatz kann auch den Hauptsatz teilen:
• Der Vortrag, den er heute gehalten hat, war sehr lang.

Abkürzungen

Im: Interaktion mündlich
Is: Interaktion schriftlich
Rm: Rezeption mündlich
Rs: Rezeption schriftlich
Pm: Produktion mündlich
Ps: Produktion schriftlich

Lektion 1

Das kann ich nun:		☹	😐	☺
Im	sich an Gesprächen und Diskussionen beteiligen sowie eigene Ansichten begründen und verteidigen			
Rm	längeren Gesprächen zu aktuellen, interessanten Themen folgen			
Rs	Anzeigen zu Themen eines Fach- oder Interessengebietes verstehen			
	in Texten Informationen, Argumente oder Meinungen ziemlich vollständig verstehen			
	in Korrespondenz die wesentlichen Aussagen verstehen			
Pm	Sachverhalte systematisch erörtern sowie wichtige Punkte und relevante Details hervorheben			
	Erfahrungen, Ereignisse und Einstellungen darlegen und die eigene Meinung mit Argumenten stützen			
	über aktuelle oder abstrakte Themen sprechen und Gedanken und Meinungen dazu äußern			
	komplexere Abläufe beschreiben			

Lektion 2

Das kann ich nun:		☹	😐	☺
Im	sich an Gesprächen und Diskussionen beteiligen sowie eigene Ansichten begründen und verteidigen			
	anderen Personen Ratschläge oder detaillierte Empfehlungen geben			
	ein Interview führen und auf interessante Antworten näher eingehen			
Rm	im Radio Informationen aus Nachrichten- und Feature-Sendungen verstehen			
Rs	in Texten Informationen, Argumente oder Meinungen ziemlich vollständig verstehen			
Pm	Sachverhalte systematisch erörtern sowie wichtige Punkte und relevante Details hervorheben			
	mündlich Vermutungen über Sachverhalte, Gründe und Folgen anstellen			
	eigene Gedanken und Gefühle mündlich beschreiben			
Ps	eigene Gedanken und Gefühle schriftlich beschreiben			

Lektion 3

Das kann ich nun:	☹	😐	☺
Im den eigenen Standpunkt begründen und Stellung zu Aussagen anderer nehmen			
bei Interessenkonflikten oder Auffassungsunterschieden eine Lösung aushandeln			
Rm im Radio Informationen aus Nachrichten- und Feature-Sendungen verstehen			
Rs in Texten neue Sachverhalte und detaillierte Informationen verstehen			
in Artikeln und Berichten über aktuelle Themen Haltungen und Standpunkte verstehen			
literarische Texte lesen, dabei die Gesamtaussage und viele Details verstehen			
Pm Sachverhalte systematisch erörtern sowie wichtige Punkte und relevante Details hervorheben			
mündlich Vermutungen über Sachverhalte, Gründe und Folgen anstellen			
eine Geschichte zusammenhängend erzählen			
Ps ein Thema schriftlich darlegen, Punkte hervorheben sowie Beispiele anführen			
Informationen und Argumente schriftlich zusammenführen und abwägen			

Lektion 4

Das kann ich nun:	☹	😐	☺
Im sich an Gesprächen und Diskussionen beteiligen sowie eigene Ansichten begründen und verteidigen			
den eigenen Standpunkt begründen und Stellung zu Aussagen anderer nehmen			
gezielt Fragen stellen und ergänzende Informationen einholen			
anderen Personen Ratschläge oder detaillierte Empfehlungen geben			
Is Informationen und Sachverhalte schriftlich weitergeben und erklären			
detaillierte Informationen umfassend und inhaltlich korrekt weitergeben			
Rm im Radio Informationen aus Nachrichten- und Feature-Sendungen verstehen			
die Hauptaussagen von klar aufgebauten Vorträgen, Reden und Präsentationen verstehen			
ausführliche Beschreibungen von interessanten Dingen und Sachverhalten verstehen			
Rs in Texten neue Sachverhalte und detaillierte Informationen verstehen			
Pm eine vorbereitete Präsentation gut verständlich vortragen			
mündlich Vermutungen über Sachverhalte, Gründe und Folgen anstellen			
Ps sich während eines Gesprächs oder einer Präsentation Notizen machen			

Minicheck: Das kann ich nun

Lektion 5

Das kann ich nun:		☹	😐	🙂
Im	verschiedene Gefühle differenziert ausdrücken und auf Gefühlsäußerungen anderer reagieren			
	zu einem gemeinsamen Vorhaben beitragen und dabei andere einbeziehen			
	bei Interessenkonflikten oder Auffassungsunterschieden eine Lösung aushandeln			
	anderen Personen Ratschläge oder detaillierte Empfehlungen geben			
Rm	(im Fernsehen) Informationen in Reportagen, Interviews oder Talkshows verstehen			
	in einer Diskussion der Argumentation folgen und hervorgehobene Punkte im Detail verstehen			
Rs	in Texten neue Sachverhalte und detaillierte Informationen verstehen			
Pm	mündlich Vermutungen über Sachverhalte, Gründe und Folgen anstellen			
Ps	eine zusammenhängende Geschichte schreiben			
	über aktuelle oder abstrakte Themen schreiben und eigene Gedanken und Meinungen dazu ausdrücken			

Lektion 6

Das kann ich nun:		☹	😐	🙂
Im	den eigenen Standpunkt begründen und Stellung zu Aussagen anderer nehmen			
	zu einem gemeinsamen Vorhaben beitragen und dabei andere einbeziehen			
	klare und detaillierte Absprachen machen und getroffene Vereinbarungen bestätigen			
	anderen Personen Ratschläge oder detaillierte Empfehlungen geben			
Is	Informationen und Sachverhalte schriftlich weitergeben und erklären			
Rm	komplexe Informationen über alltägliche und berufsbezogene Themen verstehen			
	detaillierte Anweisungen und Aufträge inhaltlich genau verstehen			
	im Radio Informationen aus Nachrichten- und Feature-Sendungen verstehen			
Rs	in längeren und komplexeren Texten rasch wichtige Einzelinformationen finden			
	literarische Texte lesen, dabei die Gesamtaussage und viele Details verstehen			
Pm	einen kurzen Text relativ spontan und frei vortragen			
	eine vorbereitete Präsentation gut verständlich vortragen			
	mündlich Vermutungen über Sachverhalte, Gründe und Folgen anstellen			
Ps	zu allgemeinen Artikeln oder Beiträgen eine Zusammenfassung schreiben			
	Anzeigen verfassen, die eigene Interessen oder Bedürfnisse betreffen			

Lektion 7

Das kann ich nun:	☹	☺	☺
Im ein Problem darlegen, dabei Vermutungen über Ursachen und Folgen anstellen sowie Vor- und Nachteile abwägen			
detaillierte Informationen umfassend und inhaltlich korrekt weitergeben			
ein Interview führen und auf interessante Antworten näher eingehen			
Is Informationen und Sachverhalte schriftlich weitergeben und erklären			
Rm komplexe Informationen über alltägliche und berufsbezogene Themen verstehen			
Informationen in Ansagen und Mitteilungen verstehen			
im Radio Informationen aus Nachrichten- und Feature Sendungen verstehen			
literarischen oder alltäglichen Erzählungen folgen und viele wichtige Details verstehen			
Rs in längeren und komplexeren Texten rasch wichtige Einzelinformationen finden			
in Artikeln und Berichten über aktuelle Themen Haltungen und Standpunkte verstehen			
in längeren Reportagen zwischen Tatsachen, Meinungen, Schlussfolgerungen unterscheiden			
Pm Informationen aus längeren Texten zusammenfassend wiedergeben			
eine Geschichte zusammenhängend erzählen			
über aktuelle und abstrakte Themen sprechen und Gedanken und Meinungen dazu äußern			
Ps sich während eines Gesprächs oder einer Präsentation Notizen machen			
Erfahrungen und Ereignisse detailliert und zusammenhängend schriftlich beschreiben			

Lektion 8

Das kann ich nun:	☹	☺	☺
Im auf Fragen im eigenen Fach- oder Interessenbereich detaillierte Antworten geben			
Is komplexere Sachverhalte für andere schriftlich darstellen und die eigene Meinung dazu äußern			
Rm im Radio Informationen aus Nachrichten- und Feature-Sendungen verstehen			
(im Fernsehen) Informationen in Reportagen, Interviews oder Talkshows verstehen			
die Hauptaussagen von interessanten, klar aufgebauten Vorträgen, Reden und Präsentationen verstehen			
in einer Diskussion der Argumentation folgen und hervorgehobene Punkte im Detail verstehen			
Rs in Texten neue Sachverhalte und detaillierte Informationen verstehen			
in Texten Informationen, Argumente oder Meinungen ziemlich vollständig verstehen			
in Korrespondenz die wesentlichen Aussagen verstehen			
Pm zu verschiedenen Themen ziemlich klare und detaillierte Beschreibungen geben			
eine vorbereitete Präsentation gut verständlich vortragen			
über aktuelle oder abstrakte Themen sprechen und Gedanken und Meinungen dazu äußern			
Ps zu allgemeinen Artikeln oder Beiträgen eine Zusammenfassung schreiben			
sich während eines Gesprächs oder einer Präsentation Notizen machen			

Minicheck: Das kann ich nun

Lektion 9

Das kann ich nun:		😞	😐	😊
Im	verschiedene Gefühle differenziert ausdrücken und auf Gefühlsäußerungen anderer reagieren			
Is	in privater Korrespondenz Gefühle, Erlebnisse und Erfahrungen ausdrücken bzw. kommentieren			
Rm	literarischen oder alltäglichen Erzählungen folgen und viele wichtige Details verstehen			
Rs	in längeren und komplexen Texten rasch wichtige Einzelinformationen finden			
	in Korrespondenz die wesentlichen Aussagen verstehen			
	literarische Texte lesen, dabei die Gesamtaussage und viele Details verstehen			
Pm	einen kurzen Text relativ spontan und frei vortragen			
	Informationen aus längeren Texten zusammenfassend wiedergeben			
	mündlich Vermutungen über Sachverhalte, Gründe und Folgen anstellen			
	eigene Gedanken und Gefühle mündlich beschreiben			
Ps	eigene Gedanken und Gefühle schriftlich beschreiben			
	in Texten Vermutungen über Sachverhalte, Gründe und Folgen anstellen			

Lektion 10

Das kann ich nun:		😞	😐	😊
Im	gezielt Fragen stellen und ergänzende Informationen einholen			
	sich an Einrichtungen oder Organisationen wenden und um Rat oder Hilfe bitten			
	mit Behörden und Dienstleistern umgehen			
	komplexere Situationen telefonisch bewältigen und dabei Bezug auf den Gesprächspartner nehmen			
Is	einen anspruchsvolleren formellen Brief schreiben			
	Schriftwechsel mit Behörden und Dienstleistern selbstständig abwickeln			
	komplexe Formulare oder Fragebögen ausfüllen und dabei freie Angaben formulieren			
Rs	in Texten neue Sachverhalte und detaillierte Informationen verstehen			
	lange komplexe Anleitungen verstehen, wenn schwierige Passagen mehrmals gelesen werden können			
	in Verträgen die Hauptpunkte verstehen, Rechtliches jedoch nur mithilfe des Wörterbuchs			
Ps	sich während eines Gesprächs oder einer Präsentation Notizen machen			

Lektion 11

Das kann ich nun:		😞	😐	😊
Im	den eigenen Standpunkt begründen und Stellung zu Aussagen anderer nehmen			
Is	Informationen und Sachverhalte schriftlich weitergeben und erklären			
Rs	in Texten neue Sachverhalte und detaillierte Informationen verstehen			
	in Artikeln und Berichten über aktuelle Themen Haltungen und Standpunkte verstehen			
	Anzeigen zu Themen eines Fach- oder Interessengebiets verstehen			
Pm	Erfahrungen, Ereignisse und Einstellungen darlegen und die eigene Meinung mit Argumenten stützen			
	einen kurzen Text relativ spontan und frei vortragen			
	eigene Gedanken und Gefühle mündlich beschreiben			
	über aktuelle und abstrakte Themen sprechen und Gedanken und Meinungen dazu äußern			
Ps	über interessante Themen klare und detaillierte Berichte schreiben			
	ein Thema schriftlich darlegen, Punkte hervorheben sowie Beispiele anführen			
	Informationen und Argumente schriftlich zusammenführen und abwägen			

Lektion 12

Das kann ich nun:		😞	😐	😊
Im	sich an Gesprächen und Diskussionen beteiligen sowie eigene Ansichten begründen und verteidigen			
	zu einem gemeinsamen Vorhaben beitragen und dabei andere einbeziehen			
	in einem offiziellen Gespräch oder Interview Gedanken ausführen			
Is	sich schriftlich über ein Problem beschweren und Zugeständnisse fordern			
Rm	im Radio Informationen aus Nachrichten- und Feature-Sendungen verstehen			
Rs	in Texten neue Sachverhalte und detaillierte Informationen verstehen			
	in längeren und komplexeren Texten rasch wichtige Einzelinformationen finden			
Pm	einen kurzen Text relativ spontan und frei vortragen			
	Informationen und Argumente zusammenfassen und kommentiert wiedergeben			
	eigene Gedanken und Gefühle mündlich beschreiben			
Ps	sich während eines Gesprächs oder einer Präsentation Notizen machen			

Leseverstehen

Hinweise zum Leseverstehen

Der Prüfungsteil „Leseverstehen" besteht aus vier Teilen, dafür haben Sie 80 Minuten Zeit. In diesem Prüfungsteil sollen Sie mehrere Texte lesen und die dazugehörenden Aufgaben lösen. Markieren Sie Ihre Lösungen auf dem Aufgabenblatt. In der Prüfung haben Sie am Ende fünf Minuten Zeit, Ihre Lösungen auf einen separaten Antwortbogen zu übertragen. Bei der Prüfung dürfen Sie nicht mit Bleistift schreiben und Sie sollten deutlich schreiben. Außerdem dürfen Sie keine Hilfsmittel – wie z. B. Wörterbücher oder Mobiltelefone – verwenden.

Leseverstehen 1   15 Minuten

Sie sollen für fünf Personen ein passendes Musikprogramm aussuchen und dabei auf die persönlichen Vorlieben eingehen. Was meinen Sie, für welche der acht Veranstaltungen (A–H) würden sich die Personen (1–5) jeweils interessieren?
Es gibt immer nur eine richtige Lösung.
Es kommt vor, dass nicht für jede Person etwas Passendes zu finden ist. Markieren Sie in diesem Fall auf dem Antwortbogen „negativ".

Beispiel: Lösung
Welche der acht Veranstaltungen wäre wohl von Interesse für:

01. Clemens Hasenkamp, Techniker aus Buxtehude, der zur Entspannung gern eine musikalische Mischung aus Film, Klassik und Schlagern bevorzugt?   *G*

02. Wolfgang Dittersbach, Theologe aus Nürnberg, der in seiner Freizeit Musik mit südamerikanischen Rhythmen und perfekter instrumentaler Technik bevorzugt.   *negativ*

Aufgabe: Lösung
Welche der acht Veranstaltungen wäre wohl von Interesse für:

1. Tanja Lüttich., Krankenschwester aus Gera, die am liebsten klassische Musik von Beethoven und Brahms hört?   _____

2. Britta Schweigert, Psychologin aus Stuttgart, die innere Ruhe und Entspannung bei Musik aus dem 20./21. Jahrhundert findet, wenn sie einen Bezug zum Mittelalter hat.   _____

3. Emil Dietrich, Lehrer aus Bielefeld, der gern Rockmusik mit anspruchsvollen deutschen Texten hört.   _____

4. Franz Hofmeister, Web-Designer aus Landau, der über die Lieder der ersten Hälfte des letzten Jahrhunderts die Zeit von damals besser zu verstehen sucht.   _____

5. Ute Bühler, Managerin aus Kiel, die besonders gern Holzblasinstrumente mag und am liebsten improvisierte Musik hört.   _____

A   Die Vision der Hildegard von Bingen

Melanie Schlotterbeck ist eine der großen Sängerinnen mittelalterlicher Musik in Europa. Sie gibt dem Gesang Raum und Zeit und erreicht damit eine ungewöhnliche Ruhe und Eindringlichkeit, in der Wort und Musik sich zu großer Ausdruckskraft vereinen. Die Sängerin steht zudem in intensivem Austausch mit zeitgenössischen Komponisten und sang bereits mehrere Uraufführungen. Ihre neueste, mit Spannung erwartete Produktion „Aus den Visionen der Hildegard von Bingen" von Sofia Gubaidulina kommt in den nächsten Tagen zur Uraufführung.

B   Nacht der ewigen Töne

An einem hoffentlich schönen Sommerabend werden rund 2.000 Besucher zu einem musikalischen Feuerwerk erwartet. Ergänzt wird das Orchesterprogramm durch den Klarinettisten Andy Miles. Diese Begegnung wird sicher zu einem eindrucksvollen Erlebnis. Miles, der auf der Klarinette improvisierend zaubert: klassisch, rockig, jazzig, mal rauchig cool, mal seriös: „Andy Miles gilt weltweit als der größte Crossoverklarinettist".

C   Mittelalterliche Klostergesänge in der Heiligkreuzkirche

Mit Klostergesängen in historischen Gewändern bringt der Liturgische Frauenchor Rostock unter Leitung von Virginia Abs am 11. März um 11 Uhr in der Universitätskirche Gregorianische Gesänge, Choräle und Lieder der Hildegard von Bingen zu Gehör. Herzlich eingeladen sind alle, die inmitten des Alltags ruhiger Musik lauschen möchten.

D   Oldies ganz neu

Unser Gedanke war, das Liedgut und musikalische Werk der Jahre 1900 bis 1950 in einer dem Publikum nahen Art und Weise wieder aufleben zu lassen. Es ist uns eine Freude, live vor unserem Publikum die Hits der 20er, 30er und 40er Jahre auf eine unterhaltsame Art und Weise zu präsentieren. Gerade die Mischung aus altem Liedgut und modernem Sound, verpackt in spritzigen Arrangements, begeistert Jung und Alt und lässt unsere Konzerte zu einem einzigartigen Show-Event werden.

E   Warriors of the World

Es gibt keinerlei Zweifel an Manowars Einfluss auf die Rockmusik. Während ihrer unglaublichen Karriere hat die Band den Heavy Metal durch die Kombination von besonderer musikalischer Virtuosität und anspruchsvollen Texten neu definiert. Ihr unbeugsamer Charakter, ihre Beharrlichkeit und Begabung haben die Band dazu befähigt, unermessliche Erfolge zu erringen, gewaltige Hindernisse zu überwinden und ein Ehrfurcht gebietendes Vermächtnis zu errichten, das mit jedem Jahr größer wird. Aber anstatt sich auf ihren verdienten Lorbeeren auszuruhen, kehren Manowar nun zurück: mit Warriors of the World.

F   Herbert Grönemeyer

Mitte Juni wird Grönemeyer bei seinem Open-Air-Konzert im Olympiastadion seine größten Hits von „Bochum" über „Flugzeuge im Bauch" und „Männer" bis hin zu „Mensch" und viele andere Songs seiner einzigartigen Karriere präsentieren. Wer den charismatischen Rocksänger und Schauspieler je live erlebt hat, weiß, was ihn erwartet: eine mitreißende Show, eine exzellente Band und eine packende Produktion vom ersten bis zum letzten Akkord. Grönemeyer ist der geborene Entertainer, der sein Publikum auf eine emotionale Reise schickt, seine Empfindungen vermittelt, Spaß und Nachdenklichkeit in eine Balance bringt. Millionen haben seine Texte verinnerlicht, denn seine Songs artikulieren die Gefühle mehrerer Generationen.

G   Die Nokia Nacht der Promis

Die Nokia Nacht der Promis ist ein Konzert-Event mit weltweit einzigartigem Konzept: Klassische Melodien, Filmmusik und Hits aus vier Jahrzehnten Popmusik laden Sie zu einer Reise durch 350 Jahre populäre Musik ein. Das 72-köpfige Orchester Novecento samt dem Chor Fine Fleur unter der Leitung von Robert Groslot spielt die klassischen Hits und begleitet – zusammen mit einer Electric Band – auch die Pop-Stargäste. Der nahtlose Brückenschlag von populärer Klassik zu Pop-Klassikern wird seit Jahren seitens des Publikums mit einer derart lebhaften Begeisterung begleitet, wie sie sonst kaum zu erleben ist. Und auch dieses Jahr haben Sie wieder die Gelegenheit, dabei zu sein.

H   Adagio – ma non troppo

Klassik zum Träumen! Die Salzburger Streichsolisten haben die schönsten langsamen Sätze der Musikgeschichte zusammengestellt. Vivaldis „Frühling" aus den „Vier Jahreszeiten", den „Kanon" von Pachelbel, Bachs „Air" oder Schumanns „Träumerei" – das gefeierte Ensemble hat eine Auswahl an Werken getroffen, die das Publikum sicherlich gerne hört: Gänsehaut-Klassik garantiert!

Leseverstehen 2   25 Minuten

Lesen Sie den Text auf der gegenüberliegenden Seite.
Entscheiden Sie, welche der Antworten (a, b oder c) passt. Es gibt immer nur eine richtige Lösung.

Beispiel:

0. Die Aussage „Hoffentlich kommt er nicht zu spät." bezieht sich auf
   a. den Zug.
   b. den Fahrer.
   c. ihren Freund.

Aufgabe:

6. Mitfahrgelegenheiten dienen vor allem dazu,
   a. Geld zu sparen.
   b. nette Bekanntschaften zu machen.
   c. nicht mit der Bahn oder mit dem Flugzeug zu fahren.

7. Mitfahrer und Mitnehmer kommunizieren u.a.
   a. über selbst geschriebene Annoncen in Verkaufsbüros.
   b. über Internetbörsen ausschließlich in Deutschland.
   c. über Anzeigen an einer Anschlagtafel in der Universität.

8. Mitnehmer sind
   a. in der Regel Personen, die wenig Geld haben.
   b. in der Regel Personen, die gern große Autos fahren.
   c. Personen aus unterschiedlichen Verhältnissen.

9. Es gibt inzwischen so viele Mitfahrorganisationen, dass
   a. auch Berufstätige auf ihren Fahrten zum Arbeitsplatz davon profitieren können.
   b. auch Frauen problemlos mitfahren können.
   c. auch die Eltern von Jugendlichen sich sicherer fühlen.

10. Manchmal passieren auch Missgeschicke, wenn
    a. das Auto der Mitfahrer kaputt geht.
    b. die Fahrer den vereinbarten Termin nicht einhalten und gar nicht kommen.
    c. die Mitfahrer zu spät zum vereinbarten Termin kommen.

Begegnung auf engem Raum

Yvonne steht am Dresdner Bahnhof und wartet. „Hoffentlich kommt er nicht zu spät.", denkt sie. Sie will ihren Freund besuchen, der in Osnabrück wohnt. Oben am Gleis tönt ein Lautsprecher – der Zug hat wieder Verspätung. Aber sie meint nicht den Zug, sondern ihren Fahrer, den sie durch das Internet gefunden hat. Und der fährt pünktlich um 16 Uhr mit seinem Kleinwagen vor – sein Ziel: Hamburg. So wie Yvonne nutzen täglich in Deutschland Tausende die Gelegenheit, preiswert und schnell kleinere oder größere Entfernungen zurückzulegen und oft auch noch nette Bekanntschaften zu machen.

Mitfahrgelegenheiten sind seit den 90er Jahren in Deutschland sehr beliebt. Von der selbst geschriebenen Anzeige am Schwarzen Brett der Universität über Verkaufsbüros bis hin zu europaweiten Internetbörsen existiert inzwischen ein breites Spektrum an Angeboten und Anbietern. Allen gleich ist das Prinzip: Person X fährt mit dem Auto von A nach B und hat noch Plätze frei. Person Y möchte von A nach B mitfahren und zahlt dafür einen Teil der Benzinkosten, außerdem meist noch eine Vermittlungsgebühr an die Firma. Treffpunkt ist ein günstig gelegener Ort, und gemeinsam werden dann die nächsten Stunden zurückgelegt. Natürlich sind die gemeinsamen Reisegefährten nicht zu Gesprächen gezwungen, aber meist entwickelt sich ein solches. Und für viele ist das sogar ein zusätzlicher Grund, warum sie auf Mitfahrgelegenheiten als Transportalternative zu Bahn, Flugzeug oder eigenem Auto schwören. Manchmal finden sich sogar gemeinsame Bekannte oder andere Gemeinsamkeiten, durch die der Kontakt auch nach der Fahrt bestehen bleibt. Neben vielen Freundschaften gibt es heute auch „Mitfahrbabys" – deren Eltern lernten sich bei einer gemeinsamen Fahrt kennen und lieben.

Besonders beliebt ist das Mitfahren natürlich bei Studierenden und anderen jungen Menschen, die mit ihrem Geld haushalten müssen. Die Mitnehmer sind in keine Gruppe einzuteilen und fahren alle Typen und Klassen von Autos. Ein Mitfahrer kann durchaus Platz in einem Mercedes oder BMW finden, aber auch in Smarts, Käfern oder anderen Kleinstwagen.

Falls die Eltern oder Freunde Zweifel haben sollten: Sie können beruhigt sein. Die Personalangaben, die jeder bei der Organisation hinterlassen muss, sorgen für Sicherheit. Auch gibt es Serviceangebote exklusiv für Frauen, falls dies von beiden Seiten gewünscht wird.

Mittlerweile hat sich das System so gut etabliert, dass auch Berufspendler über einige Mitfahrbüros passende Fahrgemeinschaften finden können. So sparen alle Geld und die Mitfahrer Zeit dazu, denn mit dem Auto sind manche Ziele einfach schneller zu erreichen, ganz zu schweigen von den Vorteilen für die Umwelt, wenn sich mehrere ein Auto teilen. Aufgrund der guten Verbreitung kann man inzwischen auch ganz spontan Mitfahrgelegenheiten finden, so z. B. auch wenn kurz vor der Abfahrt das eigene Auto kaputt geht.

Es kommt aber mitunter auch zu verpassten Gelegenheiten: Martina wurde einmal von ihren drei Mitfahrern in einer anderen Stadt abgesetzt. Im Nachhinein lächelt sie darüber. Und Franz hat auf dem Heimweg nach Fulda freitagabends um acht vergeblich auf seinen Fahrer gewartet, der ihn vorab sogar darauf hinwies, pünktlich zu sein. Und Yvonne weiß nun auch nach vielen Erfahrungen als Mitfahrerin: Pünktlichkeit ist leider keine Garantie, da viele Menschen sehr spontan sind und oft noch Umwege fahren oder irgendwo unterwegs die Reise bei Freunden unterbrechen.

Leseverstehen 3

25 Minuten

Lesen Sie den Text unten.
Stellen Sie fest, wie der Autor des Textes bzw. der Interviewte folgende Fragen
beurteilt: positiv (a) oder negativ bzw. skeptisch (b)?

Beispiel:

Lösung

0. Wie beurteilt die Familienministerin das Ende der Frauenemanzipation? _____ *b*

Aufgabe:

Lösung

Wie ist die Meinung von Ursula von der Leyen zu folgenden Punkten:

11. die bisherige Rolle der Väter in der Kindererziehung? _____

12. die Rolle der Väter in Schweden? _____

13. die Integration von bildungsarmen Kindern? _____

14. die bisherigen Bemühungen des Staates im Bereich der frühkindlichen
Bildung _____

15. Sprachtests für alle Kinder? _____

Emanzipation der Männer noch weit zurück

Im Interview mit der „Berliner Zeitung" spricht sich Bundesfamilienministerin Ursula von der Leyen für eine Väterbewegung aus. Außerdem müssten die benachteiligten Jungen durch eine bessere frühkindliche Bildung gefördert werden.

Berliner Zeitung: Frau von der Leyen, es wird zurzeit viel darüber diskutiert, ob der Feminismus am Ende ist und Frauen sich wieder auf die Mutterrolle beschränken sollten. Was sagen Sie dazu?

U. von der Leyen: Wir haben nicht zu viel Emanzipation, sondern zu wenig. Die gläserne Decke, die Frauen am beruflichen Aufstieg hindert, existiert nach wie vor. Frauen haben zwar viel mehr Chancen als früher, aber die Frage ist jetzt: Wer hat beruflich die Folgen zu tragen, wenn Kinder geboren werden?

Berliner Zeitung: Die Antwort dürfte klar sein.

U. von der Leyen: Lassen Sie es mich so sagen: Mit der Emanzipation der Männer sind wir noch weit zurück. Deutschland braucht eine Väterbewegung.

Berliner Zeitung: Wie meinen Sie das?

U. von der Leyen: Emanzipation heißt doch, dass man seine eigene Rolle entwickelt und erweitert. In Deutschland ist ein Mann nach wie vor nur dann ein echter Mann, wenn er erfolgreich im Beruf ist. Die Rolle als Vater ist noch recht unterentwickelt. In Skandinavien gehört aktive Vaterschaft zum Erfolg in Beruf und Gesellschaft dazu, sie ist ein männliches Statussymbol.

Berliner Zeitung: Bei uns wird neuerdings beklagt, dass Jungs von den Mädchen abgehängt werden. Teilen Sie die Sorge?

U. von der Leyen: Ich finde es nicht schlimm, dass Mädchen in Sachen Bildung an den Jungen vorbeiziehen. Wären die Zahlen anders herum, würde kein Hahn danach krähen. Man würde es als Gott gegeben betrachten. – Dennoch müssen wir genauer hingucken, was mit den Jungs los ist.

Berliner Zeitung: Und was ist mit ihnen los?

U. von der Leyen: In der Gruppe der Jugendlichen ohne Schulabschluss und ohne berufliche Qualifikation sind überwiegend Jungen, viele mit Migrationshintergrund. Sie fühlen sich abgehängt und klammern sich umso stärker an tradierte Rollenmuster – aus Angst, komplett die Orientierung zu verlieren. Diese Jungs sind in den ersten Lebens- und Schuljahren zu wenig integriert worden, sie haben kaum männliche Vorbilder im Alltag erlebt, die sie für Bildung und Verantwortung für andere als Wert an sich begeistert haben. Das Drama der bildungsarmen Kinder ist doch, dass sie isoliert sind …

Berliner Zeitung: Zurück zu den benachteiligten Jungen. Was ist zu tun?

U. von der Leyen: Einer der Schlüssel ist eine bessere frühkindliche Bildung. Dieses Thema wird noch immer sehr vernachlässigt. Die öffentliche Hand legt sich mächtig ins Zeug mit den Universitäten, während die Eltern die frühkindliche Bildung am stärksten selbst finanzieren müssen. Wir müssen das dringend vom Kopf auf die Füße stellen, denn die ersten Lebensjahre entscheiden über den weiteren Bildungsweg.

Berliner Zeitung: Sie wollen die Länder zwingen, endlich genug Kindertagesstätten anzubieten?

U. von der Leyen: Wenn wir bedenken, dass jedes dritte Kind einen Migrationshintergrund oder keine Geschwister mehr hat, kann die Antwort nur lauten: Wir brauchen mehr Orte, wo Kinder mit anderen Kindern ihre Welt entdecken. Aus der Gruppe der Kinder mit Migrationshintergrund und aus bildungsarmen Elternhäusern kommt jedes fünfte Kind niemals in den Kindergarten. Da muss es uns nicht wundern, dass diese Kinder vom ersten Schultag an in eine Außenseiterposition geraten.

Berliner Zeitung: Sind Sie für die Kindergartenpflicht?

U. von der Leyen: Das hielte ich für ein zu grobes Instrument. Aber wir sollten für jedes vierjährige Kind einen verbindlichen Sprachtest einführen. Für diejenigen, deren Sprachfähigkeit auf dem Stand eines Zwei- oder Dreijährigen ist, müssen wir ähnlich der Schulpflicht einen verpflichtenden Sprachkurs entwickeln. Ideal wäre, diesen Kurs in das Kindergartenleben zu integrieren.

Leseverstehen 4   15 Minuten

Im folgenden Text ist leider der rechte Rand unleserlich.
Rekonstruieren Sie den Text und schreiben Sie jeweils das fehlende Wort an den Rand. Manchmal gibt es zwei Möglichkeiten – in diesem Fall entscheiden Sie sich bitte für eine.

So schützen Sie sich vor Einbrechern

Früher herrschte engerer Kontakt unter Nachbarn, man kannte sich, wusste, was *jeder*   **01**
machte. Das war manchen bestimmt oft zu eng, aber es war ein guter Schutz *vor*   **02**
Einbrechern.
Heute müssen Sie leider mehr beachten:
- Treten Sie mit Ihren Nachbarn in Kontakt – ein kleines Gespräch wirkt oft Wunder. _____   **16**
  sich kennt, achtet auf den anderen und spürt, wenn etwas nicht in Ordnung _____.   **17**
- Wenn Sie wissen, dass Ihr Nachbar in Urlaub fahren möchte, bieten Sie _____   **18**
  doch an, auf die Wohnung zu achten: Blumen gießen, lüften, die Rollläden _____   **19**
  herunter lassen und morgens wieder hochziehen, Briefkasten leeren. _____   **20**
  wirkt die Wohnung stets bewohnt und erweckt nicht die Aufmerksamkeit _____   **21**
  Ganoven.
- Tauschen Sie mit Nachbarn Telefonnummern (auch im Urlaub) aus.
- Vereinbaren Sie regelmäßige Anrufe oder Zeichen zur Bestätigung, dass es _____   **22**
  gut geht.
- Halten Sie die Haustür immer geschlossen und verschließen Sie Kellerräume. So _____   **23**
  sich kein ungebetener Besuch einschleichen.
- Denken Sie auch an Ihre Wohnung. Schließen Sie alle erreichbaren _____   **24**
  und Türen zum Schutz vor Einsteigedieben – auch wenn Sie zu Hause sind.
- Sollten Sie tatsächlich einen Einbrecher überraschen, versuchen Sie nicht _____   **25**
  aufzuhalten! Prägen Sie sich sein Aussehen ein und rufen Sie die Polizei.

Hörverstehen

Hinweise zum Hörverstehen

Der Prüfungsteil „Hörverstehen" besteht aus zwei Teilen und dauert ca. 30 Minuten.
In diesem Prüfungsteil hören Sie zwei Texte und sollen die dazugehörenden Aufgaben lösen.
Lösen Sie die Fragen nur nach den gehörten Texten, nicht nach Ihrem eigenen Wissen.
Schreiben Sie Ihre Lösungen auf das Aufgabenblatt. In der Prüfung haben Sie am Ende fünf
Minuten Zeit, Ihre Lösungen auf einen separaten Antwortbogen zu übertragen.

Hörverstehen 1
ca. 5 Minuten

Hören ⚪ 78

Sie arbeiten bei der Deutschen Zentrale für Tourismus und erstellen gerade einen Handzettel mit
aktuellen Sonderangeboten. Ihr Kollege hat Ihnen auf dem Anrufbeantworter einige Korrekturen
und Ergänzungen mitgeteilt.
Notieren Sie die Korrekturen und Ergänzungen. Sie hören den Text nur einmal.

Bahn & Bett Herbst-Hit Berlin

Berlin zeigt das Flair einer pulsierenden Weltmetropole.
Die Hauptstadt Deutschlands vereint sowohl altehrwür-
dige Sehenswürdigkeiten als auch futuristische Bauten
und bereitet seinen Besuchern ein unendlich großes
Spektrum an Unterhandlung. [01] *Unterhaltung*

Leistungen:

- Hotel Zentral Berlin-Mitte ****
  (Nähe Brandenburger Tor und Berliner Dom)

- Bahnfahrt 2. Klasse

- 1 Übernachtung im Doppelzimmer mit Frühstücksbuffet, bei täglicher Anreise

mit BahnCard pro Person 111,- €
ohne BahnCard pro Person 121,- €
Zuschlag 1. Klasse: 40,- €

Reisezeit: September und Oktober

Heiliges Römisches Reich Deutscher Nation 962–1806

29. Ausstellung [02] *des Europarates* und Landes-
ausstellung Sachsen-Anhalt im Kulturhistorischen
Museum Magdeburg

Unter dem Titel „Von Otto dem Großen bis zum
Ausgang des Mittelalters" wird im kulturhistorischen Museum Magdeburg neben weltlichen
und sakralen Exponaten auch das Original des
„Codex Manesse", der bedeutendsten Bildhand-
schrift des Mittelalters, zu sehen sein.

Leistungen:

– 2 Übernachtungen im Doppelzimmer mit Frühstücksbuffet im City-Hotel Magdeburg ****
– Bahnfahrt: Hin und Rück [1] _____,
  2. Klasse
– 1x Eintrittskarte für die Ausstellung am Tag nach
  der Anreise
– mit BahnCard pro Person ab 185,- €
– Zuschlag 1. Klasse: 48,- €
– zstl. Nacht [2] _____ pro Person: 52,- €

Öffnungszeiten der Ausstellung:
Täglich von 10–19 Uhr.

Reisezeit: 28.08.–10.12.

Chagall in Baden-Baden

Chagall – in neuem Licht – im Museum Frieder Burda in Baden-Baden

Marc Chagall verführt in eine Welt voller Fabelgestalten, Liebespaare und be-
rauschender Blütenpracht. Der Lebensweg des berühmten Mahlerpoeten
[3] _____ offenbart sich an 100 aus aller Welt versammelten Haupt-
werken. Im Museum Frieder Burda erscheinen diese buchstäblich in neuem Licht.

Leistungen:
2 Übernachtungen im Doppelzimmer mit Frühstücksbuffet im Hotel Zum König***
[4] _____

Bahnfahrt 2. Klasse + 1 Eintrittskarte für die Ausstellung

Preis mit BahnCard pro Person ab 199,- €
Zuschlag 1. Klasse: 40,- €

Öffnungszeiten der Ausstellung:
Mo geschlossen, Di bis So von [5] _____ Uhr, Mi bis 20 Uhr.

Reisezeit: Juli bis September

Hören 79-83

Hörverstehen 2   ca. 25 Minuten

Sie hören folgenden Text zunächst einmal ganz, dann noch einmal in Abschnitten.
Kreuzen Sie die richtige Antwort (a, b oder c) an.

Beispiel:

0. Herr Werner ist der Auffassung,
  a. es sei nicht schlecht, wenn die Menschen arbeiten müssten.
  b. es sei gut, wenn die Menschen arbeiten müssten.
  c. es sei nicht schlecht, wenn die Menschen nicht arbeiten müssten.

Aufgabe:

6. Der Journalist vertritt die These,
  a. nur wer arbeitet, bewertet sich selbst.
  b. nur wer arbeitet, schafft Werte und ist etwas wert.
  c. nur wer arbeitet, macht das Leben lebenswert.

7. Das alte nicht mehr zeitgemäße Gebot lautet:
  a. Wer viel arbeitet, soll auch viel essen.
  b. Wer nicht arbeitet, soll auch nicht essen.
  c. Wer richtig arbeitet, soll auch essen.

8. Der moderne Unternehmer soll – so Herr Werner – die Frage beantworten:
  a. Wie kann ich die Menschen vom Zwang zu arbeiten befreien?
  b. Wie kann ich Arbeitsplätze schaffen?
  c. Wie kann ich meine Kunden am schnellsten bedienen?

9. Die Deutschen haben Angst,
  a. krank zu werden.
  b. nicht mehr kreativ zu sein.
  c. für die Gesellschaft nicht mehr von Nutzen zu sein.

10. „Radikal und revolutionär zu denken" bedeutet, dass
  a. Einkommen und Arbeit eng miteinander verkoppelt bleiben müssen.
  b. man ein Recht auf Arbeit und damit ein Recht auf Einkommen hat.
  c. jeder Bürger ein gewisses Einkommen als Grundlage erhalten soll.

11. Wenn jeder eine gewisse Summe ausgezahlt bekommt, dann kann er
  a. bescheiden und in Würde leben, und die Arbeitslosigkeit hätte ihre Bedeutung verloren.
  b. in Würde leben, auch wenn sein Einkommen sehr bescheiden ist.
  c. bescheiden und in Würde leben, ohne allerdings groß am gesellschaftlichen Leben
     teilzuhaben.

12. Herr Werner ist dafür,
  a. alle Steuern um 50 % zu erhöhen.
  b. alle Steuern abzuschaffen, nur die Mehrwertsteuer soll erhöht werden.
  c. alle Steuern abzuschaffen.

13. Das Grundeinkommen wäre gestaffelt nach
  a. Alter und ob man berufstätig ist oder nicht.
  b. Alter und ob man verheiratet ist oder nicht.
  c. Kindern und ob man berufstätig ist oder nicht.

14. Wenn man älter wird, überlegt man,
  a. wie man erfolgreich sein kann.
  b. wie man den Erfolg anderer fördern kann.
  c. wie man sich den Erfolg anderer zueigen machen kann.

15. Herr Werner sagt:
  a. Meine Gedanken schaffen eine bessere Welt.
  b. Ich habe volles Vertrauen in meine Ideen.
  c. Meine Ideen werden unter den Menschen immer bekannter.

Schriftlicher Ausdruck

Hinweise zum Schriftlichen Ausdruck

Für den Prüfungsteil „Schriftlicher Ausdruck" haben Sie 80 Minuten Zeit.

Dieser Prüfungsteil besteht aus zwei Aufgaben:

Aufgabe 1: Sie sollen an eine Redaktion schreiben. Dafür erhalten Sie zwei Themen zur Auswahl. Sie bearbeiten nur ein Thema.

Aufgabe 2: Hier korrigieren Sie einen Text.

Bei der Prüfung dürfen Sie nicht mit Bleistift schreiben und Sie sollten deutlich schreiben.

Außerdem dürfen Sie keine Hilfsmittel – wie z. B. Wörterbücher oder Mobiltelefone – verwenden.

Schriftlicher Ausdruck 1   65 Minuten

In diesem Prüfungsteil wählen Sie zuerst eins aus zwei Themen aus.

Danach erhalten Sie die Aufgabenblätter für die Aufgaben 1 und 2.

Thema 1 A: **Models alle magersüchtig**	Thema 1 B: **Small Talk mit Hintergedanken**
Ihre Aufgabe ist es, auf eine Meldung im Internet zu reagieren. Sie sollen sich dazu äußern, ob junge Mädchen, die als Models auftreten, vor Gesundheitsschäden geschützt werden sollen.	Ihre Aufgabe ist es, auf eine Meldung in einer Zeitung zu reagieren. Sie sollen sich dazu äußern, wie sich die Funktion von Small Talk in der heutigen Gesellschaft ändert.

Schriftlicher Ausdruck 1 – Thema 1   65 Minuten

Im Internet lesen Sie folgende Meldung:

> Während auf der Modewoche in New York wie immer zerbrechlich zarte Mädchen über die Laufstege schwebten, kommen aus Madrid jetzt neue Töne: Zu dünne Models werden dieses Jahr verbannt. Über 30 Prozent der Models, die im vergangenen Jahr noch die neuesten Modekreationen vorstellten, dürfen nicht mehr auf den Laufsteg.
>
> Viele Modedesigner halten die Diskussion über angeblich zu dünne Models jedoch für übertrieben. Es seien gar keine magersüchtigen Mädchen zu sehen, meinte z. B. der deutsche Modemacher Karl Lagerfeld am Mittwoch nach der Vorstellung seiner jüngsten Kollektion in Paris. Sie seien einfach dünn und hätten einen schlanken Körperbau, sagte er vor der Presse. Und so sind sich die Modedesigner meist auch in dem Punkt einig, dass die Modebranche auf keinen Fall für Essstörungen junger Frauen verantwortlich sei.

Schreiben Sie eine Reaktion auf diese Meldung an die Online-Redaktion.

Sagen Sie:
- warum Sie schreiben,
- ob der Schutz „zerbrechlich zarter Mädchen" berechtigt ist,
- welche Gefahren Sie sehen, wenn die jungen Mädchen zu sehr hungern,
- welche Rolle eine Traumfigur für Sie spielt.

Achten Sie vor allem darauf,
- dass Sie die vier Leitpunkte ausführlich behandeln,
- dass Sie die Sätze und Abschnitte gut miteinander verbinden,
- dass Sie korrekt schreiben.

Schreiben Sie circa 180 Wörter.

Schriftlicher Ausdruck 1 – Thema 2
65 Minuten

In einer Zeitung lesen Sie folgende Meldung:

> „Netzwerken" – das ist ein kleines Wort. Es erinnert an spinnende Insekten oder Computer, die von Niedersachsen bis Nowosibirsk Daten austauschen. Seit etwa fünf Jahren geistert es als Verb durch sämtliche Karrieremagazine und Berufsstart-Beilagen deutscher Zeitungen. Das Zauberwort wird gern auch in der englischen Fassung verwendet: „networking" heißt es dann und bedeutet: Durch zwanglose Kommunikation mit Menschen, die über entsprechende Macht oder Kontakte verfügen, einen beruflichen Vorteil erlangen; Aufträge ergattern durch Kontaktaufnahme mit potenziellen Auftraggebern und intensive Pflege derselben.
> Zwanglose Kommunikation mit Hintergedanken. Man tarnt das Netzwerken locker-geschickt in einer netten E-Mail, einem Geplauder über die herrliche Herbstsonne oder den tollen Film, der gerade im Kino läuft – um sich schließlich so ganz nebenbei zu erkundigen, ob die ausgeschriebene Stelle noch frei ist.

Schreiben Sie eine Reaktion auf diesen Artikel an die Zeitung.

Sagen Sie:
- warum Sie schreiben,
- ob Sie persönlich schon einmal in einer solchen Lage waren (als Suchender oder als Angesprochener),
- ob es diese Art der Kommunikation auch in Ihrem Heimatland gibt und / oder wie sie sich dort darstellt,
- wie man auf solche Strategien reagieren sollte.

Achten Sie vor allem darauf,
- dass Sie die vier Leitpunkte ausführlich behandelt haben,
- dass Sie die Sätze und Abschnitte gut miteinander verbinden,
- dass Sie korrekt schreiben.

Schreiben Sie circa 180 Wörter.

Schriftlicher Ausdruck 2
15 Minuten

Ein ausländischer Freund bittet Sie darum, einen Brief zu korrigieren, da Sie besser Deutsch können.
Schreiben Sie die richtige Form an den Rand (Beispiel 01).
Wenn ein Wort an der falschen Stelle steht, schreiben Sie es an den Rand, zusammen mit dem Wort, mit dem es vorkommen soll (Beispiel 02).

Sehr geehrte Herr Metzger,	_geehrter_ **01**
seit einigen Monaten wir sind nun schon im Gespräch wegen der undichten	_sind wir_ **02**
Fenster in unserer Mietwohnung. Sie haben sich selbst dafür überzeugen können,	_____ **16**
dass vor allem das Küchen- und das Schlafzimmerfenster sehr schlecht schließt. Im	_____ **17**
Winter führt das zu erhöhten Heizkosten. Sie waren grundsätzlich einverstanden,	
in Schlafzimmer und Küche unseres Haus neue Fenster einzubauen. Jetzt beginnt	_____ **18**
bald der Winter und ist es leider immer noch nichts geschehen.	_____ **19**
Nach mehreren vergeblichen Versuchen, sie telefonig zu erreichen, bitte ich	_____ **20**
nunmehr auf diesem Wege, mich einen verbindlichen Termin innerhalb der	_____ **21**
nächste zwei Wochen mitzuteilen.	_____ **22**
Sollte ich nichts von Ihnen hören, wäre ich gezwingt, die Miete um 20% zu senken,	_____ **23**
bis der Schaden ist behoben.	_____ **24**
Mit freundlichen Grüßen	_____ **25**
Thomas L. Moore	

Mündlicher Ausdruck

Hinweise zum Mündlichen Ausdruck

Der Prüfungsteil „Mündlicher Ausdruck" ist in der Regel eine Paarprüfung (in bestimmten Fällen kann es auch eine Einzelprüfung nur mit den Prüfern sein) und dauert ca. 15 Minuten, im Fall einer Einzelprüfung ca. 10 Minuten.

Dieser Prüfungsteil besteht aus zwei Aufgaben:

Aufgabe 1: Sie präsentieren Ihrem Gesprächspartner den Inhalt eines kurzen Artikels und nehmen persönlich dazu Stellung.

Aufgabe 2: Sie führen mit Ihrem Gesprächspartner eine Diskussion.

Vor der Prüfung haben Sie eine Vorbereitungszeit von 15 Min. (Paarprüfung) oder von 10 Min. (Einzelprüfung). Dabei dürfen Sie keine Hilfsmittel – wie z. B. Wörterbücher oder Mobiltelefone – verwenden.

Mündlicher Ausdruck 1 – Kandidat/in 1
ca. 3 Minuten

> **Rauchverbot**
>
> Die Minister von Bund und Ländern haben sich darauf verständigt, zukünftig das Rauchen in Behörden, Bildungs- Freizeit- und Kultureinrichtungen zu verbieten. Auch in Gaststätten soll das Rauchen nur noch in geschlossenen, extra dafür ausgewiesenen Räumen erlaubt sein. Damit versucht die Bundesrepublik der EU entgegenzukommen, ohne ein striktes Rauchverbot durchzusetzen, wie z. B. in Irland oder Italien.

Präsentieren Sie Ihrem/r Gesprächspartner/in Thema und Inhalt des Artikels. Nehmen Sie kurz persönlich Stellung:

Worum geht es in diesem Artikel?
- Was ist die Hauptaussage?
- Können Sie Beispiele nennen?
- Wie ist Ihre persönliche Meinung dazu?

Sprechen Sie circa 3 Minuten.

Im Anschluss an Ihren Kurzvortrag präsentiert Ihr Gesprächspartner seinen Artikel.

Mündlicher Ausdruck 1 – Kandidat/in 2
ca. 3 Minuten

> **Kind mit zwei Promille ins Krankenhaus eingeliefert**
>
> Ein elfjähriger Junge ist an Karneval im Rheinland mit zwei Promille Alkohol im Blut in ein Krankenhaus gebracht worden. Wie die Polizei mitteilte, sagte der Vater, der Junge habe an einer Kinderkarnevalssitzung teilgenommen und vermutlich von Jugendlichen alkoholische Getränke bekommen. Die Eltern finden das Verhalten der Jugendlichen skandalös.

Präsentieren Sie Ihrem/r Gesprächspartner/in Thema und Inhalt des Artikels. Nehmen Sie kurz persönlich Stellung:

Worum geht es in diesem Artikel?
- Was ist die Hauptaussage?
- Können Sie Beispiele nennen?
- Wie ist Ihre persönliche Meinung dazu?

Sprechen Sie circa 3 Minuten.

Mündlicher Ausdruck 2   ca. 7 Minuten

Ihre Sprachschule feiert ihr 10-jähriges Bestehen. Zu diesem Anlass wollen Sie zusammen mit einem/r Kollegen/in einen Artikel schreiben. Dafür suchen Sie ein passendes Aufmacherfoto.

– Wählen Sie ein Foto aus und begründen Sie Ihren Vorschlag.
– Widersprechen Sie dem Vorschlag Ihres/r Gesprächspartners/in.
– Finden Sie am Ende des Gesprächs eine gemeinsame Lösung.

Lösungen

Lektion 1 – Reisen

2 b *Weitere mögliche Ordnungskriterien:* Synonyme • Antonyme • nach graduellen Unterschieden • nach Oberbegriffen / Themen

2 c *Vorschläge für Lerntechniken:* Gegenstände mit Kärtchen bekleben, wo deren Bezeichnung drauf steht • Lernkarten mit z. B. Vorderseite: deutsches Wort, Rückseite: muttersprachliche Übersetzung • Vorderseite: Zeichnung, Rückseite: passendes Wort • Vorderseite: Wort, Rückseite: Antonym • Vorderseite Frage, Rückseite: Antwort • Vorderseite: Satz mit Lücke, Rückseite vollständiger Satz

5 *Mögliche Lösungen:* 2. Vielleicht könnten sie eine Ferienwohnung mieten, da können sie auch selber kochen. • 3. Ich denke, sie sollten campen, da sind sie unabhängiger. • 4. Sie sollten in eine Privatunterkunft gehen, das ist billiger. • 5. Es wäre gut, wenn sie während der Fahrt eine Unterkunft suchen, sonst ist es zu anstrengend. • 6. Ich bin der Meinung, sie sollten im Motel übernachten, das ist weniger gefährlich. • 7. Ich glaube, sie sollten ein Doppelzimmer nehmen, das ist preiswerter. • 8. Ich bin der Ansicht, sie sollten über das Internet buchen, denn da gibt es ein größeres Angebot. • 9. Es wäre gut, wenn sie weiter überlegen. Nur so können sie eine Lösung finden. • 10. Sie können sich nicht einigen, weil sie zu unterschiedlich sind.

Urlaubsreisen

1 2. sich bewegen • 3. Sport treiben • 4. sich erholen • 5. aktiv sein • 6. sich entspannen • 7. viel erleben • 8. Abenteuer erleben • 9. neue Leute kennen lernen / Bekanntschaft mit neuen Leuten schließen

2 2. erholen • 3. aufhören • 4. erfahren • 5. überlaufen • 6. verbringen • 7. tun • 8. gehen

3 **Reise mit Hindernissen:** 2. Rezeption • 3. beziehen • 4. auschecken • 5. einen schönen Aufenthalt • **Ende gut alles gut:** 1. Charterflug • 2. ausfällt • 3. Terminal • 4. Abflug • 5. Verspätung • 6. gestrichen • 7. Flugbegleiter • 8. einen angenehmen Flug • **Am Bahnhofsschalter:** 1. zurück • 2. Waggons • 3. Fensterplatz • 4. Schließfächer • 5. Zollkontrolle • 6. zollfrei

Wenn einer eine Reise tut …

1 Wie wär's, wenn … • Entschuldige, wenn ich dich unterbreche. • Das kann ich gut verstehen. • Sei nicht böse, wenn ich dich noch mal unterbreche. • Dein Einwand ist sicher berechtigt, aber … • Entschuldigung, … wärest du einverstanden, wenn … • Also, ich würde eigentlich gern … • Entschuldige, wenn ich dir widerspreche. • Sorry, … • Wäre es nicht möglich, dass …? • Wenn ich dich richtig verstehe, … • Entschuldigung, …, eigentlich ist die Idee von … doch sehr gut. • Ich glaube auch, … • Allerdings: Ein kleines Problem habe ich noch. • Seid mit bitte nicht böse, wenn …

2 *Mögliche Lösungen:* 3. Meiner Meinung nach fliegen wir am besten, weil … • 4. Entschuldige, wenn ich dir widerspreche, aber fliegen ist doch viel zu teuer. • 5. Dein Einwand ist sicher berechtigt, aber heutzutage gibt es doch so viele Billigangebote; wir können doch einen Billigflug buchen. • 6. Dein Vorschlag ist gut, aber ich habe leider keine Zeit, nach einem Billigflug zu suchen. • 7. Entschuldigung, ich habe leider im Moment auch keine Zeit. Wie wäre es, wenn … • 8. Ich bin der Meinung wir sollten dieses Mal in die Berge fahren, denn letztes Mal waren wir am Meer. • 9. Also ich würde eigentlich wieder gern an die See. Du weißt doch, ich habe doch immer so leicht Erkältung und da hilft Seeluft am besten. • 10. Sorry, aber Seeluft hilft gegen Erkältung nicht, da ist Bergluft viel besser. • 11. Entschuldigung, wenn ich dir widerspreche. Der Arzt hat mir erst neulich gesagt, dass Seeluft bei Erkältung am besten ist. • 12. Wie wäre es, wenn du noch einmal einen anderen Arzt fragst, um zu hören was der sagt.

Mobilität im globalen Dorf

1 Flexibilität – flexibel sein – flexibel – beweglich – unflexibel • Bewegung / Beweglichkeit – (sich) bewegen – beweglich – flexibel – unbeweglich – in Bewegung sein • Veränderung – (sich) verändern – veränderlich – variabel – unveränderlich – unvariabel – zu Veränderungen führen • Auswanderer – auswandern – nach … auswandern • Pendler – pendeln – zwischen … und … pendeln • Fahrt – fahren

2 *Mögliche Lösungen:* ich hoffe, dass es euch gut geht. Wegen meines Umzugs habt ihr leider lange nichts mehr von mir gehört. Inzwischen habe ich mich in Hamburg gut eingelebt und habe schon viele Kontakte. Auch mit meinen Kollegen verstehe ich mich sehr gut. Deshalb fühle ich mich auch nicht einsam. Trotzdem fehlt ihr mir sehr! Deswegen möchte ich euch einladen, mich am kommenden Wochenende zu besuchen und gemeinsam zu feiern. Wir werden eine tolle Zeit haben. Antwortet bitte schnell. Ich vermisse euch, Marion

Wandernde Wörter

1

Pos. 1	Pos. 2	Mittelfeld	Satzende
2. Michael	muss	in der Regel an zwei Abenden in einer Kneipe	jobben.
3. Andreas	spielt	häufig am Samstag Abend in einer Rockband	Gitarre.
4. Sie	haben	schon immer viel mit ihren Freunden über Musik	gesprochen.
5. Sie	arbeiten	besonders in der Woche	sehr viel.

2 a 2. Beweglichkeit und Flexibilität sind heutzutage das A und O. • 3. Viele von uns sind ständig auf Achse. • 4 Häufig sehen sich Paare nur noch am Wochenende. • 5. Manchmal kann das schon zur Entfremdung führen. • 6. Oder die Liebe wird umso größer. • 7. So ist das glücklicherweise bei uns. • 8. Doch viele klagen über Zeitmangel und finanzielle Belastungen. • 9. Aber was soll man tun? • 10. Schließlich muss man ja arbeiten.

2 b 1. Im M<u>o</u>ment bin ich F<u>e</u>rnpendlerin. • 2. Beweglichkeit und Flexibilität sind heutzutage das <u>A</u> und <u>O</u>. • 3. V<u>ie</u>le von uns sind ständig auf <u>A</u>chse. • 4. H<u>äu</u>fig sehen sich Paare nur noch am W<u>o</u>chenende. • 5. M<u>a</u>nchmal kann das schon zur Entfr<u>e</u>mdung führen. • 6. Oder die L<u>ie</u>be wird umso größer. • 7. <u>So</u> ist das glücklicherweise bei <u>uns</u>. • 8. Doch v<u>ie</u>le klagen über Z<u>ei</u>tmangel und finanzielle Belastungen. • 9. Aber was soll man t<u>un</u>? • 10. Schließlich m<u>u</u>ss man ja arbeiten.

3 a 2. Heutzutage sind Beweglichkeit und Flexibilität wichtige Eigenschaften. • 3. Sie sind wichtige Voraussetzungen für beruflichen Erfolg. • 4. Auf neue Entwicklungen muss man sich schnell einstellen können. • 5. Deshalb führen viele junge Paare eine Beziehung auf Distanz. • 6. Immer schneller ändern sich die Lebenspläne. • 7. Pendler beklagen sich über den Verlust an sozialen Kontakten aus Zeitmangel. • 8. Andererseits wird der Zusammenhalt einfacher durch schnelle und billige Transportmittel.

3 b *Mögliche Lösungen:* 2. Heutzutage sind Beweglichkeit und Flexibilität wichtige Eigenschaften. • Beweglichkeit und Flexibilität sind heutzutage wichtige Eigenschaften. • 3. Sie sind wichtige Voraussetzungen für beruflichen Erfolg. • Für beruflichen Erfolg sind sie wichtige Voraussetzungen. • 4. Auf neue Entwicklungen muss man sich schnell einstellen können. • Man muss sich auf neue Entwicklungen schnell einstellen können. • 5. Deshalb führen viele junge Paare eine Beziehung auf Distanz. • Viele junge Paare führen deshalb eine Beziehung auf Distanz. • 6. Immer schneller ändern sich die Lebenspläne. • Die Lebenspläne ändern sich immer schneller. • 7. Viele Pendler beklagen sich über den Verlust an sozialen Kontakten. • Über den Verlust an sozialen Kontakten beklagen sich viele Pendler. • 8. Andererseits wird der Zusammenhalt durch schnelle und billige Transportmittel einfacher. • Der Zusammenhalt wird andererseits durch schnelle und billige Transportmittel einfacher.

4 2. Dieses Wochenende fährt nicht sie nach Hause, sondern ihr Freund kommt zu ihr. • 3. Michael spielt in einer Band, und Andreas hat auch dort angefangen. • 4. Inga hat lange in ihrer Heimatstadt nach einer Arbeit gesucht, aber sie hat leider keine gefunden. • 5. Sie kennt jeden Kilometer der Autobahn, denn sie ist eine Berufspendlerin. • 6. Sie fährt nicht heute nach Hause, sondern (sie fährt) erst morgen.

5 2. nämlich • 3. Da • 4. deshalb / aus diesem Grund • 5. Deshalb / Aus diesem Grund • 6. Wegen

6 2. …, denn es ist spannend eine neue Stadt und neue Leute kennen zu lernen. • 3. … gleich Kontakt zu einer Münchener Band bekommen hat, in der er nun mitspielt, … • 4. …, deshalb ist es ein befreiendes Gefühl, endlich eigene vier Wände zu haben. • 5. …, denn die Stadt ist nicht so distanziert wie andere Großstädte. • 6. …, weil sie öfter mal zu Besuch kommen, sie sich mailen und miteinander telefonieren. • 7. …, deswegen fährt er an den Wochenenden hin und wieder nach Innsbruck. • 8. …, denn in der Branche ist er es gewohnt.

Arbeiten, wo andere Urlaub machen

1 a Subjunktionen: 7. nachdem • 8. sobald • 10. bevor • 11. als • 13. seitdem

1 b 4. damals • 5. während • 6. Bevor • nach • davor • Seit • 8. seitdem • 9. sobald • 10. nachdem

Lektion 2 – Einfach Schön

1 2c • 3a • 4b • 5a • 6c

2 2. Perfektionismus • 3. akzeptabel • 4. Unsicherheit • 5. altmodisch • 6. duchschnittlich

3 b 2. Du würdest im Traum nicht daran denken, … • 3. … hältst du zwar für wichtig, aber … • 4. Aber du findest dich damit gut zurecht. • 5. Du musst das beste kaufen … • 6. … und du hast eine Schwäche für … • 7. …, bedeutet dir sehr viel. • 8. findest du schrecklich. • 9. Vor so genannten „Trendsettern" hast du keinen Respekt. • 10. Du kümmerst dich nicht darum, wenn ..

4 2. Was verstehen Sie genau unter …? • 3. Darf ich bitte kurz nachfragen …? 4. Entschuldigung, darf ich Sie kurz unterbrechen. • 5. Das sehe ich ganz genauso. • 6. Tut mir leid, aber da bin ich anderer Meinung. • 7. Ich würde dazu gern noch etwas ergänzen. • 8. Ich habe mich da vielleicht nicht klar ausgedrückt. Ich wollte eigentlich Folgendes sagen: … • 9. Darf ich das bitte erstmal zu Ende führen.

Schön leicht

1 a fantasiereich • wertvoll • wertlos • durchschnittlich • erfolglos • erfolgreich • langweilig • umwerfend • glaubwürdig

1 b 2E • 3H • 4F • 5A • 6I • 7D • 8B • 9J • 10G

2 2. Schönheit • 3. Zeit • 4. Normen • 5. Schönheitsideal • 6. Wahn • 7. Idee • 8. Bild • 9. Trend • 10. Frage • 11. Streben

3 a 1. D, C • 2. A • 3. B • 4. C, D, F • 5. C, D • 6. E

3 b *Mögliche Lösungen:* Ich empfehle Ihnen, ausreichend zu schlafen. • Ich würde vorschlagen, viel Obst und Gemüse zu essen. • Mein besonderer Tipp: Akzeptieren Sie sich, wie Sie sind! • Ich kann nur jedem raten, öfter mal zu lachen. • Jeder sollte darauf achten, sich möglichst viel zu bewegen. • Ich kann nur jedem raten, mehr Selbstbewusstsein zu entwickeln. • Ich empfehle Ihnen, dem Schönheitswahn zu widerstehen.

4 a leicht – leichter – am leichtesten • viel – mehr – am meisten • gut – besser – am besten • beliebt – beliebter – am beliebtesten • gern – lieb – am liebsten • teuer – teurer – am teuersten • nah – näher – am nächsten • intelligent – intelligenter – am intelligentesten • hoch – höher – am höchsten • dunkel – dunkler – am dunkelsten • heiß – heißer – am heißesten • groß – größer – am größten

4 b 2. mehr • 3. schneller • 4. teuersten • 5. elegantesten • 6. besser • 7. höher • 8. intelligenter • 9. am hübschesten • 10. kleiner • 11. niedriger • 12. mehr • 13. am liebsten • 14. am glücklichsten

Schöne Diskussionen

1 3V • 4Ü • 5V • 6V • 7Ü • 8V • 9Ü • 10V • 11Ü • 12V

2 2a: Dann sehen Sie vermutlich vollkommen durchschnittlich aus. • 3a: Durchschnittliche Gesichter werden wahrscheinlich als besonders attraktiv bewertet. • 4b: Gelten gut aussehende Menschen also unter Umständen auch als intelligenter, kreativer und fleißiger? • 5b: Genauso ist es. Deshalb werden Schöne es im Leben sicherlich leichter haben.

Schön der Reihe nach

1 2. Eine aufmerksame Frau schenkt ihm sein Lieblingsrasierwasser. • … schenkt es ihrem Mann. • schenkt es ihm. • 3. Ein netter Nachbar liest ihnen mal ein Märchen vor. • … liest es den Kindern von nebenan mal vor. • … liest es ihnen mal vor. • 4. Ein freundlicher Passant zeigt ihnen den Weg ins Zentrum. • … zeigt ihn den Touristen. • … zeigt ihn ihnen. • 5. Eine geduldige Lehrerin erklärt ihnen die Grammatik noch einmal. • … erklärt sie den Schülern noch einmal. • … erklärt sie ihnen noch einmal. • 6. Ein guter Verkäufer empfiehlt ihm ein passendes Gerät. • … empfiehlt es dem Kunden. • … empfiehlt es ihm.

2 a 1b. In Italien hat Familie Funke noch nie Urlaub gemacht. • 2a. Nach Norddeutschland musste Marion Nickel aufgrund ihrer Ausbildung ziehen. • 2b. Aufgrund ihrer Ausbildung musste Marion Nickel nach Norddeutschland ziehen. • 3a. Nach der Wende haben Herr und Frau Jahnke mit großem

Lösungen

Erfolg einen Strandkorbverleih eröffnet. • 3b. Mit großem Erfolg haben Herr und Frau Jahnke nach der Wende einen Strandkorbverleih eröffnet. • 4a. Heute hat Frau Jahnke wegen des starken Windes besonders viele Strandkörbe ausgeliehen. • 4b. Wegen des starken Windes hat Frau Jahnke heute besonders viele Strandkörbe ausgeliehen. • 5a. In der Küche trifft sich Carlas Wohngemeinschaft zum Diskutieren am liebsten. • 5b. Am liebsten trifft sich Carlas Wohngemeinschaft zum Diskutieren in der Küche. • 6a. Mit ihren Freunden fährt Carla diesen Sommer nach Griechenland. • 6b. Diesen Sommer fährt Carla mit ihren Freunden nach Griechenland.

2 b 2a • 3b • 4a • 5a • 6b

3 a 2. Viele stimmen daher dem modernen Schönheitskult nicht zu. • 3. Viel Stars hätten es ohne Schönheits-Operationen nicht geschafft. • 4. Das bezweifelt die Autorin nicht. • 5. Die Schreiber im Internetforum finden nicht, dass Schönheit das Wichtigste überhaupt ist.

3 b 2. Das Äußere eines Menschen sagt nicht <u>alles</u> über seinen Charakter. • 3. Frauen sollten sich nicht <u>immer</u> schminken. • 4. Ein schöner Mensch wirkt nicht <u>anziehender</u> als ein Durchschnittsbürger. • 5. Wenn man mit sich nicht <u>zufrieden</u> ist, sollte man nach den Gründen fragen. • 6. Wirklich selbstbewusste Menschen streben nicht <u>nach</u> <u>Attraktivität</u> und <u>Schönheit</u>.

4 a 2. Der <u>Arzt</u> hat ihm ein Mittel gegen Migräne verschrieben. • 3. Der Apotheker hat Jan die <u>Tabletten</u> gegeben. • 4. Der Apotheker hat ihm auch einen <u>Tee</u> empfohlen.

4 b 2. Der Arzt hat das Mittel gegen Migräne auch einer <u>Patientin</u> verschrieben. • 3. Der Apotheker hat die Tabletten Jans <u>Freundin</u> gegeben. • 4. Der Apotheker hat diesen <u>Tee</u> auch Frau <u>Müller</u> empfohlen.

5 a 2. Nur mit ihm spricht er darüber. • 3. Glücklicherweise kann sein Bruder ihm einen bekannten Heilpraktiker empfehlen. • 4. Die Behandlung muss Jan allerdings selbst bezahlen.

5 b *Mögliche Lösungen:* 1. Jan hat seinem Bruder <u>endlich</u> von seinen chronischen <u>Kopfschmerzen</u> erzählt. 2. Nur mit <u>ihm</u> spricht er darüber. • 3. <u>Glücklicherweise</u> kann sein Bruder ihm einen <u>bekannten</u> Heilpraktiker empfehlen. • 4. Die <u>Behandlung</u> muss Jan allerdings <u>selbst</u> bezahlen.

Schön wohlfühlen

1 2. die Beine • 3. ihre Nase • 4. den Kopf • 5. Beinen • 6. den Kopf • 7. ins Auge • 8. die kalte Schulter

2 2. Sonnenbrand • 3. (Augen-)Entzündung • 4. Verstauchung • 5. Grippe

3 2. sollten • 3. An Ihrer Stelle • 4. Wie wäre es • 5. empfehle • 6. solltest • 7. wäre • 8. Probieren Sie

4 2. Gehen Sie täglich an die frische Luft. • 3. Treiben Sie regelmäßig Sport. • 4. Schlafen Sie täglich sieben bis acht Stunden. • 5. Nehmen Sie genügend Vitamine zu sich. • 6. Schalten Sie nach der Arbeit vom Stress ab.

5 a 2w • 3v • 4v • 5w

5 b *Mögliche Lösungen:* Ich empfehle dir, an den eigenen Erfolg zu glauben. • Du solltest nicht zu selbstkritisch sein. • Ich empfehle dir, dich über die Risiken zu informieren. • Wenn ich du wäre, würde ich eine Reise machen, um in ruhe nachzudenken. • Ich rate dir, nicht so schnell aufzugeben. • Wie wäre es, wenn du zunächst mit einem Experten sprechen würdest. • Du solltest dich freuen, dass du gesund bist. • Probiere dich selbst zu akzeptieren, wie du bist.

5 c Glaub an den eigenen Erfolg! • Sei nicht zu selbstkritisch! • Informier dich über die Risiken! • Mach einen Reise, um in Ruhe nachzudenken! • Gib nicht so schnell auf! • Sprich mit einem Experten! • Freu dich, dass du gesund bist! • Akzeptier dich, wie du bist.

5 d Der Imperativ (Übungsteil c) ist in der Form härter, klingt (fast) wie ein Befehl. Die Sätze in Übungsteil b klingen höflicher.

Schöne Momente, schöne Worte

1 **positiv:** herrlich • wunderschön • toll • wundervoll • außergewöhnlich • **negativ:** miserabel • fürchterlich • furchtbar • katastrophal

2 2. b, c • 3. a, b • 4. b, c • 5. a, c

3 a 2b • 3a • 4b • 5a

3 b 2b • 3b • 4a • 5a

3 c *Mögliche Lösungen:* 2. ziemlich • 3. absolut • 4. wirklich • 5. schrecklich • 6. unglaublich

Lektion 3 – Nebenan und Gegenüber

1 2E: die Zurückhaltung • die Aufdringlichkeit • 3G: die Offenheit • die Verschlossenheit • 4D: die Toleranz • die Intoleranz • 5C: die Teilnahme • das Desinteresse • 6B: die Hilfsbereitschaft • der Egoismus • 7H: die Freundlichkeit • die Unfreundlichkeit • 8A: die Sanftheit • die Aggression / die Aggressivität

2 2. Vermutlich sitzt Herr Schmidt jeden Abend in der Kneipe • 3. Clara Schmidt ist wohl sehr wählerisch. • 4. Ich nehme an, dass Peter dauernd Süßes isst. • 5. Es könnte sein, dass das Baby Zähne bekommt. • 6. Ich könnte mir vorstellen, dass die alte Frau Frank sich langweilt. • 7. Ich vermute, dass der alte Herr Frank dafür stundenlang fernsieht.

3 *Mögliche Lösungen:* 2. Das Hundegebell war unerträglich, schließlich riefen die Nachbarn die Polizei. • 3. Es gab immer Krach um die Treppenreinigung. Am Ende redete keiner mehr mit dem anderen. • 4. Der Nachbar von gegenüber stellt den ganzen Flur voll, infolgedessen kommen wir kaum zu unserer Tür. • 5. Das Ehepaar in der Wohnung über uns streitet sich dauernd. Folglich können wir keine Nacht mehr ruhig schlafen können. • 6. Der Nachbar aus dem ersten Stock hat schon zum zehnten Mal sein Auto vor unserer Einfahrt geparkt. Die Folge ist, dass wie nicht mehr mit ihm sprechen.

Streit in der Nachbarschaft

1 2. das Erdgeschoss, -e • 3. das Grundstück, -e • 4. das Mehrfamilienhaus, -häuser • 5. das Einfamilienhaus, -häuser • 6. der Mieter, - • 7. der Vermieter, - • 8. der Mieterbund, -bünde • 9. das Mietshaus, -häuser • 10. die Sozialwohnung, -en • 11. die Eigentumswohnung, -en • 12. die Wohngemeinschaft, -en • 13. zuhause • 14. die Wohnsiedlung, -en • 15. das Stadtviertel, - • 16. das Wohngebiet, -e

2 2. <u>Die</u> schauen <u>in letzter Zeit</u> ziemlich unfreundlich. 3. Die Parmers haben <u>nämlich</u> vier Kinder und wohnen in drei kleinen Zimmern unterm Dach. 4. <u>Die Kinder</u> gelten als sehr intelligent und sensibel. 5. <u>Aber sie</u> sind <u>auch</u> sehr turbulent und sind <u>auch</u> während der allgemeinen Ruhezeiten zu hören. 6. Die Eltern nehmen <u>das</u> als gegeben hin, nicht so der Mieter unter ihnen. 7. <u>Er</u> will sogar gegen die Familie Parmer klagen, wenn die Lärmbelästigung nicht aufhört. 8. <u>Und er</u> bezeichnet die Situation im Haus als sehr schlimm. 9. <u>Familie Parmer</u> sieht keine Lösung <u>des Problems</u> und macht die Stadt <u>für die kritische Lage</u> verantwortlich. 10. <u>Ihr</u> Traum ist, so schnell wie möglich in eine einsame Gegend zu ziehen, möglichst aufs Land. 11. <u>Dann</u> hätten alle Sorgen ein Ende!

3 a 1. steht nicht im Text • 2. steht im Text • 3. steht im Text
3 b Zeile 6–8, Die Frage stellt sich, ob man dagegen sein kann, …
3 c Text B ist besser.
3 d zunächst • überhaupt • dazu • vor allem • natürlich • aber gleichzeitig • grundsätzlich • vor allem • weiterhin • dadurch • also auf keinen Fall • sondern vielmehr • auf diese Weise • dagegen • erstens • zweitens • dazu • in jedem Fall • Die Wörter gliedern den Text, stellen den Textzusammenhang besser dar und verdeutlichen die Argumente.

Nachbarn lösen Konflikte

1 a 2B • 3C • 4E • 5C • 6B • 7D • 8E • 9C • 10A • 11C • 12B • 13A • 14B • 15E • 16C • 17A • 18B • 19A • 20B
1 b 2. Ist dir das denn so wichtig, ob sie dich grüßt oder nicht? • 3. Na ja, stimmt schon. • 4. Und wie ging es dann weiter? • 5. Und wie hat sie darauf reagiert? • 6. Und wie hast du dich danach verhalten? • 7. Du hast gesagt, du warst richtig sauer. Was hat dich denn am meisten geärgert? • 8. Du warst also verletzt, aber du hast dich auch gefragt, welche Rolle du selbst dabei spielst. • 9. War das noch am selben Tag? • 10. Alles in allem also ein glücklicher Ausgang.
2 2H: Man kann drei Argumentationslinien erkennen • 3S: Meiner Ansicht nach sind die Argumente von Frau Stein Argumente insgesamt besser, weil … • 4S: Zusammenfassend lässt sich die Situation wie folgt bewerten: • 5H: Während Herr Marmor anführt, dass … , entgegnet Frau Stein … • 6E: In dem Artikel geht es darum, dass … • 7H: Ich halte dieses Argument für besser als das von Herrn Marmor, weil … • 8H: Frau Stein ist meines Erachtens deshalb im Recht, weil … • 9H: Ich finde die Argumente von Herrn Marmor einleuchtender, weil … • 10E: In diesem Bericht nehmen Menschen Stellung zu dem Thema Umwelt. • 11H: Mir erscheinen die Gründe, die Frau Stein anführt, stichhaltiger … • 12S: Es wäre also sicher gut / besser, wenn …
3 *Mögliche Lösungen:* **Worum geht es im Text:** Bedeutung von Nachbarschaftshilfe für die Personen. • **Pos. Argumente:** kleine Gefälligkeiten (z. B. Briefkasten leeren) • **Neg. Argumente:** Hinter Hilfsangeboten steckt oft Neugier oder Schlimmeres. • Man sollte Nachbarn nicht zur Last fallen.
4 a/b *Mögliche Lösungen:* 2. Es wird empfohlen, direkt vor der Haustür zu parken. / Sie sollten direkt vor der Haustür parken. • 3. Es ist nur von 13 bis 15 Uhr gestattet, laut zu bohren. / Sie dürfen nur von 13 bis 15 Uhr laut bohren. • 4. Es ist nicht erlaubt, in der Woche vor 22 Uhr Partys zu feiern. / Sie dürfen in der Woche vor 22 Uhr keine Partys feiern. • 5. Es ist verboten, die Haustür nachts zuzuschließen. / Sie dürfen die Haustür nachts nicht abschließen. • 6. Es ist erlaubt, Fahrräder auf dem Dach abzustellen. / Sie können Fahrräder auf dem Dach abstellen. • 7. Es wird empfohlen, möglichst auf der Terrasse zu streiten. / Sie sollten möglichst auf der Terrasse streiten. • 8. Es wird empfohlen, die Wohnung nie zu lüften. / Sie sollten die Wohnung nie lüften.

Lokal oder global: gute Nachbarschaft

1 a 2. bei • 3. um • 4. beim • 5. zum • 6. über • 7. in • 8. für • 9. in

1 b die Gartenarbeit • das Bankgeschäft • der Begleitdienst • der Berufstätige • der Familienpfleger • der Hauswirtschaftsdienst • die Nachbarschaftshilfe • das Kinderhüten • die Reparaturarbeit • der Ruhestand / der Ruheständler • die Putzhilfe • der Zusammenschluss
2 a Deshalb • Das • sodass • Er • deshalb • dadurch • Nun • Auf diese Weise • denn von nun an • zwar … aber
3 a Die Akzentsilbe ist lauter, höher, deutlicher, langsamer.
3 b **Akzent auf der ersten Silbe:** Nachbarn • wirklich • arbeiten • deshalb • außergewöhnlich • angebunden • Kinderwagen • Türklinke • Gummiband • **Akzent auf der zweiten Silbe:** erzählen • Geschichte • beschäftigen • beklagen • nachdem • Idee • Geräusche • zufrieden • **Akzent auf der dritten Silbe:** separat • unterhalten
3 c *Mögliche Lösungen:* bei einfache Wörtern Betonung meist auf der ersten Silbe, z.B. <u>ar</u>beiten • bei trennbaren Verben wird das Präfix betont, z. B. <u>an</u>gebunden • bei untrennbaren Verben oder Wörtern mit Be-, Ge-, Ver-, etc. wird das Präfix nicht betont, z. B. er<u>zäh</u>len, unter<u>hal</u>ten, Ge<u>schich</u>te • Komposita haben den Akzent auf dem Bestimmungswort, z. B. <u>Dorf</u>fest, <u>Kin</u>derwagen

Wie Nachbarn sich verstehen

1 *Mögliche Lösungen:* Frau H. hört gern Musik, Herr H. jedoch liest lieber. • Frau H. hat blondes Haar, Herr H. hingegen dunkles Haar. • Frau H. trägt eine lange Jacke, Herr H. dagegen eine kurze. • Während Herr H. barfuß läuft, trägt Frau H. Schuhe mit hohen Absätzen. • Frau H. ist schlecht gelaunt. Im Gegensatz zu ihr ist Herr H. gut gelaunt. • Frau H. ist kleinlich, aber Herr H. ist großzügig. • Frau H. reist gern, Herr H. hingegen bleibt lieber zu Hause. • Während Herr H. offen ist, ist Frau H. verschlossen. • Frau H. fotografiert Bauwerke, Herr H. jedoch beobachtet Vögel mit dem Fernrohr.
2 a 3. Anstatt dass er die Hunde füttert, muss sie das heute tun. • 4. Anstatt wie fast immer Musik zu hören, sieht sie heute fern. • 5. Anstatt dass sie sich freut, ist sie wieder unzufrieden.
2 b 2. Anstatt zu Fuß zu gehen, fahren sie mit dem Taxi. • 3. Statt die Hunde mitzunehmen, lassen sie sie zu Hause. • 4. Anstatt dass sie seine Eltern zum Essen einladen, muss sein Vater selbst bezahlen. • 5. Anstatt sich zu unterhalten, schweigen sie. • 6. Statt einer fröhlichen Runde ist es eine traurige Veranstaltung.
3 2. Dadurch dass ich als Kinde jeden Sommer im Fluss geschwommen bin, habe ich leicht schwimmen gelernt. • 3. Ich habe schnell Auto fahren gelernt, indem ich mit Mutter oft auf dem Übungsplatz gefahren bin. • 4. Ich habe gut kochen gelernt, indem ich jeden Sonntag zu Hause für die ganze Familie gekocht habe. • 5. Durch immer neue Versuche habe ich ganz gut Haare schneiden gelernt. • 6. Dadurch dass ich vielen Freunden beim Renovieren geholfen habe, habe ich Tapezieren gelernt. / Tapezieren habe ich dadurch gelernt, dass ich vielen Freunden beim Renovieren geholfen habe.
4 a *Mögliche Lösungen:* 2. meistens • 3. überwiegend / hauptsächlich / in erster Linie • 4. Gerade • Vor allem / In erster Linie • 5 vor allem / insbesondere • 6 speziell / allem voran / zunächst • hauptsächlich / in erster Linie / besonders
4 b *Mögliche Lösungen:* 2. Darüber hinaus / außerdem • 3a. einerseits 3b. andererseits • 4. sowie • 5. Weiterhin / Ferner / Außerdem / Einerseits (wenn bei 7 „andererseits"

steht) • 6. auch / zusätzlich • 7. Aber / Andererseits (wenn bei 5 „einerseits" steht)

4 c 2. Man hat zwar praktische Vorteile im Alltag, aber man muss Küche und Bad mit den Mitbewohnern teilen. • 3. In einer gemeinsamen Wohnung ist es oft unruhig, doch man ist nicht alleine. • 4. Auf der einen Seite ist man ungestörter in einer eigenen Wohnung, auf der anderen Seite hat man mehr Arbeit mit dem Saubermachen. • 5. Die Kosten in der WG sind für den einzelnen niedriger, manchmal jedoch muss man auch Ausgaben der anderen mit übernehmen. • 6. Damit gibt es keine Probleme, wenn man allein wohnt, es kann allerdings sehr einsam werden.

4 d 2a • 3b • 4c

4 e 2. wie schon ausführlich erörtert • 3. wie schon diskutiert • 4. wie bereits durchgeführt

Die Kirschen in Nachbars Garten

1 a *Mögliche Lösungen:* 2. Es geht los. Es sind schon 8 Leute da / gekommen. Wir sind hoffnungsvoll. / Wir hoffen, dass alles gut klappt. • 3. Es ist brechend voll. Es gibt supernette Leute, aber auch sehr rücksichtslose. Manche essen hemmungslos. • 4. Die Regale sind halbleer. Es gibt keine alkoholfreien Getränke mehr. Die Snacks sind aufgegessen. Wir sind ratlos. Wir haben uns geirrt, als wir dachten, dass kein Mensch kommt. / Das war wohl nichts mit „menschenleer". • 5. Wir haben das große Los gezogen. Es sind Nachbarn mit Keyboard und Trommeln gekommen. / Nachbarn haben ein Keyboard und Trommeln mitgebracht. Wir feiern gerade eine große Tanzparty. Ich habe Sehnsucht nach dir.

1 b 2. cholesterinfreie Margarine • 3. fettarmer Joghurt • 4. schadstofffreie Tomaten • 5. ballaststoffreiches Brot • 6. alkoholfreies Bier • 7. kalorienarmer Kuchen • 8. fruchfleischhaltige Säfte

2 2. Arbeitslosigkeit • Mittellosigkeit • Mutlosigkeit • 3. Hemmungslosigkeit • Maßlosigkeit • Schamlosigkeit • 4. Würdelosigkeit • Obdachlosigkeit • Schutzlosigkeit • 5. Glücklosigkeit • Chancenlosigkeit • Aussichtslosigkeit • Machtlosigkeit

Lektion 4 – Dinge

1 *Mögliche Lösung:* … Er malte und zeichnete seit seinem 12. Lebensjahr. Seine ersten Bilder waren impressionistisch geprägt. Von 1916 bis 1918 studierte er an der Brüssler Akademie der schönen Künste. 1922 heiratete er Georgette Berger, die auch sein Modell war. Bis 1926 verdiente er sein Geld mit Gelegenheitsjobs. Danach hielt er sich von 1927 bis 1930 in Paris auf. Er hatte dort viele Kontakte zu den französischen Surrealisten. Und er schloss Freundschaft mir André Breton, Paul Eluard, Joan Miró, Hans Arp und Salvador Dali. Von 1929 bis 1966 war er als Redakteur für verschiedene Zeitschriften und Zeitungen tätig. Ab 1936 stellte Magritte international in großen Galerien und Museen aus. Seine Malerei und seine Ideen von Kunst beeinflussten die Pop-Art und die Konzeptkunst der 60iger Jahre. Noch vor seinem plötzlichen Tod am 15. August 1967 durch Krebs, erstellt Magritte 1967 erstmals Entwürfe und Gussformen für Skulpturen zu seinen Bildern, die 1968 in Paris ausgestellt werden.

2 a 2. Im Vordergrund • 3. Dahinter • 4. im Hintergrund • 5. der Betrachter • 6. die Farbgebung • 7. einen Kontrast • 8. realistisch • 9. scheinen • 10. vermuten • 11. wirkt • 12. der Blick • 13. Absicht

3 3 • 5 • 6 • 8

4 b [eː]: Dehnung • geben • Mehl • sehen • Krebs • Leben • Seele • Wege • her • mehr • weniger • [ə]: geben • Fähre • später • sehen • Glätte • Städtchen • Leben • Seele • Wege • Ärger • Reste • letzte • Ende • Rente • zählen • Helden • mähen • sprechen • denken • Wetter • Kälte • Länge • Mädchen • Gäste • bezahlen • [ɛ]: Glätte • Städtchen • Ärger • Reste • letzte • Ende • Rente • Helden • sprechen • denken • Wetter • helfen • Kälte • Länge • Gäste • [ɛː]: Fähre • später • zärtlich • jährlich • zählen • Käfig • mähen • nämlich • Mädchen • schräg

Die Welt der Dinge

1 1. -en • -en • -er • -er • 2. -e • -es • -e • -es • -em • - • 3. -e • -e • -e • -e • -en • -e • -en • 4. -e • -e • -e • -e • -e • -e • -es • -e • - • - • - • -en • -en • -en • -en

2 a 2. Farbe • 3. wenden • 4. Klassik • 5. Seite • 6. Automat • 7. verkaufen • 8. rutschen • 9. Technik • 10.Ruhe • 11. Pflanze • 12. erfinden • 13. nützen • 14. zerbrechen • 15. Aroma • 16. Medizin

2 b **-isch:** stürmisch • träumerisch • kindisch • ökologisch • romantisch • erfinderisch • praktisch • elektronisch • idyllisch • regnerisch • **-lich:** kindlich • gemütlich • sommerlich • friedlich • freundlich • köstlich • oberflächlich • lieblich • **-ig:** salzig • bergig • abhängig • hügelig • sonnig • vorsichtig

2 c **ein Gerät:** billig • ökologisch • praktisch • elektronisch • **ein Lebensmittel:** billig • salzig • ökologisch • köstlich • **eine Landschaft:** bergig • friedlich • romantisch • hügelig • idyllisch • lieblich • **das Wetter:** stürmisch • sommerlich • sonnig • regnerisch • **einen Menschen:** träumerisch • kindisch / kindlich • gemütlich • friedlich • romantisch • abhängig • erfinderisch • vorsichtig • oberflächlich

3 a 2I: topmodern / 2L: topaktuell • 3H: superschick / 3I: supermodern / 3M: superschnell • 4H: todschick • 5C: tiefrot • 6G: nagelneu • 7F: bildhübsch • 8E: riesengroß • 9B: stockdunkel • 10D: hochbrisant / 10L: hochaktuell • 11A: vollautomatisch • 12M: blitzschnell • 13K: glasklar

3 b *Mögliche Lösungen:* 1. hochbrisante • 2. nagelneu • glasklar • 3. todschick • stockdunkel • 4. superschick • bildhübsch • 5. nagelneuen • blitzschnell • 6. vollautomatisch • superschnell • 7. tiefrot • glasklar

4 2. unhöflich • 3. missverstanden • 4. unmöglich • 5. unglaublich • 6. missgünstige • 7. unglücklich • 8. unbeliebt • 9. unschöne

Die Versteigerung der Dinge

1 a **Person:** der Konsument • der Käufer • das Personal • der Verbraucher • der Händler • der Kunde • der Vertreter • **Geld:** die Rechnung • der Sonderpreis • der Gewinn • der Profit • die Quittung • der Rabatt • der Stückpreis • der Verlust • der Umsatz • **Aktivität:** die Versteigerung • die Bestellung • die Beratung • die Ausfuhr • der Import • die Werbung • das Angebot

1 b 2b • 3a • 4a • 5b • 6a

2 a 2H • 3A • 4F • 5C • 6G • 7B • 8E

3 a 2. …, woran ich noch nie gedacht habe. • 3. …, was ich mir schon immer gewünscht habe. • 4. …, wofür ich kein Geld ausgeben würde. • 5. …, was die meisten Menschen täglich benutzen. • 6. …, womit ich noch nicht richtig umgehen kann.

3 b 2. was • 3. was • 4. wo • 5. was • 6. was • 7. wann • 8. warum • 9. was • 10. worüber • 11. was • 12. worüber •

13. wofür • 14. worüber

3 c 2. …, was den Einzelhändlern Sorge macht. • 3. …, worüber sie sich sehr gefreut hat. • 4. …, von der hat sie immer geträumt. • 5. …, dessen Inhalt hat er nicht bestellt. • 6. …, für den hat sie nichts bezahlt. • 7. …, was ihn sehr überrascht hat. • 8. …, mit der er dauernd spielt.

4 a an die • deren • für die • die • Geld

Der Wert der Dinge

1 b Notizen B sind verständlicher.

3 2c • 3a • 4b • 5b • 6a • 7c • 8b • 9c • 10a

Die Präsentation der Dinge

1 b **Reihenfolge:** Alternativen anbieten (1) • nicht streiten (2) • beobachten (4) • zuhören (5) • Zielorientierung (6) • Ruhe bewahren (7) • lächeln (9) • auf Kaufsignale achten (10) • **es fehlen:** Punkt 3 (sich mit Kunden identifizieren) • Punkt 8 (Katalog möglicher Kundeneinwände samt Antworten)

2 2F • 3J • 4I • 5G • 6A • 7H • 8E • 9C • 10D

Die Macht der Dinge

1 2. Alptraum • 3. locker • 4. herumliegen • 5. Schrott • 6. wiederverwendbar

2 a **Situation 1:** 1C • 2A • 3D • 4B • **Situation 2:** 1B • 2D • 3A • 4C

2 b *Mögliche Lösungen:* Bei Problemen sein Ziel halbieren! • Sich nicht ablenken lassen! • Den Ort wechseln! • Aufräumaktionen nicht auf ruhigere Zeiten verschieben! • Zeitliches Limit setzen und Störungen ausschalten! • Festlegen, welche Arbeiten nach dem Aufräumen erledigt werden müssen!

2 c *Mögliche Lösungen:* Bei Problemen empfehle ich dir, dein Ziel zu halbieren. • Du solltest darauf achten, dich nicht ablenken zu lassen. • Mein guter Ratschlag ist daher, wechsle den Ort! • Man sollte die Aufräumaktionen nicht auf ruhigere Zeiten verschieben. • Ich kann dir nur raten, dir ein zeitliches Limit zu setzen und Störungen auszuschalten. • Ich möchte dich dazu ermutigen, auch festzulegen, welchen Arbeiten du nach dem Aufräumen erledigen musst.

Lektion 5 – Kooperieren

1 2C • 3H • 4A • 5B • 6G • 7E • 8D

2 **verständnisvoll:** entgegenkommend • tolerant • einsichtig • verständig • nachsichtig • **unhöflich:** taktlos • flegelhaft • unfreundlich • frech • **rechthaberisch:** dickköpfig • stur • eigensinnig • uneinsichtig • **streitsüchtig:** aggressiv • herausfordernd • provokant • streitlustig

Verständigung statt Konfrontation

1 2c: Z. 29–33 • 3b: Z. 47/48, 53/54 • 4a: Z. 59/60 • 5c: Z. 74–76

2 a 2. Staatsanwalt • 3. Zeuge • 4. Rechtsanwalt • 5. Verteidiger

2 b 2. Behörde • 3. Gerichtsverfahren • 4. Sozialgericht • 5. Kompromiss

3 2. Streithansel • 3. Manipulierer • 4. Dauerredner • 5. Punktesammler • 6. Gesprächskiller

4 2H • 3J • 4F • 5G • 6B • 7I • 8C • 9A • 10E

5 1. Alles im Dunkeln • 2. Vom rechten Weg abgekommen • 3. eiskalt erwischt • 4. Knast fürs Schwänzen • 5. Anglerglück

Verhandeln statt streiten

1 2. vertraulich • 3. vertritt • 4. bewertet • 5. verständlich • 6. verantwortlich • 7. achtet

2 2b • 3c • 4d • 5a • 6c

3 a 2. Ich <u>konnte</u> zu Beginn weder neutral <u>bleiben</u> noch zwischen den Streitparteien eine Lösung <u>aushandeln</u>. • 3. <u>Die Leute können</u> entweder gleich das teure Gerichtsverfahren <u>wählen</u> oder den „sanften" und preiswerteren Weg der Mediation <u>probieren</u>. • 4. <u>Man muss</u> sowohl sich selbst als auch die Schwächen und Stärken der anderen gut <u>kennen</u>. • 5. <u>Ich schätze</u> nicht nur ein konstruktives Gesprächsklima zwischen den Streitparteien, sondern auch die Qualität einer harten Auseinandersetzung. • 6. Je häufiger <u>ein Mediator</u> Fortbildungen zum Thema Krisenmanagement <u>besucht</u>, desto einfacher <u>wird es</u> für ihn, mit Konflikten richtig <u>umzugehen</u>.

3 b 2F: aber • 3D: desto • 4A: als auch • 5E: noch • 6B: sondern auch

4 a 2. sowohl … als auch • 3. Je … desto • 4. nicht nur … sondern auch • 5. weder … noch • 6. entweder … oder

4 b *Mögliche Lösungen:* Die Mediation ist nicht nur ein unbürokratisches Verfahren, sondern auch günstiger als ein Gerichtsprozess. • Zwar gibt es keine Verlierer, aber es gibt auch keine juristische Absicherung. • Die Mediation ist sowohl günstiger als ein Gerichtsprozess als auch eine Methode der konstruktiven Konfliktlösung. • Entweder nehmen alle freiwillig teil oder es kann keine akzeptable Lösung für alle gefunden werden. • Man hat weder eine Garantie für die fachliche Qualität des Mediators noch für den Erfolg.

5 2. …, dass ich immer bei einem Streit nachgebe. • 3. …, dass du mich nie ausreden lässt. • 4. …, wenn wir das Problem mit einer Mediatorin behandeln würden? • 5. …, dass wir gemeinsam mit ihr eine Lösung finden werden? • 6. …, wenn wir vor einem Streit das Problem ruhig und offen besprechen würden. • 7. …, wenn wir bei der Mediatorin einen Vertrag über die vereinbarte Lösung schließen müssen.

6 2. einerseits • 3. andererseits • 4. Was würden Sie von folgender Lösung halten? • 5. Das geht leider nicht. • 6. wie wäre es, • 7. Das könnte eine Lösung sein. • 8. Lassen Sie uns Folgendes vereinbaren: • 9. Das ist ein guter Vorschlag.

Dialog statt Monolog

1 2. öffentlich-rechtlichen • 3. Privatsender • 4. Seifenopern • 5. Dokumentationen • 6. Fernsehpreise • 7. Einschaltquoten • **übrig bleiben:** Krimis • Sport-Sendungen

2 **Nachfrage:** Wie sehen Sie das? • Hier regt sich Widerspruch, nehme ich an. • Denken, sie auch, dass … • Würden Sie dem zustimmen? • Mich würde interessieren, was Sie dazu meinen. • … und Sie? • **Überleitung:** Vielleicht könnten Sie … • Gut, dass sie diesen Punkt ansprechen. • Ich möchte noch etwas zu diesem Punkt sagen. • **Zustimmung:** Es ist durchaus richtig, was Sie erwähnen. • **Widerspruch:** Das sehe ich völlig anders. • Nein, auf keinen Fall. • Ich bin mir nicht sicher, ob … • Da bin ich anderer Meinung.

3 a 2D • 3B • 4A • 5D • 6B • 7C • 8A

4 1. könnten • 2. dürfte • bräuchte • 3. wäre • gäbe • 4. könnte • wollte • würden … leben • 5. wollte • müssten

5 2. Sie sollten Ihren Mann am Abend eine Stunde in Ruhe entspannen lassen. / Wie wäre es, wenn Sie Ihren Mann … entspannen ließen. / An Ihrer Stelle sollten Sie Ihren Mann

… entspannen lassen. • 3. Sie sollten jedes Wochenende einige Stunden gemeinsam etwas unternehmen. / Wie wäre, wenn Sie … etwas unternehmen würden. / An Ihrer Stelle würde ich … etwas unternehmen. • 4. Sie sollten für einige Stunden pro Woche eine Putzhilfe beschäftigen. / Wie wäre es, wenn Sie für … beschäftigen würden. / An Ihrer Stelle würde ich für … beschäftigen. • 5. Jeder von Ihnen sollte einen Abend pro Woche allein etwas unternehmen. / Wie wäre es, wenn jeder von Ihnen … unternehmen würde. / An Ihrer Stelle würde ich … unternehmen. • 6. Sie sollten Ihre Freunde oder Familie regelmäßig um Hilfe bitten und zu zweit etwas unternehmen. / Wie wäre es, wenn Sie Ihre … um Hilfe bitten würden und zu zweit etwas unternehmen würden. / An Ihrer Stelle würde ich meine … um Hilfe bitten und zu zweit etwas unternehmen.

6 2. Entschuldigung, würden Sie mir bitte den Weg zum Rathaus beschreiben. / Könnten Sie mir bitte den Weg zum Rathaus beschreiben. / Wären Sie bitte so nett / freundlich, mir den Weg zum Rathaus zu beschreiben. • 3. Entschuldigung, würden Sie bitte langsamer sprechen. / Könnten Sie bitte langsamer sprechen. / Wären Sie so nett / freundlich, langsamer zu sprechen. • 4. Entschuldigung, würden Sie das bitte wiederholen. / Können Sie das bitte wiederholen. / Wären Sie so nett / freundlich, langsamer zu sprechen.

7 a 1. Pille • Paar • Bier • Oper • Gebäck • rauben • 2. Kern • Greis • Kuss • Egge • decken • legen • 3. Dank • Tipp • Tier • Weide • Marder • entern

Gemeinsam statt einsam

1 a Es ist eine Tatsache: zweifelsohne, tatsächlich, offensichtlich, sicher • **Es ist möglich:** vermutlich, vielleicht, scheinbar • **Es stimmt nicht:** keineswegs, überhaupt nicht, gar nicht

1 b *Mögliche Lösungen:* **Es ist eine Tatsache:** hundertprozentig • ganz bestimmt • Es ist ganz klar, dass … • **Es ist möglich:** eventuell • Es besteht die Möglichkeit, dass … • unter Umständen • **Es stimmt nicht:** auf keinen Fall • Es ist unmöglich, dass … • Es kann nicht sein, dass …

2 2. Jane versucht, wöchentlich einen Film auf Deutsch zu sehen. • 3. Irina hat den Plan, einen Sprachkurs zu besuchen. • 4.Hamid beabsichtigt, an einem Austauschprogramm teilzunehmen. • 5. Victor nimmt sich regelmäßig Zeit, seinem Brieffreund zu schreiben.

3 *Mögliche Lösungen:* Ich empfehle dir, den logischen Zusammenhang zu suchen. • Ich rate dir, die einzelnen Punkte sinnvoll zu verknüpfen. • Ein gute Methode ist es, den Text in Einleitung, Hauptteil und Schluss zu gliedern. • Achte darauf, in der Einleitung zum Thema hinzuführen. • Ich schlage vor, im Hauptteil pro und contra-Argumente zu sammeln oder eine Entwicklung (gestern, heute, morgen) darzustellen sowie eigene Erfahrungen anzuführen. • Beim Argumentieren ist es wichtig, Behauptungen aufzustellen, diese zu begründen, Beispiele anzuführen und Schlussfolgerungen zu ziehen. • Ein guter Ratschlag ist, am Schluss seine Argumente zusammenzufassen und einen Ausblick zu geben. • Ich empfehle dir, bei den Sätzen auf logische Gedanken- und Satzverknüpfungen zu achten.

4 2. … alles vergessen zu haben. • 3. … beachtet zu werden. • 4. … kritisiert zu werden. • 5. … arbeiten zu können. • 6. … ablegen zu müssen. • 7. … korrigieren zu lassen.

Gemeinsam sind wir stark

1 2. Elefant: Hätte ich doch Flügel! / Wenn ich Flügel hätte, könnte ich fliegen. • 3. Vogel: Hätte ich doch Arme! / Wenn ich Arme hätte, könnte ich Obst pflücken. • 4. Fisch: Hätte ich doch eine Stimme! / Wenn ich eine Stimme hätte, könnte ich singen. • 5. Schlange: Hätte ich doch Beine! / Wenn ich Beine hätte, könnte ich laufen. • 6. Giraffe: Hätte ich doch Flossen! / Wenn ich Flossen hätte, könnte ich schwimmen.

2 a 2. Herr Weiß hätte keinen Prozess gegen seine Nachbarn geführt, wenn sie nicht zu laut gewesen wären. / Wenn seine Nachbarn … gewesen wären, hätte Herr Weiß … geführt. / Wären seine Nachbarn … gewesen, hätte Herr Weiß … geführt. • 3. Frau Scherz hätte sich nicht über ihre Tochter geärgert, wenn sie ihr Zimmer aufgeräumt hätte. / Wenn ihre Tochter … aufgeräumt hätte, hätte Frau Scherz … geärgert. / Hätte ihre Tochter … aufgeräumt, hätte Frau Scherz … geärgert. • 4. Frau Pfeifer hätte keinen Ärger mit ihrem Chef gehabt, wenn sie ihr Projekt pünktlich beendet hätte. / Wenn Frau Pfeifer … beendet hätte, hätte sie … gehabt. / Hätte Frau Pfeifer … beendet, hätte sie … gehabt. • 5. Silke und Joachim wären zusammen in Urlaub gefahren, wenn sie sich nicht gestritten hätten. / Wenn Silke und Joachim sich nicht gestritten hätten, wären sie … gefahren. / Hätten sich Silke und Joachim nicht gestritten, wären sie … gefahren.

2 b 2. Der Mediator hätte eine Lösung aushandeln können, wenn die Konfliktparteien nicht allen Vorschlägen widersprochen hätten. / Wenn die Konfliktparteien .. widersprochen hätten, hätte der Mediator … aushandeln können. / Hätten die Konfliktparteien … widersprochen, hätte der Mediator … aushandeln können. • 3. Herr Jung hätte in Urlaub fahren dürfen, wenn seine Kollegin nicht krank geworden wäre. / Wenn seine Kollegin … geworden wäre, hätte Herr Jung … fahren dürfen. / Wäre seine Kollegin … geworden, hätte Herr Jung … fahren dürfen. • 4. Frau Lauf wäre nicht gekündigt worden, wenn sie Überstunden hätte machen wollen. / Wenn Frau Lauf Überstunden hätte machen wollen, wäre ihr nicht gekündigt worden. / Hätte Frau Lauf Überstunden machen wollen, wäre ihr nicht gekündigt worden. • 5. Frau Wald und Herr May hätten keinen Mediator hinzuziehen müssen, wenn sie das Problem allein hätten lösen können. / Wenn Frau Wald und Herr May … hätten lösen können, hätten sie … hinzuziehen müssen. / Hätten Frau Wald und Herr May … lösen können, hätten sie … hinzuziehen müssen.

3 a 2. …, als würde sie ihn nicht mehr kennen. • 3. …, als wären sie seit Monaten getrennt. • 4. …, als wäre sie gestern gewesen. • 5. …, als wolle er einen Rekord brechen.

3 b 2. …, als ob sie ihn nicht mehr kennen würde. • 3. …, als ob sie seit Monaten getrennt wären. • 4. …, als ob sie gestern gewesen wäre. • 5. …, als ob er einen Rekord brechen wolle.

Lektion 6 – Arbeit

1 1. Sie trennen die Silben. • 2. Der unterstrichene Buchstabe, hier das „ä", ist betont. • 3. Adj. = Adjektiv • 4. Man kann das Adjektiv nicht steigern, also keinen Komparativ od. Superlativ davon bilden. • 5. kennzeichnet das Gegenteil eines Wortes • 6. mit Objekt: ein Geschäft tätigen • 7. das Wort hat keine Pluralform • 8. als • tätig • 9. übt • aus • 10. nicht mehr tätig / außer Tätigkeit • 11. tätig • 12. tätig

2 a 2. teamfähig • 3. fleißig • 4. flexibel • 5. gründlicher •

6. interessiert • 7. kreativ • 8. pflichtbewusst • 9. zuverlässig • 10. ausdauernd

2 b 2. die Teamfähigkeit • 3. der Fleiß • 4. die Flexibilität • 5. die Gründlichkeit • 6. das Interesse • 7. die Kreativität • 8. das Pflichtbewusstsein • 9. die Zuverlässigkeit • 10. die Ausdauer

3 2. führen • leiten • 3. leisten • anbieten • 4. geben • weitergeben • 5. haben • zeigen • 6. übernehmen • machen • 7. machen • durchführen • 8. haben • ausüben

5 1. Wie hieß doch gleich …? • 2. Moment, ich fange noch mal an. • 3. Ähm … tja … • Also, da muss ich kurz überlegen. • 4. Was ich eigentlich sagen wollte … • Also … Sekunde, das muss ich noch mal anders formulieren. • 5. Wie war das noch? • Wie hing das doch gleich zusammen? • 6. Wie sagt man …?

Welt der Arbeit

1 2L: der / die, die Fachleute • 3E • 4H: der, die Handwerker • 5I • 6C: der, die Gemüsehändler • 7: der, die Büroangestellten • 8B: der, die Feierabende • 9J: das, die Einkommen • 10K: der, die Arbeitgeber • 11A: der, die Arbeitnehmer • 12F: die, die Steuern

2 a 2r: Z. 48–52 • 3f: Z. 60–63 • 4r: Z. 79–81 • 5r: Z. 81–87 • 6r: Z. 88–97 • 7f: Z.113–119 • 8r: Z. 129–132 • 9f: Z. 133–140

2 b 2. eine eigene Verkaufsstelle • 3. Produktion • 4. Der Mittelstand stellt in aller Welt Vorprodukte her. • 5. verwendet werden • 6 .Fachleute

3 a Irrtum (Z. 9) • Rückschläge (Z. 13) • das Versehen (Z. 16) • das Dilemma (Z. 22) • Probleme (Z. 26) • schief läuft (Z. 39)

3 b Zusammenfassung B ist besser, weil sie länger und die Quellenangabe genauer ist. / weil sie durch Einleitungssätze besser strukturiert ist. / weil das Beispiel eine zentrale Aussage belegt.

4 a 2. fassen • 3. haben • 4. vertreten • 5. nehmen • 6. nehmen • 7. kommen

4 b 2. Wir haben den Entschluss gefasst, … • 3. … Beraters in Anspruch nehmen. • 4. Wir sind zur Überzeugung gekommen, dass … • 5. Wir vertreten die Ansicht, dass … • 6. … Arbeitsklimas zur Folge haben. • 7. Wir müssen uns aber in Acht nehmen, dass …

4c 2. treffen • 3. kommen • bringen • 4. treffen • 5. kommen • bringen • 6 kommen • bringen • 7. stellen • 8. stellen • 9. nehmen

5 2H • 3B • 4E • 5D • 6G • 7A • 8C

Arbeiten, um zu lernen

1 a 2. Behandeln • 3. Weitergeben • 4. Entgegennehmen • 5. Versenden • Erstellen • Schreiben • Vereinbaren

1 b 2. Ich muss alle Dokumente pfleglich behandeln. • 3. Ich darf keine Bewerbungsunterlagen an Dritte weitergeben. 4. Ich darf Bewerbungsschreiben nicht persönlich entgegennehmen. • 5. Außerdem muss ich Zwischenbescheide innerhalb von 14 Tagen versenden, • eine Übersicht über die Bewerbungen erstellen, • Einladungen schreiben, • Vorstellungsgespräche vereinbaren.

2 a **A:** Erfahrung im Einkauf, Verkauf, Microsoft-Office, … Direktvertrieb, Fremdsprache Englisch • **B:** Public Relations-Spezialistin, Doktor der Philosophie; 45 Jahre jung, langjährige Erfahrung in Finanzunternehmen, in ungekündigter Stellung, … Organisation … Mitarbeit, Zuschriften erbeten unter … • **C:** … Sekretär, Hausmann … 52 Jahre, gepflegtes … Englisch- und PC-Kenntnisse,

belastbar, Personenkraftwagen vorhanden, sucht neue Herausforderung

2 b *Mögliche Annoncen:* 1. Student/in su. Aushilfstätigk. in Verk. od. Gastro. abends, Wochenende. Einsatzfreud., flexibel, E-Mail aushilfe@wlb.de • 2. Dipl.-Übersetzer/in (24), Span./Franz., spezial. Recht u. Wirtsch., Praktikum in Sprachenservice, Auslandserf., sehr gute MS-Office-, TRADOS-Kenntn., belastb., zuverl., flexibel sucht feste Stelle in Untern., Ministerium od. Übersetzerbüro, Zuschr. erb. unt. 35789575 St-Anz. od. translator@alo.de • 3. Neue Herausforderung gesucht. Sekretär/in fest. Anstellg., 5 J. Berufserf., sehr gute Kennt. in Bürokomm., Engl.: verhandlungssicher, Chin.: Grundkennt., belastbar, profes., teamorientiert. Zuschr. unt. ANeumann@aco.de

4 a 1. Lebenslauf • 2. Angaben zur Person • 3. Schul- und Berufsausbildung bzw. Schule und Studium • 4. Berufspraxis • 5. Berufliche/Außerberufliche Weiterbildung • 6. Sprachkenntnisse • 7. Kenntnisse / Fähigkeiten / Interessen • 8. Sonstiges • 9. Ort / Datum • 10. Unterschrift

Leben, um zu arbeiten?

1 a 2. Das Medikament ist in einer breit angelegten Studie erprobt worden. • 3. Demnächst wird in unserem Hotel das erweiterte Fitnesscenter eröffnet. • 4. Dort werden sportbegeisterte Gäste von ausgebildeten Trainern betreut. • 5. Unser Lernwörterbuch ist gründlich überarbeitet und erweitert worden. • 6. Unsere gesamte Winterkollektion ist bereits auf der Messe verkauft worden. • 7. Unser Reiseportal wurde kundenfreundlicher gestaltet. • 8. Unsere Kunden werden dort bestens über die Last-Minute-Angebote informiert. • 9. Unsere Sicherheitsstandards für Online-Banking sind verschärft worden. • 10. Unsere Privatkunden werden durch ausgewiesene Fachleute beraten. • 11. Letztes Jahr wurden unsere Maschinen hauptsächlich nach Asien exportiert. • 12. Heute sind schon über 1.000 Bücher bestellt worden.

1 b 2. Pharmazie • 3. Hotel • 4. Hotel • 5. Verlag • 6. Mode • 7. Reise • 8. Reise • 9. Bank • 10. Bank • 11. Maschinenbau • 12. Verlag

2 a *Mögliche Lösungen:* 3. Die ist schon ergänzt worden. • 4. Der ist noch nicht angepasst worden. • 5. Und was ist mit der Fotografin? – Die muss noch angerufen werden. • 6. Wie sieht's mit der Musikliste aus? – Die ist schon zusammengestellt worden. • 7. Und was ist mit den Getränken? – Die müssen noch bestellt werden. • 8. Ist die Reinigungsfirma schon benachrichtigt worden? – Nein, die muss noch benachrichtigt werden. • 9. Wie sieht's mit dem Buffet aus? – Das ist schon bestellt worden. • 10. Und das Geld? Ist das schon eingesammelt worden? – Nein, das muss noch eingesammelt werden.

3 a 2. Die sind schon hergerichtet! • 3. Die ist schon benachrichtigt! • 4. Der ist schon bestellt! • 5. Die sind schon eingewiesen! • 6. Die ist schon überprüft!

3 b 2. Die Räume waren schon eingerichtet. • 3. Die Zeitung war schon benachrichtigt. • 4. Der Gärtner war schon beauftragt. • 5. Die Hilfskräfte waren schon eingewiesen. • 6. Die Soundanlage war schon installiert. • 7. Alles war optimal geregelt.

4 a *Mögliche Lösungen:* 2. Die Einladungen müssten früher abgeschickt werden. • 3. Es könnte eine Mailing-Liste erstellt werden. • 4. Die Einladung sollte ins Intranet gestellt werden. • 5. Die Zeitungen müssten viel früher informiert

werden. • 6. Es sollten mehr Hilfskräfte eingestellt werden.
• 7. Die Soundanlagen sollten besser eingestellt werden. •
8. Es müsste ein besserer Diskjockey gesucht werden. • 9. Für
das Fest müsste mehr Reklame gemacht werden. • 10. Die
Gäste könnten von den Mitarbeitern empfangen werden.

5 a 2D • 3C • 4F • 5E • 6A

5 b 2. einem • 3. einen • 4. man • 5. einem • 6. man • 7. man
• 8. einem • 9. einem • 10. man • 11. Man • 12. einem • 13. man
• 14. einen

6 2. Wenn einen doch mal jemand anrufen würde! •
3. Wenn einem keiner hilft, geht das nicht. • 4. Wenn man so
viel arbeiten muss, dann … • 5. Wenn du einen doch mal in
Ruhe lassen würdest! • 6. … Einem selbst nützen sie nichts.

Arbeiten, um zu leben

1 2. Die Vorstellungsgespräche waren / wurden sehr gut
vorbereitet. • 3. Es wurde / war genügend Zeit für ausführliche
Gespräche eingeplant. • 4. Alle Kandidaten hatten sich
vorher über das Unternehmen informiert. • 5. Über die
Qualifikationen wurde zu viel, über die Berufserfahrung zu
wenig gesprochen. • 6. Die Wichtigkeit des Arbeitsklimas
wurde besonders betont. • 7. Der Chef hob die Bedeutung
von Soft Skills für die Firma hervor. • 8. Es wurden zu viele
persönliche Fragen gestellt. • 9. Am Ende waren alle von
demselben Kandidaten überzeugt.

2 A: 2. Der Briefkasten hätte häufiger geleert werden
müssen. • 3. Die Pflanzen hätten öfter gegossen werden
müssen. • **B:** 1. Er hätte nicht so lange am Computer sitzen
dürfen. • 2. Er hätte öfter Hausaufgaben machen müssen.
• 3. Er hätte nicht alles so leicht nehmen sollen. • **C:** 1. Du
hättest mich genauer informieren können. • 2. Du hättest
die Aufgaben unter mehr Leuten verteilen müssen. •
3. Vieles hätte von dir selbst vor dem Urlaub erledigt werden
können.

3 2. Es wurde viel getrunken und gegessen. • 3. Es
wurden interessante Gespräche geführt. • 4. Es wurde über
die Vorträge diskutiert. • 5. Es wurde Musik gemacht. • 6 Es
wurde bis spät in die Nacht getanzt.

Erst die Arbeit, dann das Vergnügen

1 2: 10 • 3: 7 • 4: 8 • 5: 3 • 6: 4 • 7: 9 • 8: 1 • 9: 2 • 10: 6

2 2. 1953–1956 … • 3. Seit 1956 … • 4. Außerdem … •
5. Heinz Kahlau war … • 6. Als Schriftsteller … • 7. Im Laufe
der Jahre …

3 a 1a • 2a • 3b • 4a • 5b

Lektion 7 – Natur

1 a Wetter: Hitze • Frost • Tau • Sonne • Wolke • Regen •
Sturm • Schnee • **Pflanzen:** Ast • Kräuter • Blätter • Blume •
Wurzel • Blüte • Gras • Unkraut • Pilz • Laub • **Tiere:** Spinne
• Reh • Schmetterling • Igel • Frosch • Vogel • Mücke •
Biene • Käfer • **Vorgänge:** erfrieren • schmelzen • blühen
• vertrocknen • wachsen • welken • tauen • **Eigenschaften:**
mild • kahl • grün • trocken • verblüht • feucht • saftig •
schattig • frisch

1 b *Mögliche Lösungen:* **Frühling:** grünes Gras • Butter-
blumen • grüne Wiese • blühen • Kräuter • milde Luft •
Sommer: Schatten • Hitze • heißer Tag • Schmetterling •
Herbst: Sturm • kahlgefegt • nachte Äste • Blätter fallen
• welken • Winde • rote Laub • von den Bäumen fallen •
kahle Feld • **Winter:** Schweigen in schwarzen Wipfeln •
Feuerschein • weißer Schnee • starrer See

1 c *Mögliche Lösungen:* **Frühling:** Regen • Kräuter • Vogel •
schmelzen • wachsen • mild • saftig • frisch • grün • blühen •
Sommer: Sonne • trocken • schattig • vertrocknen • Mücke •
Biene • **Herbst:** Tau • Spinne • Pilz • Sturm • feucht • verblüht
• welken • **Winter:** Frost • erfrieren • kahl

1 d 1. Krolow (Der Schatten, den ich mir erwählte, erfrischt
mich kaum.) • Holz (Drin liege ich.) • Hildesheimer (das Grün
vor meinem Fenster) • Novalis (sah ich's blühn, tagtäglich
sah ich neue Kräuter) • 2. Hildesheimer (Der Sturm hat …
kahlgefegt und … verwandelt.) • Trakl (Ein Schweigen …
wohnt. Ein Feuerschein huscht …) • Heine (Die Winde pfeifen
… Es seufzt der Wald) • 3. **viel Bewegung:** Hildesheimer (Der
Sturm hat … kahlgefegt und … verwandelt.) • Rilke (Die
Blätter fallen, …) • Heine (hin und her bewegend das rote
Laub, das von den Bäumen fällt) • **wenig Bewegung:** Holz
(Drin liege ich.) • Trakl (Ein Schweigen in den schwarzen
Wipfeln wohnt) • Keller (Nicht ein Flügelschlag ging durch die
Welt, still und blendend lag … keine Welle schlug im starren
See.) • Hebbel (Es regt sich kein Hauch …; doch ob auch
kaum die Luft sein Flügelschlag bewegte) • 4. Uhland (Die
Welt wird schöner …) • Hildesheimer (… in ein Gitterwerk
von nackten Ästen verwandelt) • Novalis (Es färbte sich die
Wiese grün … Tagtäglich sah ich neue Kräuter) • 5. Holz
(grün, goldgelb) • Hildesheimer (das Grün) • Trakl (schwarz)
• Keller (weiß) • Hebbel (weiß) • Heine (rot) • Novalis (grün)
• 6. Hebbel (Schmetterling) • 7. **Vergangenes:** Krolow (Die
Hitze hat das Holz geschält …) • Hildesheimer (Ein Sturm
hat gestern Nacht …) • Keller (Nicht ein Flügelschlag ging
durch die Welt …) • Hebbel (Es regte sich kein Hauch …)
• Novalis (Es färbte …) • **Gegenwärtiges:** Uhland (Die Welt
wird schöner …) • Krolow (… erfrischt mich kaum) • Holz
(Drin liege ich.) • Trakl (Ein Schweigen … wohnt …) • Rilke
(Die Blätter fallen …) • Heine (Die Winde pfeifen …)

3 2. Da kam die Zeit näher heran und sah, dass es die
kleine Schneeflocke war, die herzzerreißend weinte. / Die
Zeit kam näher heran und da sah sie, dass … • 3. Die Zeit
verstand natürlich, warum die Schneeflocke so verzweifelt
war. • 4. Denn es war der Abschied des Winters und eine
Schneeflocke liebt nichts mehr als den Winter. • 5. Während
die kleine Schneeflocke da saß und weinte, verwandelten
sich immer mehr Schneeflocken in Wasser. • 6. Je mehr die
kleine Schneeflocke weinte, desto mehr taute der Schnee
um sie herum und desto weicher wurde der erstarrte
Boden. / …, desto mehr taute der Schnee um sie herum und
der erstarrte Boden wurde weicher. • 7. Als die Zeit versuchte,
die Schneeflocke zu trösten, hob diese den Kopf und sah
auf. • 8. Da bemerkte die Schneeflocke die Veränderungen,
die um sie herum geschehen waren. • 9. Plötzlich verstand
die Schneeflocke, dass mit dem Ende des Winters nicht
alles zu Ende war, sondern dass auch für die Schneeflocke
Sommer werden würde. • 10. Deshalb begann das Gesicht
der Schneeflocke zu leuchten und es wurde ihr immer
wärmer ums Herz. • 11. Schließlich warf die Schneeflocke
ihr Winterkleid mit einem lauten Jubelschrei von sich und
schwebte hoch zur Sonne. • 12. Nachdem die Schneeflocke
verschwunden war, hörte die Zeit den Jubel der Schneeflocke
in dem kleinen Bach, der hinter dem Hügel fröhlich vor sich
hin plätscherte.

Von der Natur lernen

1 a A: Ente • Federn • Schnabel • **B:** Löwenzahn • Samen •
schweben • **C:** Krebs • beißen • Schale • Zangen • **D:** spitz

• stechen • **E:** Flecken • Schlange • sich winden • **F:** Netz • Spinne • weben

1 b 2. Zangen • Krebs • 3. Ente • 4. Federn • 5. Spinnen • Schlangen • 6. weben • 7. Samen • Löwenzahns

2 a 2. diese Prinzipien … • 3. ein eigenständiges technisches Gestalten … • 4. die das Vorbild Natur … • 5. doch die Perfektion … • 6. das zwischen Gräsern …

2 b 2r • 3f • 4f • 5r • 6f

3 a 2C • 3A • 4I • 5H • 6D • 7E • 8B • 9F

3 b 1. Eine bahnbrechende Entdeckung • 2. Lotusblatt unterm Elektronenmikroskop • 3. Lotuseffekt im Alltag • 4. Zukünftige Anwendung des Lotuseffekt

4 *Mögliche Lösung:* … Die Unterkunft ist geregelt; es wurden für alle Gäste 2- und 3-Bettzimmer in der Jugendherberge, inklusive Frühstück und Abendessen, reserviert. Auch für das Mittagessen wurde gesorgt: Wir haben es in der Uni-Mensa bestellt. Außerdem stehen Getränke und Pausensnacks bereit. Die Seminarräume sind mit Computern, Tafeln und Stiften ausgestattet. Und bei der Touristeninformation haben wir die Stadtführung zugesagt. Aber es gibt auch noch einiges zu tun: Wir müssen noch die Presse informieren. Außerdem müssen wir noch das Geld für die Stadtführung überweisen und den Bus für den Ausflug bestellten. Wir haben auch noch nicht besprochen, wer die Gäste am Bahnhof empfängt und wie wir den Transfer zur Jugendherberge regeln. Und zuletzt: Wie müssen für alle Gäste den Stadtplan kopieren. Wer hat dazu Zeit? Schickt mir eure Vorschläge etc. bitte bis morgen zu. Vielen Dank und liebe Grüße …

Naturkatastrophen

1 1f • 2r • 3r • 4f • 5f

2 a 2. Tabea Blum • 3. Helmut Gräter • 4. Katharina Meierhold • 5. Tabea Blum • 6. kein Kommentator • 7. Ein Naturwissenschaftler • 8. Joachim Scheirich • 9. Helmut Gräter

2 b		Konjunktiv I	Konjunktiv II
	Präsens	habe, seien, gebe, sei	hätten, verändern würden, denken würden
	Vergangenheit	habe … zustande gebracht, sei … gewesen	
	Futur	werde … stattfinden	

3 a 2f • 3r • 4f • 5f • 6f

3 b gebe • nehme • sei • werde • habe • wissen • könne • spreche

3 c …, indem man an den Verbstamm die Endung -e hängt. • Ausnahme ist: sei.

3 d Konjunktiv II

4 *Mögliche Lösungen:* 2. Die Zeitungen schreiben, dass nach ungewöhnlich heftigen Monsun-Regenfällen im Norden Thailands das Wasser auf machen Straßen bis zu zwei Meter hoch stehe. • 3. Es wurde gemeldet, dass bei einem Erdbeben der Stärke 6,2 im Westen Japans mindestens acht Menschen verletzt worden seien. Warnung vor einem Tsunami seinen nicht ausgegeben worden. • 4. Man liest, Neuseeland stöhne unter einem der trockensten Sommer in den vergangenen 100 Jahren. Für die neuseeländische Landwirte sei die Lage ernst. Ihre Produktion sei ernsthaft in Gefahr. • 5. Die Nachrichten melden, dass das Flammen-Inferno in den Wäldern Portugals immer dramatischere Ausmaße annehme. Mehrere Menschen seien verletzt worden, zahlreiche hätten ihre Dörfer verlassen müssen. •

6. Man hört, dass an diesem Wochenende in Polen mindestens 27 Kältetote gemeldet worden seien. Im Osten des Landes sei das Quecksilber nachts zum Teil auf Minus 32 Grad gefallen. • 7. In den Nachrichten wurde gebracht, der indonesische Vulkan Merapi habe am Wochenende unvermindert heiße Gaswolken und Lava ausgespuckt. Die Behörden hätten daher die Menschen aufgerufen, in ihren Notquartieren zu bleiben.

5 *Mögliche Lösungen:* 2. Man will wissen, ob die starken Stürme etwas mit der Klimaveränderung zu tun hätten. • 3. Ein Mann fragt, was passiere, wenn die Temperaturen steigen würden. • 4. Eine Frau möchte wissen, was passiere, wenn die Eisberge schmelzen würden. • 5. Einer möchte Antwort auf die Frage, ob der Meeresspiegel schon angestiegen sei. • 6. Jemand will wissen, ob sich das Klima wirklich schon verändert habe. • 7. Es wird gefragt, wie lange es auf der Erde noch menschliches Leben geben werde. • 8. Man fragt, warum die Politiker keine strengeren Maßnahmen ergreifen würden. • 9. Alle möchten wissen, wieso sich nicht alle Industrienationen auf eine gemeinsame Klimapolitik einigen würden.

Klonen

1 a **Chancen:** aussichtsreich • hoffnungsvoll • erfolgversprechend • vielversprechend • **Gefahren:** beunruhigend • bedenklich • bedrohlich • ernst • riskant • unheimlich

1 b *Mögliche Lösungen:* 2. aussichtsreiche • 3. abenteuerliche • 4. vielversprechend • 5. bedrohlich • 6. riskant • 7. Hoffnungsvoll • 8. ernst • 9. aussichtsreich • 10. erfolgversprechende • 11. unheimlich

2 a 2a • 3b • 4a

2 b 2. Es heißt, dass er an einer englischen Universität studiert habe. • 3. Er versichert, noch Praktika in fünf anderen Ländern absolviert zu haben. • 4. Man sagt, seine Eltern seien erfolgreiche Geschäftsleute. • 5. Gerüchten zufolge sei die neue Stelle hervorragend bezahlt.

3 a 2. wollen • 3. sollen • 4. wollen • 5. sollen • 6. sollen • 7. wollen • 8. soll

3 b 2. Einige Forscher wollen große Erfolge erzielt haben. • 3. Die Experimente sollen nicht korrekt durchgeführt worden sein. • 4. Die Forscher wollen Beweise für die Korrektheit vorlegen können. • 5. Schon in den nächsten Monaten wollen die Forscher ihre Ergebnisse im Internet veröffentlichen. • 6. Diese Ergebnisse sollen die Politiker zu Entscheidungen zwingen. • 7. Die Politiker wollen sich schon entschieden haben. • 8. Schon nächste Woche soll über ein neues Klongesetz abgestimmt werden.

Ernährung – natürlich

1 2f: Z. 15–17 • 3r: Z. 18–25 • 4r: Z. 26–29 • 5r: Z. 37–41 • 6f: Z. 58–59 • 7f: Z. 55–58 • 8r: Z. 59–70

2 2J • 3G • 4N • 5I • 6D • 7M • 8C • 9L • 10K • 11E • 12B • 13H • 14A

3 2. Kritisiert wird, dass sich die Entwicklung von Genpflanzen kaum kontrollieren lässt. • 3. Außerdem sind mögliche langfristige Risiken für die Gesundheit noch nicht abschätzbar. • 4. Bei der Einführung von gentechnisch veränderten Lebensmitteln sind zwar Prüfverfahren durchzuführen. • 5. Und die Unbedenklichkeit der Lebensmittel ist sicherzustellen. • 6. Aber Naturschutzorganisationen klagen, dass die Gefahren für Allergiker sich bei Genlebensmitteln nicht kalkulieren lassen.

4 2. Äpfel müssen vor dem Verzehr gewaschen werden. • 3. Forelle kann gebraten oder gegrillt werden. • 4. Bei Ökoprodukten soll/muss eine lange Lagerung vermieden werden. • 5. Das Haltbarkeitsdatum kann nicht gelesen werden. • 6. Für scharfe Gerichte kann Chili verwendet werden. • 7. Die Milch kann/darf nicht mehr getrunken werden.

5 2. Dabei ist die Temperatur genau zu regeln. • 3. Die Pflanzen sind auch regelmäßig zu gießen. • 4. Viele Arbeiten sind von Maschinen ausführbar. • 5. Bei der Weiterverarbeitung sind Hygienestandards einzuhalten. • 6. Beim Transport lassen sich umweltschonende Verkehrsmittel einsetzen. • 7. Im Geschäft lassen sich die unterschiedlichsten Produkte erwerben. • 8. Es ist zu entscheiden, ob Preis oder Qualität die größere Rolle spielen sollen.

6 2. Da kann man nichts machen./Da kann nichts gemacht werden. • 3. Das kann man schnell ändern./Das kann schnell geändert werden. • 4. Das kann man machen./Das kann gemacht werden. • 5. Das kann man kaum glauben. • 6. Da muss man noch viel tun./Da muss noch viel getan werden. • 7. Das kann man sich schon vorstellen. • 8. Darüber kann man reden./Darüber kann geredet werden.

7a halbieren • schreiben • Diebe • rauben • Laube

7b Kinder • Badetuch • Gründe • Hemden • Herde

7c schweigen • fliegen • Ärger • Gebirge • Tage

Mit Pflanzen heilen

1a 2. heimische • 3. chemisch • 4. schmerzlindernde • 5. Nebenwirkungen • 6. Arzneimittel/Heilmittel/Arzneien • 7. überlegen • 8. eingesetzt/verschrieben • 9. Kombination

2 2. Behandlung von Erkrankungen mithilfe pflanzlicher Heilmittel • 3. Früchte, Samen, Kräuter • 4. Theophrastos von Eresos • 5. christliche Mönche/Klöster • 6. Entwicklung chemischer Verfahren zur Arzneimittelherstellung

3 **Beginn des Interviews:** Ich würde Sie gern zum Thema … interviewen. • Entschuldigen Sie bitte, hätten Sie kurz etwas Zeit? • **während des Interviews:** Dürfte ich den Gedanken noch einmal aufgreifen. • Ich würde jetzt gern zum nächsten Punkt kommen. • Darf ich noch einmal auf diesen Punkt eingehen. • Da würde ich gern kurz einhaken. • Kommen wir noch einmal zurück zum Thema … • **nachfragen:** Würden Sie das bitte etwas näher erläutern. • **Ende des Interviews:** Vielen Dank für dieses informative Gespräch. • Ich danke Ihnen für Ihre Gesprächsbereitschaft. • Das war sehr interessant, vielen Dank.

Lektion 8 – Wissen und Können

1 Fähigkeit • Erziehung • Irrtum • Verknüpfungen • Fehler • Motivation • Wissenschaft • Erkenntnis • Bildungsstand • Zwischenziele • Empfinden • Fantasie • entdecken • Fortbildung

2 2. können • 3. weiß • 4. kennt • 5. weiß • 6. können • 7. Kennen • 8. konnte

3 2. weiß • 3. konnte • 4. wussten/wissen • 5. kannte • 6. kennt • 7. wussten/wissen • 8. weiß • 9. können • 10. weiß • 11. kennt

Was ist Wissen?

1 **der:** Verstand (kein Pl.) – verständigen • Glaube (kein Pl.) – glauben • Begriff, -e – begreifen **das:** Netz, -e – vernetzen • Experiment, -e – experimentieren • Empfinden (kein Pl.) – empfinden • **die:** Erfahrung, -en – erfahren

sein/erfahren (= eine Information erhalten) • Erkenntnis, -se – erkennen • Argumentation, -en – argumentieren • Definition, -en – definieren • Form, -en – formen • Gewissheit, -en – gewiss sein

2 2b • 3a • 4c • 5b • 6c

3 2. … habe sie schneiden lassen. • 3. … habe es nähen lassen. • 4. … haben … bauen lassen.

4 2. hören • 3. helfen/geholfen • 4. sehen • 5. hören

5 2. Ich meine damit … • 3. Besser gesagt, … • 4. Das ist aber interessant.

LB 4 1a • 2a • 3c • 4b • 5b • 6b • 7b • 8a • 9b • 10b • 11b • 12b

Vom Wissen zum Können

1 2A • 3E • 4C • 5B • 6C • 7E • 8B • 9D • 10F • 11C • 12C • 13C/E • 14C • 15E • 16D • 17F • 18C • 19B • 20F

2a *Mögliche Lösungen:* 2. Die Grafik zeigt, wie sich das Angebot von und die Nachfrage nach Lehrstellen von 1992 bis 2006 entwickelt hat. • 3. In der Grafik ist dargestellt, dass von 1992–1995 das Angebot an Lehrstellen höher war als die Nachfrage. • 4. In der Grafik sieht man, dass seit 2002 die Nachfrage kontinuierlich höher ist als das Angebot. • 5. Die Grafik veranschaulicht, dass in den Jahren 2000 und 2001 das Angebot an Lehrstellen ganz leicht höher war als die Nachfrage.

2b 2. sank • 3. auf • 4. fehlten • 5. Rückgang • 6. verringerte sich • 7. um • 8a. nahm • 8b. zu • 9. um

2c **Entwicklung: nach oben, aus 2a:** (kontinuierlich) höher als • **aus 2b:** nahm zu … um • **aus 2c:** Die Zahl hat sich verdoppelt/verdreifacht/vervierfacht. • die Zahl ist von … auf … gestiegen • **nach unten, aus 2b:** sank • hat abgenommen • der Rückgang • verringerte sich um … • **aus 2c:** Die Zahl ist von … auf … gefallen/gesunken/zurückgegangen. • Die Anzahl der Ausbildungsplätze hat sich um … verringert. • **gleich bleibend, aus 2c:** Die Kurven verlaufen parallel. • In den Jahren … ist die Zahl … gleich geblieben. • **Vergleich, aus 2c:** Im Vergleich zu 1999 … • verglichen mit 2002 • gegenüber 2004 • Die Zahl stagniert auf Vorjahresniveau. • **Gegensatz, aus 2c:** im Gegensatz zu … • im Unterschied zu …

3 2. …, in welchem Jahr/wann die Nachfrage so hoch war wie die Zahl der Angebote. • 3. …, warum die Anzahl der Lehrstellen so stark gesunken ist. • 4. …, was man zukünftig tun kann, um die Zahl der Lehrstellen zu erhöhen. • 5. …, ob es sinnvoll ist, die Unternehmen zu zwingen, Lehrstellen einzurichten.

4a **Mittel der Textverbindung:** 1. besonders in Bezug auf • 2. In diesem Kontext • 3. Sie sehen hier • dieses Gedächtnisses • 4. hierzu • Da • die • sie • sie • 5. die Zahlen • das • es waren • 6. Sie's • 7. dann • 8. daraus • also • 9. dazu • 10. am besten teilt man … • also • 11. weitere • 12. Dann
Zuordnungen: 2D • 3B • 4G • 5E • 6F • 7I • 8J • 9H • 10A • 11L • 12K

4b 2r • 3f • 4r • 5f • 6r • 7r

5 2. beweisen • 3. parteiisch • 4. andersherum • 5. fehlen mir • grundlegende • 6. die Bezugnahme • 7. ziemlich • 8. auszahlen

6 1c • 2b • 3c

Klug, klüger am klügsten

1a 2a • 3b • 4b • 5a • 6b • 7a • 8b • 9b • 10a • 11b • 12a

1b Z. 25/26: junge Musiker zeigen durchschnittlich

höheren Intelligenzquotienten auf • Z. 31/32: Musik macht Kinder klüger; positiver Einfluss auf soziale Fähigkeiten / Beispiel: Z. 35–40: Schweizer Studie zwischen 1989-1992: Kinder mit zusätzlichen Musikstunden haben verbessertes Sozialverhalten, beim Musizieren üben die Kinder aufeinander zu achten • Z. 41/42: bessere Hirne durch Musik / Beispiel: Z. 42–48: Koordination beider Hände über die Hirnbrücke, simultane Aktivitäten des Hörzentrums trainieren fast das ganze Gehirn, es entstehen neue Verknüpfungen • Beispiele: Z. 55–60: Bei Profi-Musikern mehr Gehirnareale aktiv als bei Laien • Z. 62/63: Musik als Heilmittel – Beispiel: Z. 63–69: Patienten, die die Sprache verloren haben, hilft oft Intonationstherapie • Z. 70/71: Musik verhilft autistischen Kindern zu Kontakt mit Umwelt / Z: 72–74: Hoffnung, sprachgestörten Kindern mit Musik helfen zu können / Z. 74–76: Unterstützung der Arbeit der Narkoseärzte durch Musik • Z. 82/83: Mensch profitiert individuell, biologisch, medizinisch

2 a Film vorstellen: Bei dem Film – Regisseur … – handelt es sich um … • **wesentliche Informationen vorstellen:** Zunächst wird dargestellt, wie … • Dann wird gezeigt, wie … bis … schließlich … • In dem Film geht es aber hauptsächlich darum … und zu verdeutlichen … **Beispiele anführen:** Das verdeutlicht …; beispielsweise • **Film bewerten:** Besonders bemerkenswert ist … • Ich bewerte den Film wie folgt: … • Ich halte den Film für sehenswert • Bemerkenswert finde ich, wie … • Nicht weniger großartig spielt … • Dieses brillante Spiel …

2 b Film vorstellen: Bei dem Film handelt es sich um … • In dem Film geht es um … • **wesentliche Informationen vorstellen:** Die Hauptaussage des Filmes ist folgende: … • Der Autor / Regisseur betont / hebt hervor / bezieht sich auf … • Es wird außerdem / darüber hinaus / zudem beschrieben / dargestellt, wie / dass … • **Beispiele anführen:** Diese Aussage wird durch (einige / …) Beispiele belegt. • beispielsweise • Dies möchte ich durch folgendes Beispiel verdeutlichen: … • Der Autor verdeutlicht dies mit Beispielen aus … • **Film bewerten:** Besonders bemerkenswert / interessant / spannend / neu ist für mich / finde ich … • Ich finde diesen Film …, weil …

Lernen und Gedächtnis

1 2b • 3a • 4b • 5b • 6c
2 2. Sie dürfen / können fragen, was Sie wollen. • 3. Müssen Sie noch Vorlesungen halten? • 4. Ja, ich muss acht Stunden Vorlesung pro Woche halten. Darüber hinaus kann ich mich auf meine Forschung konzentrieren. • 5. Dann können Sie sicher viel publizieren. • 6. Aber ich muss leider viel reisen.
3 2. Ist es möglich / Besteht die Möglichkeit, den Termin auf morgen zu verschieben? / …, dass wir den Termin auf morgen verschieben? • 3. Meine Freundin ist fähig / ist in der Lage, 30 Vokabeln am Tag zu lernen. • 4. Ich bin nur in der Lage, mir acht Wörter auf einmal zu merken. • 5. Erlauben Sie mir, Sie zu begleiten, wenn Sie auch gerade dorthin gehen? / Erlauben Sie mir, dass ich Sie begleite, wenn Sie auch gerade dorthin gehen?

Lebenslanges Lernen

1a *Mögliche Lösungen:* 2. 22% bilden sich fort, um die berufliche Karriere zu fördern. • 3. 4% der Arbeitnehmer machen eine Fortbildung, um einen Berufsabschluss zu erwerben. • 4. 3% besuchen Fortbildungsveranstaltungen, um ihren Arbeitsplatz zu sichern • 5. 2% bilden sich fort, um einen Schulabschluss nachzuholen oder ein Studium aufzunehmen. • 6. *Beispiellösungen:* 9% der Arbeitnehmer besuchen Fortbildungsveranstaltungen, weil es vom Betrieb gefordert wird. • 8% der Beschäftigten bilden sich fort, weil sie Spaß daran haben. • Für 7% der Beschäftigten ist die Teilnahme an Weiterbildungsmaßnahmen eine Möglichkeit, Ihre Freizeit zu gestalten. • 3% der Arbeitnehmer bilden sich fort, um ihr Wissen zu erweitern. • 3% der Beschäftigten nehmen an Weiterbildungsmaßnahmen teil, weil sie andere Menschen kennen lernen wollen. • Aus persönlichem Interesse nehmen 3% der Beschäftigten an Weiterbildungsmaßnahmen teil. • (Nur) 2% bilden sich weiter, um ein höheres Einkommen zu erzielen.
1 b 2. Falsche Vorstellungen sollen zugelassen werden, damit die Kinder diese artikulieren und selbst korrigieren lernen. • 3. Kinder müssen experimentieren, um über den Weg des Irrtums zu neuen Erkenntnissen zu gelangen. • 4. Schulen müssen die passenden Lerngelegenheiten schaffen, damit die Kinder besser lernen. • 5. Die Zettel kleben auf den Holzlatten, damit klar ist, was die Kinder gelernt haben und was sie als nächstes lernen müssen. • 6. Die Kinder müssen in der Gruppe leise sprechen, um die anderen nicht zu stören / damit die anderen nicht gestört werden.
1 c 2. wenn • 3. Als • 4. weil • 5. wenn • 6. dass • um • 7. Damit
2 a Norden, Süden, Osten, Westen, besten • Rasen, Sachsen, lasen, ausgelesen, gewesen
3 a b + en; p + en → m: Bei folgenden Wörtern hört man [bm̩] bzw. [pm̩]: 1. Haben • haben • 3. Lumpen • Kneipen • 4. haben • Suppen • 5. glauben
4 a 1. besorgen • morgen • 2. packen • 3. Augen
5 a 1. sag (sh) • du (sl) • sagen (sl) • 2. du (sl) • 3. gemacht (sh) • du (sl) • gemacht (sl) • 4. du (sl) • dazu (sh)

Lektion 9 – Gefühle

1 a Berechung – berechnend • Eifersucht – eifersüchtig • Einsicht – einsichtig • Wut – wütend • Liebe – lieb / liebevoll • Stolz – stolz • Vernunft – vernünftig • Einsamkeit – einsam • Verständnis – verständnisvoll • Neid – neidisch • Vertrauen – vertrauensvoll • Mitleid – mitleidig • Leichtsinn – leichtsinnig • Misstrauen – misstrauisch
3 1. im • 2. für • 3. ihn • 4. nicht • 5. und / oder • 6. im • 7. als • 8. mit • 9. Er • 10. Nach

Emotionen

1 2r: Z. 8–12 • 3f: Z. 17–20 • 4f: Z. 45–49 • 5r: Z. 58–62 • 6f: Z. 93–95
2 a Akkusativ: bis • durch • ohne • um • entlang • gegen • für **Dativ:** ab • aus • gegenüber • von • außer • bei • entgegen • infolge von • mit • nach • seit • zu • trotz • wegen • vor **Genitiv:** dank • ungeachtet • aufgrund • innerhalb • außerhalb • (an)statt) • trotz • wegen
2 b 2. mit • 3. Seit • 4. Innerhalb • 5. wegen • 6. gegenüber • 7. gegen • 8. Durch • 9. vor • 10. trotz • 11. bis • 12. ohne
3 hinter der • über die • an den • neben dem • in dem • auf das • vor dem • zwischen den • hinter den
4 2. in • 3. von • 4. auf • 5. mit • 6. auf • 7. über • 8. auf • 9. über • 10. mit • 11. von • 12. über • 13. von • für
5 2. für • 3. bei • 4. von • 5. über • 6. in • 7. für • 8. auf • 9. mit • 10. über • 11. für • 12. von

Lösungen

6 a **Verb + Akk.:** haben • vermissen • wissen, dass … (dass-Satz steht für Akk.-Obj.) • durchhalten • sagen, dass … • **Verb + Akk. + Dat.:** schreiben • zeigen • **Verb + Dat.:** vorstellen, passieren • gefallen • vorstellen • **Verb ohne Erg.:** kommen • kündigen • **Verb mit Präp.:** reden mit • **Verb mit Reflexivpr. + Präp.:** sich bewerben bei • sich freuen über • sich verlieben in • sich interessieren für • sich entscheiden für
6 b **Verb + Akk.:** bewundern • empfinden • verstehen • warnen (vor) • suchen • lieben • beleidigen • schützen (vor) • verstehen • hassen • schaden • **Verb + Akk. + Dat.:** empfehlen • beantworten • versprechen • **Verb + Dat.:** drohen • vertrauen • glauben • helfen • misstrauen • danken (für) • **Verb ohne Erg.:** träumen • lächeln • auffallen • zittern • nachdenken • leiden • jubeln • **Verb mit Präp.:** bitten um • glauben an • zittern vor • sorgen für • nachdenken über • jubeln vor • **Verb mit Reflexivpr. + Präp.:** sich ärgern über • sich fürchten vor • sich sehnen nach • sich verabreden mit • sich schämen für • sich sorgen um • sich erinnern an •

Stark durch Gefühle

1 2. zur • 3. an • 4. die • 5. aufgrund • 6. was • 7. jedoch • 8. von • 9. wird • 10. dass
2 a **Es passen nicht:** Schutzfilm • SMS • Tastatur • Zeile • Drehbank
3 a 2. darauf • 3. darüber • 4. dafür • 5. dafür • 6. darüber • 7. damit • 8. davon • 9. darüber
3 b 2. Worauf freut sie sich? – Sie freut sich darauf, dass Tom und sie ins Kino gehen. • 3. Worüber ärgert sie sich? – Sie ärgert sich darüber, dass Tom nicht kommt und sie warten muss. • 4. Wofür entschuldigt sich Tom? – Er entschuldigt sich dafür, dass er eine Stunde zu spät kommt. • 5. Wofür zeigt sie Verständnis? – Sie zeigt dafür Verständnis, dass er noch im Büro zu tun hatte. • 6. Worüber beschweren sie sich? – Sie beschweren sich darüber, dass ihre Kinoplätze besetzt sind. • 7. Womit sind sie zufrieden? – Sie sind damit zufrieden, dass sie nun in der ersten Reihe sitzen. • 8. Wovon bekommen sie Bauchschmerzen? – Sie bekommen davon Bauchschmerzen, dass sie zu viel Popcorn essen. • 9. Worüber lachen sie? – Sie lachen über den Abend.
4 2. Freude • 3. Lust • 4. Überraschung • 5. Ekel • 6. Enttäuschung • 7. Ärger • 8. Sehnsucht
5 2K • 3M • 4L • 5H • 6A • 7N • 8E • 9C • 10B • 11G • 12D • 13I • 14F
6 2. tolles • 3. glücklich • 4. geärgert • 5. kalt • 6. übertrieben

Gefühle verstehen

1 *Mögliche Lösungen:* 2. mag • 3. muss • 4. könnte • 5. dürfte • 6. dürfte • 7. muss • 8. könnte
2 a **Reihenfolge aufwärtssteigend:** mag • kann • könnte • dürfte • müsste • muss
2 b 2. mag/kann • dürfte • 3. dürfte • 4. muss • 5. kann nicht • 6. kann • 7. könnten
3 *Mögliche Lösungen:* Sie müssen nicht Kummer bedeuten. • Es könnte jemand auch vor Wut weinen. • Auch Sie dürften schon vor Freude Tränen in die Augen bekommen haben. • Andererseits dürfte Lachen nicht nur ein Zeichen für Freude sein. • Der eine mag aus Verachtung lachen, er könnte aber auch ängstlich sein. • In Situationen, in denen …, dürften wir auch lachen. • Es könnte zahlreiche Menschen geben, die …
4 2. wie ein Modalverb • 3. wie ein Modalverb • 4. als

Futur • 5. als Vollverb • 6. als Futur

Fingerspitzengefühl

1 **Reihenfolge:** 10 • 9 • 4 • 1 • 6 • 3 • 11 • 2 • 8 • 5 • 7
2 **Der Kunde:** dürfte die Absicht gehabt haben, den Friseur zu provozieren. • muss zum ersten Mal im Laden gewesen sein. • **Die Frau:** dürfte den Kunden gebeten haben, nicht zu kommen. • muss beim Eintritt des Kunden in den Friseurladen einen Schreck bekommen haben. • **Der Friseur:** dürfte den Kunden getötet haben. • mag den Kunden aus Versehen getötet haben, was aber unwahrscheinlich ist.
3 *Mögliche Lösungen:* 1. Ja • 2. Ja • 3. Nein • 4. Ja • 5. Nein
4 *Mögliche Lösungen:* 2. Er müsste die Klingel gehört haben. • 3. Er dürfte keine Lust gehabt haben, mit uns zu sprechen. • 4. Er könnte verärgert sein. • 5. Er kann sich auch wegen seiner chaotischen Wohnung schämen. • Er könnte wieder zu viel getrunken haben. • Es kann seine Geliebte bei ihm gewesen sein. • Es muss ihm peinlich gewesen sein, zu öffnen. • Es mag ihm peinlich gewesen sein, aber …
5 2c • 3b • 4a • 5c • 6a • 7b • 8c • 9a • 10c
6 a 2. Du könntest mir eigentlich helfen. • 3. Ich habe eigentlich keine Zeit. • 4. Das habe ich dir ja schon gesagt. • 5. Du wirst ja ganz rot! • 6. Er wollte ja nicht auf mich hören! • 7. Räum doch endlich mal dein Zimmer auf! • 8. Du fährst doch sicher mit dem Auto? • 9. Du hast doch Medizin studiert? • 10. Kannst du mich denn nicht verstehen? • 11. Wo wohnst du denn? • 12. Wie spät ist es denn? • 13. Wenn er bloß schon heute kommen würde! • 14. Was mach ich bloß? • 15. Sag ihm bloß nichts von unserem Gespräch!
6 c **jeweils von links nach rechts: eigentlich:** Satz 2 • Satz 1 • Satz 3 • **ja:** Satz 5 • Satz 4 • Satz 6 • **doch:** Satz 8 • Satz 9 • Satz 7 • **denn:** Satz 10 • Satz 11 • Satz 12 • **bloß:** Satz 15 • Satz 14 • Satz 13
7 einfach • ja/doch • eigentlich/ja • einfach • bloß • ja/doch • wohl • ja/doch • ja/doch • bloß

Gemischte Gefühle

1 B. steht nicht im Klappentext • C. steht im Klappentext • D. steht nicht im Klappentext • E. steht im Klappentext • F steht im Klappentext • G. steht nicht im Klappentext • H. steht im Klappentext
2 2D • 3E • 4F • 5A • 6B
3 a 2. Fachliteratur • 3. Krimi • 4. Kochbuch • 5. Hörbücher • 6. Reiseliteratur • 7. Comics • 8. Kinderbuch • 9. Wörterbuch
3 b Personalausweis • Adresse • Buche • CD-ROM • Buchhaltung • Tagebuch

Lektion 10 – Arbeiten international

2 2. Unflexibilität und festgefahrene Karriereaussichten hatten starke Unzufriedenheit ausgelöst. • 3. Sie entschlossen sich dazu, nach Australien zu gehen. • 4. Sie haben in Australien von vorne angefangen. • 5. Innerhalb von vier Jahren haben sie sich hoch gearbeitet und verdienen das Dreifache von früher. • 6. O. Wiesner verfügte über genügend Kapital, um eine Schreinerei aufzumachen. • 7. Er hat die Aufbauphase aber nicht unbeschadet überstanden. • 8. Er verstand die Mentalität seiner Kunden nicht und kam damit nicht zurecht. • 9. Er zahlt seine Schulden immer noch ab. • 10. J. Schultinger hat Arbeiten angenommen, die weit unter ihrer Ausbildung lagen. • 11. Sie wollte sich auf diese Weise über Wasser halten. • 12. Sie fand schnell einen multikulturellen Freundeskreis.

3 1. keiner / niemand • 2. Manchen • 3. irgendeinen • 4. Manche / Sämtliche • 5 mehreren • diejenigen

4 a *Mögliche Lösungen:* unhöflich • zu direkt • klar

4 b Liebe Clara,

vielen Dank für den Entwurf für den Artikel in der Zeitschrift „Rückkehrer". Du hattest mich gebeten, mich dazu zu äußern. Ich habe ihn also sehr gründlich gelesen, und er gefällt mir vom Ansatz her sehr gut. Allerdings würde ich einige Änderungen vorschlagen, wenn Du einverstanden bist.

1. Grundsätzlich würde ich die Stilebene insgesamt ein wenig verändern. Es klingt alles sehr „gehoben", also ein bisschen steif. Vielleicht könntest du ab und zu einige umgangssprachliche Elemente einbauen oder auch Zitate, damit das Ganze lebhafter und persönlicher wirkt. Es geht ja um persönliche Erfahrungsberichte von Leuten, die nach dem Auslandseinsatz nach Deutschland zurückkommen und über ihre Schwierigkeiten am Anfang berichten. Das könnte ruhig ein wenig farbiger dargestellt werden.

2. Auch am Aufbau würde ich auch etwas ändern. Du beginnst mit theoretischen Erklärungen zur Situation der Rückkehrerinnen und Rückkehrer. Dann kommen praktische Beispiele. Ich würde vorschlagen, dass du genau umgekehrt vorgehst: Zuerst die persönlichen Aussagen der Rückkehrer, dann die Erläuterung, warum das ganz typisch in dieser Situation ist, und später noch mal praktische Beispiele. Dadurch würde das Ganze lebhafter, s. Punkt 1.

3. Noch eine Kleinigkeit: Vielleicht solltest du die typischen Abkürzungen (BMZ, GTZ etc.) vermeiden, das kennen zwar die Leute aus der Szene, aber vielleicht sind ja auch andere an dem Artikel interessiert.

So, das wäre es, was mir an deinem Entwurf aufgefallen ist. Ich hoffe, du findest mich nicht zu kritisch! Falls etwas unklar ist, kannst du natürlich jederzeit gern mailen oder anrufen. Ich kann auch konkretere Änderungsvorschläge machen, wenn du das möchtest.

Sei herzlich gegrüßt und frohes Schaffen – Iris

Wege ins Ausland

1 2. Nationalagenturen • Servicestellen • 3. Auslandsaufenthalte • 4. Sprachaufenthalte • Workcamps • Freiwilligendienste • Schulaufenthalte • Zivildienst • 5. Telefonberatung • Beratungstage

2 Guten Tag, hier Martina Jung. … Hätten Sie gerade einen Moment Zeit, oder passt es jetzt nicht • Was möchten Sie denn wissen? • Entschuldigen Sie, wenn ich Sie unterbreche • Das kann ich verstehen, es gibt wirklich viele. • Entschuldigen Sie, wenn ich kurz dazwischenfrage. • Könnten Sie mir vielleicht etwas anderes empfehlen? • Hm. Entschuldigen Sie, wenn ich noch mal unterbreche. • Verzeihung, wie meinen Sie das? • Und vielen Dank! • Gern geschehen.

3 a 1. fördern • 2. abgebaut werden • 3. mitwirken

3 b **Dialog A:** ▶ Leider nicht. Zurzeit können sich leider nur Jugendliche aus dem europäischen Ausland bewerben. • ▷ Schade! Trotzdem vielen Dank! • ▶ Nichts zu danken. Auf Wiederhören. • ▷ Auf Wiederhören.

Dialog B: ▶ Ja. Darf ich fragen, wie alt Sie sind? • ▷ 24. • ▶ Gut, das geht gerade noch. • ▷ Und was empfehlen Sie, wie soll ich mich bewerben? • ▶ Am besten wenden Sie sich an unsere Partnerorganisation in Spanien. • ▷ Könnten Sie mir freundlicherweise die Adresse geben? • ▶ Auf unserer Homepage finden Sie alles: www.ijgd.de. • ▷ O.k. Darf ich

noch mal anrufen, falls ich etwas nicht verstehe? • ▶ Gern, dafür sind wir ja da. • ▷ Vielen Dank noch mal und auf Wiederhören. • ▶ Wiederhören

Vorbereitungen

1 3. wenn (statt: als) • 4. mich (statt: mir) • 5. gemacht (statt: gemachen) • 6. welche (statt: welchen) • 7. werden (statt: sein) • 8. kann ich (statt: ich kann) • 9. lernen muss (statt: muss … lernen) • 10. sozialen (statt: sozial) • 11. baldige (statt: balde) • 12. freundlichen (statt: freundlicher)

2 Sehr geehrter Herr Gruber,

vielen Dank für Ihr Schreiben vom … mit den Zusatzinformationen. Ich habe mich jetzt für einen Platz in einem der renovierten Doppelzimmer entschieden. In d er Anlage finden Sie den von mir ausgefüllten und unterschriebenen Mietvertrag. Könnten Sie mir bitte eine kurze Bestätigung zukommen lassen? Vielen Dank im Voraus. Mit freundlichen Grüßen …

3 Anfrage

Sehr geehrte Damen und Herren,

ab 1.10. dieses Jahres werde ich als Leiter der Auslandsabteilung der Firma Riemer nach Lyon versetzt. Aufgrund dessen plane ich, nächste Woche ein paar Tage in Ihre Stadt zu kommen, um mich nach einer Wohnung umzusehen. Deshalb wende ich mich heute mit einer Anfrage an Sie: Bei meiner Suche nach einem preisgünstigen Zimmer in einem ruhig gelegenen Hotel bin ich im Internet auf Ihre Adresse gestoßen. Bitte schicken Sie mir ein verbindliches Angebot für ein Einzelzimmer mit Bad und WC für fünf oder sechs Übernachtungen. Es sollte sehr ruhig sein und nicht direkt neben dem Aufzug oder zur Straße hin liegen. Könnten Sie mir auch mitteilen, ab wann es Sonderpreise für längere Aufenthalte gibt? Damit Sie mich schnell informieren können, wäre ich Ihnen dankbar, wenn Sie mir per E-Mail antworten könnten. Hier meine Adresse: schokolinskii@riemer.de Über eine baldige Antwort würde ich mich sehr freuen.

Mit freundlichen Grüßen

Friedhelm Schokolinski

Riemer-AG Fürth

Angebot Hotel

Sehr geehrter Herr Schokolinski,

wir bedanken uns für Ihr Interesse an unserem Etablissement und freuen uns, Ihnen folgendes Angebot unterbreiten zu können: Wir haben mehrere Einzelzimmer in verschiedenen Preisklassen, je nach Lage und Ausstattung. Das angenehmste liegt im 3. Stock, geht nach hinten raus und liegt Richtung Westen. Es ist sehr geräumig, hat einen Balkon, ein eigenes Bad und WC und ist mit Minibar, TV und Internetanschluss ausgestattet. Sie haben einen wunderschönen Blick über die ganze Stadt. Es kostet 73 € pro Nacht, inklusive Frühstück. Da Sie sechs Nächte bleiben, gewähren wir Ihnen einen Sonderrabatt von 10%. Natürlich bräuchten wir Ihre genauen Ankunfts- und Abfahrtstermine, damit wir die Belegung überprüfen können. Sollten Sie noch Fragen haben, setzen Sie sich bitte mit uns in Verbindung.

Wir würden uns freuen, Sie bald in unserem Hause begrüßen zu dürfen

und verbleiben mit freundlichen Grüßen

Hotel de l'Opéra

Michel Delpech

4 Es bereitet uns große Freude – Es freut uns • Wir sehen uns gezwungen, unser großes Bedauern darüber auszudrücken, dass – leider müssen wir Ihnen mitteilen, dass • derzeit kein freies Einzelzimmer zur Verfügung steht – im Moment kein Einzelzimmer frei haben • Wir verfügen … über - wir haben • Als Anlage erhalten Sie – legen wir … bei • Ihrem Wunsch entsprechend – wunschgemäß • zur Disposition stehenden – zur Verfügung stehenden • Falls Sie Interesse … haben sollten – falls Sie … interessiert sind • möchten wir die Bitte äußern – bitten wir Sie • ebenfalls beiliegend – ebenfalls in der Anlage • die Rücksendung … veranlassen – zurücksenden • Erst wenn Sie diese Voraussetzunge erfüllt haben, können wir die Reservierung vornehmen. – Das ist die Voraussetzung für die Reservierung. • Bei Rückfragen wenden Sie sich bitte direkt an … Wir freuen uns, Ihnen umgehend Auskunft zu geben. – Für zusätzliche Informationen stehen wir Ihnen jederzeit gern zur Verfügung. • und verbleiben mit vorzüglicher Hochachtung – mit freundlichen Grüßen

6 a 1. Gedanken • 2. Voraussetzungen • 3. Bedingungen • 4. Vorbereitungen • 5. gelingen • 6. denken • 7. Gastgeschenke • 8. Anfang • langen • 9. Anke • Erfahrungen

7 fing – gefangen • sang – gesungen • sank – gesunken • sprang – gesprungen • trank – getrunken • klang – geklungen • gelang – gelungen

Paragrafendeutsch

1 a 2r • 3r • 4f • 5r • 6f • 7f

1 b 1. Nebenkosten • 2. inbegriffen • 3. Abschluss • Kaution • Monatsmieten • 4. teilmöbliertes • unmöbliertes • 5. Komfort • Ausstattung • 6. zusätzlich • 7. kündigen • renovieren

2 a aufgebauten (PII) • explorierend (PI) • entwickelten (PII) • zur Verfügung stehenden (PI) • wachsenden (PI) • globalisierten (PII)

2 b Eine vom Bundesministerium für … unterstützte und durch den IJAB koordinierte Steuerungsgruppe hat ein … • … ist es, international geförderte Jugendarbeit in Deutschland – … - sichtbar zu machen. • …, ob sie die angebotenen Nachweise einsetzen möchte und welche der drei Varianten jeweils die passende ist.

2 c trägerbezogene • festgelegten • personenbezogenen • Teilnehmenden • Teilnehmende • gedachte • gezeigtes • geleistete • detaillierter • gezeigte • Teilnehmende • fundierten • wertschätzenden • entsprechende

3 a 3. jemand, der bei der Hausverwaltung angestellt ist • 4. diejenigen, die lernen • 5. eine Frau, die vorträgt • 6. das, was von Jugendlichen geleistet wurde / worden ist • 7. ein Mann, der in dem Projekt engagiert ist • 8. das, was neulich besprochen wurde / worden ist • 9. diejenigen, die durch die Stiftung gefördert werden

3 b 2. … und die vor dem Saal Wartenden wurden langsam ungeduldig. • 3. Die Teilnehmenden äußerten sich … • 4. Das in der Diskussion Beschlossene wurde protokolliert und … • 5. Am letzten Tag gab es leider einige Verletzte, als …

Weg – aber wohin?

1 1. Das liegt u. a. an den unternehmerischen Freiheiten. • 2. … leichter umgesetzt werden als in Europa. • 3. … hinsichtlich der erforderlichen Ausbildungswege. • 4. … auswandern, träumen von einer großen Karriere. / … träumen davon, eine große Karriere zu machen. • 5. … Neuseeland seit langem ein … • 6. … der Einwanderung.

7. … will, muss über sehr gute berufliche Qualifikationen verfügen. • 8. … dorthin entsandt werden. • 9. … in China engagiert sind. • 10. Die Liste … Firmen ist frei zugänglich. • 11. Griechenland nimmt bei den …. einen Spitzenplatz ein. • • 12. Wer beschließt, in Griechenland … • 13. …, sollten Sie sich an einen Euroberater wenden.

2 2f • 3r • 4f • 5f • 6r • 7r • 8f

3 3. …, ohne den Arbeitsvertrag unterschrieben zu haben. • 4. …, ohne finanziell abgesichert zu sein. • 5. …, ohne dass die Bundesagentur für Arbeit die Unterlagen geprüft hat. • 6. …, ohne eine Aufenthaltsgenehmigung zu haben.

Kulturschocks

1 2. ramponierte Fassaden • 3. seltsam • 4. beschattet von mächtigen Bäumen • 5. Das stimmte nur fast. • 6. Mir brach der Schweiß aus. • 7. Die deutsche Normalität entsprach der von E. A. Poe. • 8. Buddhisten glauben an Reinkarnation. • 9. die rastlosen Seelen • 10. auf der Suche nach … • 11. … versuchen, sich anderer Seelen zu bemächtigen, … • 12. die abgelegensten Hügel • 13. Aus Liebe nimmt man manches in Kauf. • 14. Ich redete mir ein, dass … • 15. ein unentbehrlicher Teil • 16. Er unterlässt es, mich … zur Gemeinsamkeit zu bekehren. • 17. …, sofern ich …

2 2. … erzählt, ohne auf Einzelheiten einzugehen. • 3. … erklärt, ohne dass ich sie verstanden hätte / habe. • 4. … nur zugehört, ohne nachzufragen. • 5. … verbracht, ohne dass sie mir genützt hätten. • 6. …gekommen, ohne einen Ausweg zu wissen. • 7. …gehen, ohne sich vorher gut vorbereitet zu haben / ohne sich vorher gut vorzubereiten. • 8. … Deutschland, ohne meine Heimat vergessen zu haben / zu vergessen.

3 *Mögliche Erklärung:* **Zeichnung links:** In Deutschland bedeutet diese Geste „Komm her!", der Grieche / Italiener versteht darunter aber „Auf Wiedersehen!". • **Zeichnung rechts:** Der Amerikaner möchte mit seiner Geste zeigen, dass etwas o. k. / super ist. Für den Franzosen bedeutet diese Geste: „Du bist eine Null."

Lektion 11 – Leistungen

1 a **a-:** atypisch • anormal • asozial • amoralisch • **des-:** desinteressiert • desorganisiert • desinformiert • **in-:** inoffiziell • inkompetent • informell • **non-:** nonkonformistisch • nonverbal • **un-:** untypisch • uneigensinnig • unharmonisch • uninteressiert • unentschlossen • unsozial • untalentiert • unorganisiert • unausgeglichen • unmoralisch • uninformiert

1 b risikoreich • machtvoll • konfliktfreudig • variantenreich • ideenreich • hoffnungsvoll • chancenreich • humorvoll • kontaktfreudig

1 c **-arm:** risikoarm, variantenarm • **-los:** risikolos • machtlos • ideenlos • hoffnungslos • chancenlos • humorlos • **-scheu:** risikoscheu • konfliktscheu • kontaktscheu

2 1. vitaminreich • Zuckerhaltige • alkoholhaltige • 2. schadstoffarmes • bleifreies • 3. geschmackvoll • uneitel • nonkonformistisch • 4. ideenreiche • fantasievolle • unentschlossenen • verantwortungsvoll • risikolose • 5. liebevolle • temperamentvolle • unharmonisches • 6. vorurteilsfrei • konfliktscheu • 7. reizvollen • schuldenfrei • stilvoll • 8. arbeitslos • humorvoll • gefühllos • 9. sorgenfreies • wunschlos • 10. neidlos

3 a 2. für • 3. meines • 4. aus • 5. auf • 6. die • 7. zu • 8. dafür • 9. zu • 10. dass • 11. der

3 b **in Übungsteil a:** meiner Ansicht / Meinung nach • ich halte … für … • meines Erachtens • aus meiner Sicht • ich sehe die Sache so … • ich bin dagegen / dafür … • ich bin der Überzeugung, dass … • ich habe den Eindruck / das Gefühl … • ich bin der Meinung / Überzeugung / Ansicht, dass … *mögliche Ergänzungen:* ich meine / glaube / denke • ich bin für / gegen • ich finde es … • ich beurteile das …

4 a *Mögliche Lösungen:* **Vorsichtiger Widerspruch:** Mir schient das fraglich. • Ich sehe das etwas anders • Das ist mir neu. • Sind Sie da sicher? • Ihre Argumente überzeugen mich nicht ganz. • Ich bin da nicht so sicher. • Ich glaube, Sie haben das etwas übersehen. • Da habe ich Bedenken. • **Klarer Widerspruch:** So kann man das meiner Meinung nach nicht sagen. • Da haben Sie etwas falsch verstanden. • Ganz im Gegenteil. • Dem kann ich nicht zustimmen. • Da muss ich Ihnen leider widersprechen. • **Massiver Widerspruch:** Das kann doch nicht ihr Ernst sein. • Da bin ich aber ganz anderer Meinung.

5 a Gesellschaft • Hilfe • Widerstand • Zahlungen • Folge

5 b … dass immer viele Menschen um ihn / in seiner Gesellschaft sein wollten. • … half sofort ein Arzt. • Er wehrte sich nicht gegen die Polizei. / Er ließ sich ohne Widerstand festnehmen. • Der Sportverband zahlte nach dem Skandal nicht mehr und … • …, in Zukunft alle Vorschriften zu befolgen, durfte …

6 a 2A • 3E • 4F • 5G • 6B • 7D

Schneller, höher, weiter

1 a/b arbeitete – Präteritum (arbeiten – sie arbeitet – sie arbeitete – sie hat gearbeitet) • sich gestritten hatte – Plusquamperfekt (sich streiten • sie streitet sich – sie stritt sich – sie hat sich gestritten) • suchte – Präteritum (suchen – sie sucht – suchte – hat gesucht) • gewann – Präteritum (gewinnen – sie gewinnt – sie gewann – sie hat gewonnen) • kündigte – Präteritum (kündigen – sie kündigt – sie kündigte – sie hat gekündigt) • eröffnete – Präteritum (eröffnen – sie eröffnet – sie eröffnete – sie hat eröffnet) • sich spezialisiert hat – Perfekt (sich spezialisieren – sie spezialisiert sich – sie spezialisierte sich – sie hat sich spezialisiert) • anbietet – Präsens (anbieten – sie bietet an – sie bot an – sie hat angeboten) • hat unterstützt – Perfekt (unterstützen – er unterstützt – er unterstützte – er hat unterstützt) • hätte gepackt – Konj. II der Vergangenheit (packen – sie packt – sie packte – sie hat gepackt) • meint – Präsens (meinen – sie meint – sie meinte – sie hat gemeint) • ist (sein – sie ist – sie war – sie ist gewesen)

1 c 1r • 2f • 3r • 4f • 5r • 6f • 7f • 8f • 9r • 10r • 11r

2 a 2. Das Geschäft lief sehr gut, nachdem sie eine Werbeagentur engagiert hatte. / Nachdem sie eine Werbeagentur engagiert hatte, lief … • 3. Sie wurde sehr bekannt, nachdem sie einen wichtigen Preis gewonnen hatte. / Nachdem sie einen wichtigen Preis gewonnen hatte, wurde … • 4. Sie übergab ihre Firma an ihre Kinder, nachdem sie Millionen verdient hatte. / Nachdem sie Millionen verdient hatte, übergab … • 5. Sie will nun das Leben genießen, nachdem sie sehr viel gearbeitet hat. / Nachdem sie sehr viel gearbeitet hat, will …

2 b 2. Als er seine Traumfrau traf, bekam er gerade das Geld. • 3. Als sie sich einen Monat kannten, machte er ihr einen Heiratsantrag. • 4. Als sie einen Monat später heirateten, schenkte er ihr ein Haus. • 5. Als er ein Jahr später sein Vermögen an der Börse verlor, gewann seine Frau eine

Million im Lotto.

2 c 2. leitet • 3a. hatte • 3b. begonnen • 4. sprach • 5a. baute • 5b. aus • 6. erhielt • 7a. hat • 7b. bewährt • 8a. hat • 8b. gemacht • 9. malt • 10a. stellt • 10b. aus • 11. sieht • 12. halten

3 a ↗: zunehmen • steigen • wachsen • erhöhen sich verbessern • ↘: zurückgehen • senken • sich verschlechtern • sinken • fallen • ↑: den Höhepunkt erreichen • den Spitzenwert erreichen • den Höchstwert erreichen • ↓: die Talsohle erreichen • den Tiefstand erreichen • →: konstant bleiben • gleich bleiben • sich stabilisieren • stagnieren

3 b

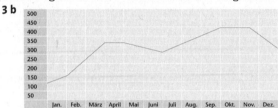

Wir müssen nur wollen

1 b *Mögliche Lösungen:* **Rosenstolz:** 12 Lieder • 13. Album • mit vielen Spielarten der Liebe auseinandersetzen • schräge Klänge • Geschichte vom großen Leben • mit Piano, Wurlitzer-Orgel, Bläsern und Streichern • großer Wurf in deutscher Popmusik • **Element of Crime:** deutsche Rockband • zeitloser Rock • Romantik mit Witz und Ironie • genial einfach die Texte der Band, die von Alltagskomik, Herbstphantasien, Liebeserklärungen erzählen • Liebeslieder sind Spezialität der Rockpoeten • romantisch ohne Kitsch und Klischees • **Grönemeyer:** tiefgründiges, wie unkonventionelles Album • Single … setzt sich mit Religion auseinander • Stück hat Zeug zum Ohrwurm • … bildet thematisch wie musikalisch einen Gegensatz • In dem Titel geht es darum, … • Ballade …, die Sänger seiner Freundin gewidmet hat • beschreibt mit seiner ausdrucksvoll poetischen Sprache Liebe zwischen zwei unabhängigen Menschen • **Sportfreunde Stiller:** Münchner Band ihrem Lieblingsthema Fußball gewidmet • elf Songs über das runde Leder mit unterschiedlichen Melodien • Spiel wird eröffnet mit … • mit … Stimmung auf dem Höhepunkt • eingängige Melodien, die zu Ohrwürmern werden können • lustige Texte, die ohne Sprachkunst und Tiefgang auskommen • in den Stadien zur Hymne werden können

2 2. Cassetten • 3. Videoclips • 4. Audiodatei • 5. MP3-Player • 6. Webseite • 7. Hintergrundinfos • 8. Lyrics • 9. Konzert • 10. Sound • 11. Zugaben • 12. Tickets • 13. Internet • 14. Fanartikel • 15. DVD

3 f 2. ○● • 3. ○●○ • 4. ●○ • 5. ○○●○ • 6. ●○○ • 7. ○● • 8. ○○○● • 9. ○●○

Ein kluger Kopf

2 2r • 3r • 4r • 5f • 6r • 7f • 8r • 9f

3 a 2F • 3D • 4E • 5C • 6A

3 b 2. dennoch / trotzdem • 3. Trotz / Ungeachtet • 4. infolgedessen / folglich • 5. Trotz / Ungeachtet • 6. Obwohl / Obschon / Wenngleich • 7. so … dass • 8. Infolge • 9. Trotzdem / Dennoch • 10. Infolgedessen / Folglich

3 c 2. Gleichwohl ist die Qualität eines Coaches nicht immer gleich. • 3. Das Berufsbild des Coaches ist nicht geschützt, infolgedessen gibt es viele Scharlatane. • 4. Somit ist ein Vergleich der Angebote unbedingt empfehlenswert.

• 5. Wenngleich selbst ein guter Coach keine positive Veränderungen garantieren kann. • 6. Selbst wenn Sie den besten Coach haben, ist die eigene Bereitschaft am wichtigsten.

Schule machen

1 2r • 3r • 4f • 5r • 6f • 7f • 8f • 9r • 10f

2 3. Aus (statt: In) • 4. mir (statt: mich) • 5. Voraussetzungen (statt: Voraussetzung) • 6. als (statt: zum) • 7. akzeptieren (statt: akzeptiert) • 8. dem (statt: den) • 9. sie damit (statt: umgehen damit) • 10. erwarte ich (statt: ich erwarte) • 11. dass (statt: das) • 12. freundlichem (statt: freundlichen) / Grüßen (statt: Gruß)

Der Preis geht an ...

1 2B • 3A • 4F • 5E • 6C • 7A • 8C • 9B • 10F • 11D • 12E • 13C • 14B • 15D • 16C • 17E • 18C • 19A • 20E • 21D • 22B • 23A

2 a begeistert • einfallslos • enthusiastisch • feierlich • getragen • langweilig • lustig • spannend • trocken

2 b positiv: begeistert • enthusiastisch • feierlich • getragen (kann pos. sein) • lustig • spannend • *weitere mögliche Lösungen:* einfallsreich • humorvoll • facettenreich • geschliffen • unterhaltsam • **negativ:** einfallslos • getragen (kann neg. sein) • langweilig • trocken • *weitere mögliche Lösungen:* humorlos • langatmig • eintönig • spannungslos • ermüdend

3 *Mögliche Lösungen:* 1. Mutter / Mama • Bruder • Schwester • Sohn • Tochter • Enkelsohn • Enkeltochter • Großvater • Großmutter • Eltern • Kinder • Enkel • 2. Schwiegermutter • Schwiegereltern • Schwiegerkinder • Onkel • Tante • Cousin/e • Neffe • Nichte • Großtante • Großonkel • Großcousin/e • Großneffe • Großnichte • Schwager • Schwägerin • 3. Freund/in • Nachbar/in • Sportkamerad • 4. Chef/in • Vorgesetzter • Vorgesetzte • Teamleiter/in • Abteilungsleiter/in • Assistent/in

Lektion 12 - Sprachlos

1 a/b 2. die • ängstlich • 3. die • verärgert über + A • 4. der • zornig über + A • 5. die • neugierig auf + A • 6. die • freudig • 7. das • verständnisvoll • 8. die • dankbar für + A • 9. die • verzweifelt über + A • 10. die • erleichtert über + A • 11. die • enttäuscht über + A • 12. das • erstaunt über + A (Nr. 9, 10, 11, 12 sind formal Partizipien, die aber als Adjektive gebraucht werden.)

2 a Erstaunen: a • b • g • h • m • **Neugier:** e • g • l • **Dankbarkeit:** f • j • q • **Unterstützung:** k • i • **Verärgerung:** c • n • p • **Bedauern:** d • i

2 b a. Mir fehlen die Worte. ↘ • b. Was soll man da noch sagen? ↘ • c. Wie?!! ↗ Bist du wahnsinnig? ↗ • d. Mein Beileid! ↘ • e. Sag's mir einfach. ↘ • f. Zum Glück! ↘ • g. Ist nicht wahr! ↘ • h. Mir hat es echt die Sprache verschlagen! ↘ • i. Ich muss jetzt leider aufhören. ↘ • j. Gott sei Dank ↘, das wurde auch Zeit. ↘ • k. Keine Ursache ↘, das mache ich doch gerne. ↘ • l. Und? ↗ • m. Mir bleibt die Spucke weg. ↘ • n. So eine Frechheit! ↘ • o. Echt? ↗ • p. Nie und nimmer! ↘ • q. Ich kann dir gar nicht sagen →, wie dankbar ich dafür bin. ↘

2 c *Mögliche Lösungen:* 1. a, c, g, m • 2. q • 3. a, g, m • 4. j • 5. h • 6. e • 7. i • 8. k • 9. f, g, j • 10. p • 11. d • 12. q, o

3 a/b 2. b • f • 3. a • i • 4. a • f • 5. b • f • 6. a • i • 7. a • f • 8. b • i

Nichts sagen(d)

1 1. regnet • 2. Städte- • Meer • 3. Küche • Gerichte • 4. Stau • -funk • 5. -zeit • -bericht • 6. Urlaub • Alpen • 7. geschneit • Schnee • 8. Kochen • Koch • 9. Durchkommen • gebraucht • 10. Oper • Kino • 11. Büffet • Auswahl • 12. Bahn • Autofahrer

Wetter: 1 • 5 • **Essen:** 3 • 8 • 11 • **Verkehrssituation:** 4, 7, 9, 12 • **Freizeit / Urlaub:** 2, 6, 10

2 2. verlegen • 3. hohe Anforderungen an sich selbst • 4. meiden • 5. gelingt • 6. Spitzenreiter • 7. gebrochen • 8. körperlich näher • 9. Gespräch kommen • 10. zahlt sich • 11. kalte Schulter • 12. verbissen schweigen • 13. Taktgefühl • 14. Fettnäpfchen treten • 15. Hüten Sie sich • 16. Tabuthemen • 17. knüpfen • 18. echtes Interesse • 19. herstellen • 20. überwinden • 21. kennen sich aus

3 a 1r • 2r • 3f • 4f

3 b Zeile 24–26: Auf jeden Fall sollte am Ziel der fehlerfreien Beherrschung des Deutschen festgehalten werden.

3 c Informationen: Z. 1–4: Sprachwissenschaftler, z.B. Jost Fischer, fordern Dialektunterricht in Schulen. • Z. 12–14: Fischer plädiert für Reform des Schulunterrichts und Ergänzung des Curriculums durch das Fach „Dialektdeutsch". • Z. 15/16: Philologenverband ist geteilter Meinung. • Z. 24: Die ganze Argumentation ist umstritten. • Z. 24–26: Fehlerfreie Beherrschung des Deutschen bleibt Ziel. • **Argumente:** Z. 4–8: Dialekt sprechende Kinder sind häufig in der Schule frustriert und entwickeln Störungen, weil Dialekt sprechen als etwas Minderwertiges gilt. • Z. 8–11: „Zweisprachige" Kinder entwickeln mehr Sprachkompetenz, wodurch Auffassungsgabe und Denken trainiert werden. • Z. 19-23: Integration von Dialekt in den Unterricht stärkt die Identität und verbessert die Ausdrucksfähigkeit.

3 d *Mögliche Zusammenfassung:* In dem Zeitungsartikel geht es um den Vorschlag, Dialektunterricht in Schulen. einzuführen. Sprachwissenschaftler begründen dies mit zwei unterschiedlichen Argumentationslinien: einerseits schade die Stigmatisierung von Dialekten Dialekt sprechenden Kindern, andererseits habe die „Zweisprachigkeit" Vorteile für ihre Entwicklung. Beim Philologenverband ist der Vorschlag jedoch umstritten, weil es Hauptziel des Unterrichts sei, fehlerfrei Deutsch zu sprechen.

Die Kunst der leichten Konversation

1 höfliche Möglichkeiten: 2 • 4 • 5 (kommt auf Situation an) • 7 • 8

2 a 2. treiben • machen • 3. machen • treiben • betreiben • 4. führen • 5. abhalten • 6. halten • 7. führen • 8. führen • machen • 9. halten • 10. kommen

2 b 2. n • 3. neg • 4. n • 5. neg • 6. neg • 7. neg • 8. n • 9. n • 10. neg

2 c negative

2 d 2. die Schreierei • das Geschreie • 3. die Diskutiererei • – • 4. die Singerei • das Gesinge • 5. die Reiserei • das Gereise • 6. die Probiererei • –

3 a 1r • 2f • 3f • 4f • 5r

3 b 2. 50 Kg. mehr / geplant: Karl Maier hat 50 kg mehr gehoben als geplant. • 3. 3. Runde langsamer / Trainer besprochen: Silke Dach ist die 3. Runde viel langsamer angegangen, als mit dem Trainer besprochen war. • 4. schneller gelaufen / alle vorausgesagt: Ihre Konkurrentin aus Kenia ist (noch) schneller gelaufen, als alle vorausgesagt hatten. • 5. genauso gut (abgeschnitten) / letztes Jahr: Das deutsche Team hat genauso gut abgeschnitten wie letztes Jahr. • 6. mehr Preise / alle anderen: Die Norweger haben (mal wieder) mehr Preise gewonnen als alle anderen. • 7. Turnen· so gut (abgeschnitten) / erwartet: Die Chinesen haben im Turnen so gut abgeschnitten wie erwartet. • 8. weniger Medaillen / erhofft: Die Deutschen haben weniger Medaillen gewonnen, als sie erhofft hatten / als erhofft. • 9. Stimmung besser / vergangene Jahre: Aber die Stimmung war besser als in den vergangenen Jahren. • 10. Trainingslager länger / dieses Jahr: Im nächsten Jahr soll der Aufenthalt im Trainingslager länger dauern als in diesem.

Mit Händen und Füßen

1 a 2. sich treffen • 3. herausgestreckte • 4. ein Signal • 5. Instrumente • 6. Kommunikation • 7a. gibt • 7b. preis • 8. wirkungsvoll • 9. vorstellbar • 10. entdeckt • 11. geprägt • 12. Beurteilung • 13. authentischer

1 b 2. zusammenkommen • 3. vorgereckte • 4. eine Botschaft • 5. Mittel • 6. Verständigung • 7. verrät • 8. machtvoll • 9. denkbar • 10. herausgefunden • 11. bestimmt • 12. Einschätzung • 13. echter

2 a7: da dieser sich immer etwas entfernt • b10: – • c2: einen direkten und starken Effekt • d4: Für den richtigen Abstand • e6: – • f1: – • g5: – • h8: – • i9: – • j3: –

3 a *Mögliche Dialoge:* 1. ▶ Guten Abend. Ich habe gerade festgestellt, dass die Dusche in meinem Zimmer nicht funktioniert. • ▷ Oh, das tut mir leid! Da kann ich aber leider im Moment nichts machen. Es ist doch Samstagabend. Unser Techniker ist gerade nach Hause gegangen und kommt erst am Montag wieder. • ▶ Das ist nicht mein Problem! Entweder die Dusche wird umgehend repariert oder Sie geben mir ein anderes Zimmer! • ▷ Das ist leider nicht möglich. Wir sind an diesem Wochenende komplett ausgebucht. Es tut mir wirklich leid. Ich möchte Ihnen ein Angebot machen: Sie erhalten von uns einen Gutschein für Massage und Hautbehandlung in unserer Wellness-Oase, oder ich reduziere den Zimmerpreis für heute und morgen Nacht um 50%. Würde Sie das für Ihre Unannehmlichkeiten entschädigen? • ▶ Na ja, besser als nichts. • 2. ▶ Guten Abend. Mir ist gerade bewusst geworden, dass mein Zimmer direkt neben dem Aufzug liegt. Das ist wirklich sehr störend. Können Sie mir ein anderes Zimmer geben? • ▷ Oh, ich bedaure sehr. Das ist ein bisschen schwierig, jetzt um 23 Uhr. Das Hotel ist total ausgebucht. • ▶ Wirklich? Das kann ich gar nicht glauben, im Restaurant war doch kaum jemand. • ▷ Doch, ich versichere Ihnen, dass es so ist. Aber ich übermorgen könnte ich Ihnen ein anderes Zimmer geben. • ▶ O. k., vielen Dank. • 3. ▶ Guten Morgen. Wären Sie so freundlich und würden mir ein Frühstück aufs Zimmer bringen? • ▷ Natürlich gern, was soll es denn sein? • ▶ Ein Kontinentalfrühstück, dazu zusätzlich zwei weiche Eier und einmal Müsli mit frischen Früchten und geschlagener Sahne. • ▷ Hm. Das ist ein bisschen schwierig, da müssten Sie aber einen Aufpreis bezahlen. Sie sehen ja auf der Speisekarte, dass für Bestellungen aufs Zimmer ein Zuschlag von 5% zu zahlen ist und ihre Sonderwünsche müssen wir Ihnen auch zusätzlich berechnen. • ▶ Das ist aber überhaupt nicht kundenfreundlich. Und Sie wollen ein Vier-Sterne-Hotel sein! • 4. ▶ Guten Morgen! Würde es Ihnen etwas ausmachen, ein anderes Bett in Zimmer 56 zu bringen. Die Matratze ist so hart, mir tut alles weh! • ▷ Das ist im Moment ein bisschen schwierig. Ich bin allein

hier, aber morgen kann ich das gern veranlassen. • ▶ Na gut, wenn's nicht früher geht. • 5. ▶ Hier Müller. Ich muss mich leider über meinen Zimmernachbarn beschweren. Er ist so laut, dass ich kein Auge zumachen kann. Können Sie da bitte etwas unternehmen? • ▷ Hm, das ist leider nicht so einfach. Ihr Nachbar ist ein Dauergast. Er bleibt 4 Wochen und hat schon alles bezahlt. Aber ich habe Ihrer Beschwerde notiert und werde mit dem Geschäftsführer sprechen. • ▶ Nur sprechen reicht mir nicht. Ich verlange, dass Sie etwas unternehmen. Ich bin schließlich auch Gast oder gibt es Gäste zweiter Klasse?

4 a 1B • 2C • 3A • 4D

4 b 1B • 2A • 3D • 4C

4 c *Mögliche Lösungen:* **A:** Ablehnung / Skepsis / Langeweile • **B:** „Jetzt fällt mir's ein." / „Ich / Du / der / die / das ist blöd." • **C:** jemand (unfreundlich) wegschicken / „Komm her!" (aus der Ferne, Spanien) • **D:** Lob über Leistung, Essen, schöne Frau

Der Ton macht die Musik

1 2. Ich finde es unangemessen / Es kann doch nicht wahr sein, dass … • 3. Es kann doch nicht im Sinne von dem Geschäft / des Geschäfts sein, wenn … • 4. Ich finde es ungeheuerlich / Ich halte es für eine Frechheit / Unverschämtheit, dass … • 5. Ich möchte untersteichen / hervorheben, dass es nicht übertrieben ist, ein neues Gerät zu … • 6. Ich würde mir wünschen, dass der Verkäufer … • 7. Entscheidend für mich ist / Der Punkt für mich ist, dass … • 8. Meine Forderung lautet deswegen / Ich erwarte deswegen, dass … • 9 Außerdem wäre es wünschenswert, dass Sie mir …

3 2. worüber • 3. worüber • 4. was • 5. was • 6. was • worüber • 7. wozu

4 2. Alles, was er damals gesehen hat, war schrecklich. • 3. Vieles, wovon die Presse berichtet hat, war falsch dargestellt. • 4. Das Schlimmste, woran er sich erinnert, war das Warten auf Hilfe. • 5. Wofür er besonders dankbar ist, ist die spontane Hilfsbereitschaft fremder Menschen. • 6. Er wird …, wozu ihm seine Familie dringend geraten hat.

Wer wagt, gewinnt

2 a Bayern: 3 • Berlin: 1 • Pfalz: 2 • Rheinland: 6 • Sachsen: 4 • Schwaben: 5

2 b Da war ich sprachlos. Das hätte ich nicht gedacht. Das ist ganz ungewöhnlich. Aber es ist vollkommen richtig: Zwei können mehr als einer.

Goethe-Zertifikat B2 – Probeprüfung

LV 1 1. negativ • 2A • 3F • 4D • 5B

LV 2 6a • 7c • 8c • 9a • 10b

LV 3 11b • 12a • 13b • 14b • 15a

LV 4 16. Wer • 17. ist • 18. ihm / sich • 19. abends / am Abend • 20. So / Dann • 21. von / der • 22. Ihnen • 23. kann / wird • 24. Fenster • 25. ihn

HV 1 1. Hin- und Rück<u>fahrt</u> • 2. Verängerungsnacht • 3. <u>Maler</u>poet 4. Hotel Zum <u>Kaiser</u> • 5. 10.30–17.30

HV 2 6b • 7b • 8a • 9c • 10c • 11a • 12b • 13a • 14b • 15c

SA 2 16. davon (statt: dafür) • 17. schließen(statt: schließt) • 18. Hauses (statt: Haus) • 19. es ist (statt: ist es) • 20. telefonisch (statt: telefonig) • 21. mir (statt: mich) • 22. nächsten (statt: nächste) • 23. gezwungen (statt: gezwingt) • 24. behoben ist (statt: ist behoben) • 25. freundlichen (statt: freundligen)

Transkriptionen

Im Folgenden finden Sie die Transkriptionen der Hörtexte im Arbeitsbuch, die dort nicht abgedruckt sind.

Lektion 3

🔊 4: Gartenarbeit • Reparaturen • sozial • Menschen

Lektion 4

🔊 11: Geschichte der Uhr

Seit vorhistorischer Zeit versucht der Mensch durch Beobachtung der Himmelsgestirne, Sonne und Mond die Jahreszeiten und damit den Wetterverlauf besser einzuschätzen. Bereits 5.000 v. Chr. wurde im Altägyptischen Reich ein Kalender entwickelt. Mit zunehmendem Handel war eine genauere Form der Zeiterfassung notwendig. Mithilfe der Sonnenuhr wurde vermutlich ab dem 3. Jahrtausend v. Chr. der Tag in mehrere Zeiteinheiten aufgeteilt und ermöglichte so Verabredungen zu einem vorbestimmten Zeitpunkt.

Seit dem 14. Jhd. v. Chr. wurden in Ägypten neben Sonnen- auch die etwas ungenaueren Wasseruhren verwendet. Diese hatten den Vorteil, dass sie tageslichtunabhängig waren. Durch immer weitere Verbesserungen gelang es schließlich im 2. Jhd. v. Chr. eine relativ genaue Wasseruhr mit Zifferblatt und Zeiger herzustellen.

Neben der Sonnen- und Wasseruhr etablierte sich ab 900 n. Chr. in Europa auch die Kerzenuhr. Kerzen mit definierten Formen und Größen brannten in einer bestimmten und bekannten Zeitdauer ab. Diese Uhren konnten nicht nur unabhängig vom Tageslicht genutzt werden, sondern waren auch einfach im Umgang und verfügbar.

Im Mittelalter taucht die mechanische Uhr auf, aber ab wann genau sie verwendet wurde, ist nicht bekannt. Bei den ersten mechanischen Uhren handelte es sich um große Instrumente, welche zunächst in einigen Klöstern und großen Kirchen angebracht wurden. Ihrem Zweck nach sollten sie vor allem dem Klerus die Zeit für die 7 Tagesgebete (die sogenannten Horen) läuten.

Erst im 14. Jhd. tauchten Sanduhren in Europa auf. Die waren ganz unabhängig von den Temperaturen: Bei diesen Uhren rieselt Sand durch einen schmalen Hals von der oberen Gefäßhälfte in die untere Gefäßhälfte. Die gute alte Sanduhr sieht man übrigens heute in unseren Computern als Symbol für den gerade stattfindenden Rechenvorgang.

Mit der Industrialisierung ab Mitte des 19. Jahrhunderts wurde auch die Massenproduktion von Uhren möglich. Fortschritte in der Feinmechanik ermöglichten auch die sehr anspruchsvolle Fertigung von Taschenuhren. Eine weitere Miniaturisierung des Uhrwerkes ließ zur Wende des 20. Jahrhunderts die Uhr auf Armbandgröße schrumpfen. 1923 entwickelte John Harwood die Automatikuhr.

Der nächste große Entwicklungsschritt war die Atomuhr, welche 1949 zum ersten Mal eingesetzt wurde. Seit 1967 sendet die Atomuhr in Braunschweig in regelmäßigen Abständen Funksignale mit kodierten Zeitinformationen, welche alle erreichbaren Funkuhren Mitteleuropas synchronisieren.

Lektion 7

🔊 19: 1. Berlin. Am 18. Januar öffnet die diesjährige Internationale Grüne Woche in Berlin ihre Pforten. Die weltgrößte Messe der Agrar- und Ernährungswirtschaft hat nicht nur kulinarische Genüsse aus fünf Kontinenten zu bieten. Sie ist auch Treffpunkt der internationalen Agrarpolitik, eine erste Adresse für den Gartenbau und Wissensbörse für die Nutzung nachwachsender Rohstoffe. Zehn Tage lang zeigen 1.600 Aussteller aus 56 Ländern ihr Angebot. Die Veranstalter rechnen mit mehr als 400.000 Gästen, darunter mehr als 50 Minister und Staatssekretäre aus dem Ausland sowie 60 deutsche Spitzenpolitiker.

🔊 20: 2. Mit dem Orkantief „Kilian" ist am gestrigen Donnerstag der schwerste Wintersturm seit Jahren über Europa gezogen. Wegen zahlreicher unbefahrbarer Strecken hat die Deutsche Bahn den Fern- und Regionalverkehr komplett eingestellt. Zehntausende Reisende saßen die Nacht über fest. Der Zugverkehr wird auch heute noch stark beeinträchtigt sein. Zahlreiche Bahnstrecken sind wegen umgestürzter Bäume und abgerissener Oberleitungen nicht befahrbar. Reisende sollten sich vor Fahrtantritt frühzeitig über die aktuellen Reisemöglichkeiten informieren und von nicht notwendigen Fahrten absehen, riet die Deutsche Bahn.

🔊 21: 3. Pollenvorhersage für heute Donnerstag, den 1. Februar: Aufgrund des ungewöhnlich milden Winters hat die Haselblüte stark verfrüht eingesetzt. Entsprechend fliegen in längeren Niederschlagspausen Haselpollen meist mit leichter, teils auch mit mäßiger Intensität. Außerdem sind erste Erlenpollen in der Luft. Betroffen ist vor allem der Westen und Süden Deutschlands. Im Osten des Landes lässt das Wetter kaum Pollenflug zu. Weder Erlen- noch Haselpollen sind in der Luft nennenswert vorhanden. Allergiker haben hier also nichts zu befürchten.

🔊 22: 4. Alpenpark Karwendel – Österreichs größtes Naturschutzgebiet: Mit rund 920 km² Gesamtfläche ist der Alpenpark Karwendel eines der größten Naturschutzgebiete Österreichs und besticht durch zahlreiche landschaftliche Höhepunkte: Hier finden Sie ein ideales Revier zum Wandern, Klettern oder Mountainbiken. Zahlreiche Hütten säumen dabei den Weg und laden Sportbegeisterte zu einer kleinen Pause ein. Die Infozentren in Hinterriß und Scharnitz informieren nicht nur über die Besonderheiten der Tier- und Pflanzenwelt, sondern bieten auch umfassende Informationen zu Wetterlage, Wandermöglichkeiten und Reservierungen von Hütten. Sollten Sie Fragen haben, wenden Sie sich bitte an unsere Servicehotline.

🔊 23: 5. Aufruf zur Blutspende! Die Berliner Bürger spenden nicht genug Blut. Wegen der immer knapper werdenden Reserven in Berlin und Brandenburg ruft das Deutsche Rote Kreuz heute zu einer Spendenaktion im RBB-Fernsehzentrum auf. Gesunde Bürger im Alter von 18 bis 68 Jahren können zwischen 10 und 18 Uhr in der Masurenallee 16 bis 18 in Charlottenburg Blut spenden. Die Aktion soll helfen, dass Krankenhäuser ausreichend mit Blutkonserven beliefert werden können und Operationen nicht verschoben werden müssen. Spender werden gebeten, ihren Personalausweis mitzubringen.

Lektion 8

32: Ja, meine Damen und Herren, wie lernt man am besten? Auf Folie 4 habe ich vier Merksätze für Sie zusammengestellt. Erstens: Lernen gelingt am besten bei ständigem Training. Jeder weiß das, aber dieses Wissen umzusetzen, ist oft sooo schwer! Warum eigentlich? Ist es Überforderung oder einfach nur Faulheit oder gibt es noch andere Gründe? Das bringt uns zu Merksatz 2: Lernen gelingt am besten, wenn bereits ein dichtes Wissensnetz geknüpft ist. Will heißen, je mehr wir von einer Sache wissen und je unterschiedlicher die Aspekte sind, die wir von ihr kennen, desto leichter fällt uns das Lernen. Je besser wir Neues mit bereits Vorhandenem verknüpfen können, desto einfacher fällt es uns. Was ist noch wichtig? Merksatz 3 sagt: Lernen gelingt am besten bei optimalen Rahmenbedingungen. Was ist darunter zu verstehen? Die Rahmenbedingungen sind wahrscheinlich für jeden unterschiedlich, aber ich denke, man kann sagen, dass eine gewisse äußere Sicherheit und Ruhe eine Rolle spielen. Wenn ich z. B. absolut nicht weiß, wie ich morgen meine Miete bezahlen soll, ist das sicherlich nicht förderlich fürs Lernen. Überhaupt die innere Verfassung: Wenn ich gerade die größten Probleme mit meinem Partner oder meiner Partnerin habe, werde ich höchstwahrscheinlich nur noch bedingt lernfähig sein. Und wenn mich der Stoff, den ich lernen muss, zu Tode langweilt, wird es auch ziemlich schwierig werden. Und das bringt uns zum nächsten Merksatz: Interesse, Sinn, Ziel sind Schlüsselwörter. D. h. Lernen gelingt am besten, wenn ich ein wirkliches Interesse an dem habe, was ich lerne, wenn ich einen tieferen Sinn darin sehe und ein klar definiertes Ziel damit verfolge. Also meine Damen und Herren: Wenn Sie wieder einmal einen Durchhänger beim Lernen haben, fragen Sie sich: Weiß ich, welchen Sinn das Lernen für mich macht? Habe ich mein Ziel vor Augen? Will ich es unbedingt immer noch erreichen? Wenn sie diese Fragen mit „Ja" beantworten können, wird Ihnen das Lernen ganz sicher viel, viel leichter fallen!

Lektion 12

57: 1. Eiskunstlauf: Die Weltmeister Albena Denkowa und Maxim Stawiski aus Bulgarien hatten es bei der Europameisterschaft nicht leicht. Gegen das überzeugende französische Paar mit Isabelle Delobel und Olivier Schoenfelder, die zur Filmmusik von „Bonnie and Clyde" die eleganteste Kur zeigten, und das perfekt aufeinander eingespielte russische Paar Oksana Domnina und Maxim Schabalin hatten die Bulgaren keine Chance auf einen der ersten beiden Plätze.

58: 2. Weitsprung: Nach dem verletzungsbedingten Aus von Michael Uhrmann hatten die deutschen Skispringer bei der WM keine Chance. Den Titel gewann Simon Ammann aus der Schweiz. Der beste Deutsche, Jörg Ritzerfeld, erreichte gerade Platz 15 und auch Martin Schmitt brachte mit Sprüngen von 113 und 103 Metern weniger als erwartet.

59: 3. Abfahrtski: Anja Pärson ist die Größte! Die 25-jährige Schwedin gewann bei der Weltmeisterschaft nach Super-G und Kombination auch die Abfahrt. Mit ihrem siebten WM-Titel ist Pärson die erste Skirennfahrerin überhaupt, die Weltmeisterin in allen fünf Disziplinen wurde. Ihr Erfolg ist einzigartig! Sogar König Gustav lobte sie und erklärte: „Sie ist eine herausragende Botschafterin für Schweden".

60: 4. Langlauf: Riesen Enttäuschung bei den Teamsprintern Tobias Angerer und Axel Teichmann. Bis zum letzten Wechsel hatten beide das Rennen kontrolliert, doch beim letzten Anstieg wurde Teichmann eingeklemmt und fiel auf Platz sieben zurück. Auf der Zielgeraden sprintete er noch mit größter Kraft nach vorn, aber auf die Siegertribüne reichte es nicht mehr.

61: 5. Riesenslalom: Aksel Lund Svindal präsentierte sich in Bestform und holte bei der Ski-WM im Riesenslalom sein zweites Gold. Der Norweger setzte sich als schnellster vor den beiden Schweizern Daniel Albrecht und Didier Cuche durch. Am Ende distanzierte er in 2:19,64 Minuten den Kombinations-Weltmeister Albrecht um 0,48 Sekunden. Cuche gewann Bronze und damit seine erste WM-Medaille überhaupt.

62-71: 1. Jean Marie ist wieder schneller gelaufen als alle Konkurrenten. • 2. Karl Maier hat 50 kg. mehr gehoben als geplant. • 3. Silke Dach ist die 3. Runde viel langsamer angegangen, als mit dem Trainer besprochen war. • 4. Ihre Konkurrentin aus Kenia ist noch schneller gelaufen, als alle vorausgesagt hatten. • 5. Das deutsche Team hat genauso gut abgeschnitten wie letztes Jahr. • 6. Die Norweger haben mal wieder mehr Preise gewonnen als alle anderen. • 7. Die Chinesen haben im Turnen so gut abgeschnitten wie erwartet. • 8. Die Deutschen haben weniger Medaillen gewonnen, als sie erhofft hatten. • 9. Aber die Stimmung war besser als in den vergangenen Jahren. • 10. Im nächsten Jahr soll der Aufenthalt im Trainingslager länger dauern als in diesem.

72-77: Text in Hochdeutsch: Da war ich sprachlos. Das hätte ich nicht gedacht. Das ist ganz ungewöhnlich. Aber es ist vollkommen richtig. Zwei können mehr als einer.

Goethe-Zertifikat B2 – Probeprüfung

78: Hallo Beate, hier ist Enrico. Kann dich leider nicht erreichen, hoffe aber, dass du die Nachricht noch abhören kannst, bevor die Infos wegen der drei Top-Angebote rausgehen, denn es sind noch ein paar Kleinigkeiten zu korrigieren und zu ergänzen.

Bei der Fahrt nach Berlin steht in der letzten Zeile des ersten Absatzes „Unterhandlung". Richtig muss es natürlich heißen „Unterhaltung".

Bei der Ausstellung in Magdeburg fehlt der Europarat, das ist ein wichtiger Geldgeber, wenn wir den vergessen würden, wäre das sehr peinlich. Ergänze also: 29. Ausstellung des Europarates.

Bei den Leistungen für die Ausstellung in Magdeburg haben wir „Hin und Rück" geschrieben, ich finde, wir sollten das ausschreiben, also Hin- und Rückfahrt, damit auch alle wissen, was gemeint ist.

Ebenso haben wir „zusätzliche Nacht" mit „zstl. Nacht" abgekürzt, da wissen vor allem Ausländer nicht, was damit gemeint ist. Ich schlage also vor, wir ersetzen das durch „Verlängerungsnacht". Wenn man seinen Aufenthalt verlängern will, halt.

Bei „Chagall in Baden-Baden" ist ein schlimmer Tippfehler passiert. Der Malerpoet schreibt sich natürlich ohne „h", er mahlt ja keinen Kaffee, sondern er ist Künstler. Also bitte das „h" streichen. Und mit Gustav Mahler hat das natürlich auch nichts zu tun.

Die Unterbringung der Reisenden erfolgt nicht im Hotel Zum König – das gibt es auch, ist aber nicht standesgemäß für unsere Klientel – sondern im Hotel Zum Kaiser.

Und als letztes noch die Öffnungszeiten der Chagall-

Ausstellung: Wir haben uns mit der Museumsleitung in Verbindung gesetzt, und die hat uns gesagt: 10:30–17:30. Das musst du dann noch ergänzen.

Das wär's dann auch schon. Vergiss nicht, dem Layouter zu sagen, dass wir übermorgen die Vorlagen brauchen für die Druckerei.

Das wär's. Danke und schönen Tag noch und bis morgen, Ciao.

🔘 79-83: *Ansage:* Sie hören ein Interview mit Götz Werner, dem Gründer und Chef der dm-Drogeriemarktkette. 1973 eröffnete er sein erstes Geschäft. Heute arbeiten bei ihm europaweit 23.000 Mitarbeiter in 1.600 Filialen. Zu diesem Interview sollen Sie zehn Fragen beantworten. Lesen Sie jetzt die Fragen 6 bis 15. Sie hören das Interview zuerst ganz, dann in Abschnitten.

Beispiel

Interviewer: Herr Werner, Sie lieben Tabubrüche, Sie sagen: „Es ist eine gute Sache, wenn die Menschen nicht arbeiten müssen!"

H. Werner: Ja, es ist doch eine großartige Sache, von diesem Zwang zur Arbeit befreit zu sein. Die Zeiten sind vorbei, dass wir – wie nach dem Sündenfall – im Schweiße unseres Angesichts das Brot verdienen müssen. Der Mensch hat die fünfte Schöpfung geschaffen – nämlich die Maschinen. Diese Maschinen sind unsere modernen Sklaven. Und es ist wunderbar, diesen Sklaven bei der Arbeit zuzuschauen. Es ist ein Genuss zu sehen, wie die Roboter in den Autofabriken die Karosserien zusammenschweißen, da meinen Sie, Titanen wären am Werk. Es ist also unsinnig, wenn etwa Bergarbeiter um ihre Knochenjobs kämpfen, dafür, dass sie in 2.000 Meter Tiefe bei Hitze krankmachenden Feinstaub einatmen.

Abschnitt 1

Interviewer: Es ist einfach so: Man ist in der Gesellschaft nur etwas wert, wenn man arbeitet, wenn man Werte schafft. Das schafft auch Selbstwert.

H. Werner: Ja, denn wir leben immer noch nach dem alten, nicht mehr zeitgemäßen Gebot: „Wer nicht arbeitet, soll auch nicht essen!" Da waren die alten Griechen schon viel weiter. Bei ihnen war die Muße das Ziel, nicht die Arbeit. Ich kann also das Gerede um die Schaffung neuer Arbeitsplätze kaum mehr hören.

Interviewer: Jetzt sagen Sie bloß noch: Arbeitslosigkeit ist eine Chance.

H. Werner: Ja, so ist es.

Interviewer: Sozial ist, was Arbeit schafft, rufen die Politiker!

H. Werner: Die Politiker sind vernagelt. Von ihnen sind kaum Ideen zu erwarten, die uns weiterbringen. Sie sind narkotisiert vom Vollbeschäftigungswahn. Wir müssen diese neue Wirklichkeit akzeptieren: Die Zeiten der Vollbeschäftigung sind endgültig vorbei. Vollbeschäftigung ist ein Mythos, eine Lüge.

Interviewer: Aufgabe der Wirtschaft ist es doch, Arbeitsplätze zu schaffen.

H. Werner: Nein. Das ist Unsinn. Die Wirtschaft ist keine sozialtherapeutische Beschäftigungsveranstaltung. Kein Unternehmer geht in seinen Laden und fragt sich: Wie schaffe ich neue Arbeitsplätze? Er fragt sich stattdessen: Wie kann ich möglichst effizient produzieren und wie rationalisieren, wie kann ich das Optimale für meine Kunden schaffen? Aufgabe

der Wirtschaft – abgesehen von der Güterproduktion – ist es, die Menschen von Arbeit zu befreien.

Interviewer: So betrachtet, steht die deutsche Wirtschaft großartig da!

H. Werner: Ja. Wir leben in paradiesischen Zuständen. Die Frage ist, wie wir es fertig bringen, allen Menschen den Zugang zu dem zu ermöglichen, was die Gesellschaft hervorbringt. Nach 5.000 Jahren Mangel, Mangel, der genetisch in uns zu sein scheint: Zum ersten Mal in der Menschheitsgeschichte leben wir im Überfluss. Aber die Menschen schaffen es nicht, mit dieser neuen Wirklichkeit klarzukommen. Sie sind in einem Erfahrungsgefängnis.

Interviewer: Sie haben ganz einfach Angst, ein Hartz-IV-Fall zu werden.

H. Werner: Ja. Und das ist ein großes Problem. Sie haben Angst, stigmatisiert zu werden. Nutzlos zu sein. Dieses manische Schauen auf Arbeit macht uns alle krank. Und was ist denn Hartz IV? Hartz IV ist offener Strafvollzug. Es ist die Beraubung von Freiheitsrechten. Hartz IV quält die Menschen, zerstört ihre Kreativität.

Abschnitt 2

Interviewer: Das war notwendig, heißt es allenthalben, um aus der Krise herauszukommen!

H. Werner: Aha! Was für eine Krise? Wir haben keine Wirtschaftskrise.

Interviewer: Wie bitte?

H. Werner: Wir haben eine Denkkrise. Dass wir so viele Arbeitslose haben, zeigt die Stärke und die Effizienz unserer Wirtschaft.

Interviewer: Sie sind ja ein Zyniker.

H. Werner: Nein, ganz im Gegenteil. Ich bemühe mich, den Menschen zu helfen. Niemand muss ins soziale Abseits rutschen, wir können alle Erwerbslosen versorgen. Dazu müssen wir lernen, radikal, revolutionär zu denken.

Interviewer: Dann verraten Sie, was getan werden muss!

H. Werner: Einkommen und Arbeit sind in unserem Wirtschaftssystem aneinander gekoppelt. Das ist nicht mehr zeitgemäß. Wir brauchen kein Recht auf Arbeit. Wir brauchen ein Recht auf Einkommen. Auf ein bedingungsloses Grundeinkommen. Den Menschen muss man Geld in die Hand geben – von der Wiege bis zur Bahre – unbürokratisch, ohne Auflagen, ohne Formulare.

Interviewer: Wie schön!

H. Werner: Ja, sehr schön. Spotten Sie nicht, denken Sie stattdessen! Wir brauchen das Bürgergeld – für jeden.

Interviewer: Sie wollen jedem ein paar hundert Euro monatlich in die Hand geben, einfach so?

H. Werner: Ja, aber nicht nur ein paar hundert Euro, sondern so viel, dass jeder – bescheiden zwar – aber in Würde leben kann, dass jeder am gesellschaftlichen und kulturellen Leben teilnehmen kann. Und damit erreichen Sie auch, dass es Arbeitslosigkeit als Problem nicht mehr gibt, dass niemand mehr stigmatisiert werden kann.

Interviewer: Wie hoch soll dieses Bürgergeld sein?

H. Werner: Ich denke, es sollten 1.500 Euro sein. Stellen Sie sich mal vor, was für eine Gesellschaft sich entwickeln würde – eine Gesellschaft ohne Existenzangst!

Interviewer: Das ist ein schöner Traum, aber wer soll ihn bezahlen? Das hieße doch: Noch mehr Steuern, noch mehr Abgaben!

H. Werner: Überhaupt nicht. Ich bin dafür, alle Steuern

abzuschaffen. Bis auf eine: die Mehrwertsteuer. Die müsste allerdings kräftig ansteigen, vielleicht sogar auf 50 Prozent.

Interviewer: Sie sind verrückt.

H. Werner: Nein. Die Mehrwertsteuer ist die einzig gerechte und wirklich sinnvolle Steuer. Wer viel konsumiert, der trägt viel zur Finanzierung des Staatswesens bei.

Abschnitt 3

Interviewer: Also: Sie wollen jedem Bürger tatsächlich 1.500 Euro in die Hand geben, einfach so?

H. Werner: Ja.

Interviewer: Das sprengt doch die Staatshaushalte. Das wären etwa 1,4 Billionen Euro im Jahr, also gut zwei Drittel der Wirtschaftsleistung Deutschlands!

H. Werner: Ich sage ja nicht, dass wir sofort voll in das neue System einsteigen. Das ist ein langer Prozess, der 15, 20 Jahre dauern kann. Es geht um einen Einstieg in das neue Denken. Mit meiner Idee des Bürgergeldes kann man schon morgen – auf kleiner Flamme – anfangen. Wir könnten schon morgen sagen: Jeder hat Anspruch auf 700, 800 Euro. Außerdem wird nicht jeder 1.500 Euro bekommen, das Grundeinkommen wäre nach dem Alter gestaffelt, Kinder bekommen 300 Euro, Rentner etwas weniger als Leute im Arbeitsalter. Über 720 Milliarden geben der Staat, die Länder, die Kommunen an Transferleistungen schon heute aus – an Arbeitslosengeld, Kindergeld, Sozialhilfe, Bafög, Wohnungsgeld und …

Interviewer: Das fällt dann alles weg?

H. Werner: Ja, die Dinge sind alle im Grundeinkommen enthalten, also nun überflüssig. Und somit passiert noch etwas: Der aufgeblähte Verwaltungsapparat, diese gigantische Sozialbürokratie, die die Bürger kujoniert, würde dramatisch zusammenschnurren, zig Milliarden würden freigesetzt. Ein Grundeinkommen von 800 Euro können wir uns also sofort leisten, das ist überhaupt nicht utopisch.

Interviewer: Was hat Sie dazu gebracht, so über die Gesellschaft nachzudenken.

H. Werner: Die Klassiker.

Interviewer: Sie meinen Goethe, Schiller …

H. Werner: Und noch einige andere mehr, ja. Ich habe die Klassiker gelesen als eine Art Grundlagenforschung. Ich war ja auch mal verzehrt von diesem üblichen Drang nach mehr, mehr. Das hat mich fast umgebracht. Aber irgendwann kommen die Fragen nach dem Sinn des Strebens. Goethes „Faust", Schillers „Ästhetische Briefe" halfen mir, die Welt neu zu sehen. Das macht einen wahrnehmungsfähig.

Interviewer: „Werft die Angst des Irdischen von euch", ruft Schiller, „Fliehet aus dem engen dumpfen Leben in des idealen Reich!"

H. Werner: Ja, darum geht es! Als junger Mensch habe ich auch eher nach dem Motto gelebt: Drauf und los! Aber wenn man älter wird, merkt man, dass Erfolg nicht heißt, wie erfolgreich bin ich, sondern wie gelingt es mir, andere erfolgreich zu machen. Es geht immer um den Menschen. Die Frage ist: Womit kann ich den Menschen dienen, nicht verdienen.

Interviewer: Edel, edel.

H. Werner: So sehe ich mich nicht, eher als einen – wie im „Faust" beschrieben – der immer strebend sich bemüht.

Interviewer: Und Sie glauben, Ihr Tun, Ihre Gedanken, das hilft, schafft eine bessere Welt?

H. Werner: Ich weiß nicht. Aber ich weiß, dass meine Ideen den Menschen Hoffnung geben. Ich glaube auch, dass meine Ideen sich ausbreiten. Ich bin da voller Vertrauen. Sehen Sie mal, wie wenig Hefe nötig ist, um einen Teig zum Treiben zu bringen!

Quellen

Bildquellen

Umschlagfoto: Getty Images, München
AKG, Berlin: 44 (Frasnay); 53.2 • Artothek, Weilheim: 45 (Christie's) • Avenue Images GmbH, Hamburg: 50.1 (Ingram); 53.4 (Ingram Publishing) • Cinetext, Frankfurt: 99 • Corbis, Düsseldorf: 28 (Sygma/Gaudenti); 80.3 (RF); 92 (Archivo Iconografico); 111 (Joseph Sohm); 138 (RF); 169.3 (Ronnie Kaufman) • Corel Corporation, Ottawa, Ontario: 9.3 • Corel Corporation, Unterschleissheim: 14; 82.1; 82.5 • creativ collection, Freiburg: 87; 105.2 • CSI, New Delhi: 9.1 • Das Fotoarchiv, Essen: 83 (Otto Stadler) • dfd Deutscher Fotodienst GmbH, Hamburg: 108 • Dynevo GmbH, Leverkusen: 46.1 (© Dynevo GmbH. Ein Unternehmen der Bayer Business Services - Communica) • Fotolia LLC, New York: 50.4 (Bond); 53.5 (Grudzien) • Fotosearch RF, Waukesha, WI: 69 (Image Source RF); 80.1; 85.1 (Digital Vision); 105.1 (Stockbyte); 150.1 (EyeWire); 150.3 (Photodisc) • Getty Images, München: 10 (PhotoDisc); 50.3 (PhotoDisc); 114 (PhotoDisc); 130 (EyeWire); 150.2 (Photo Disc) • GLOBUS Infografik, Hamburg: 95 • Image 100, Berlin: 30.2 (RF) • iStockphoto, Calgary, Alberta: 149.1,2 (RF); 169.1 (Grove) • JupiterImages, Tucson, AZ: 52 (Photos.com) • Jupiterimages GmbH, Starnberg: 169.2 (photos.com) • Klett-Archiv, Stuttgart: 30.1 (Jasmina Car); 50.2; 77 (Katja Schüch); 90 (Aribert Jung) • Logo, Stuttgart: 46.2 (© www.salewa.de) • MEV, Augsburg: 22; 53.1; 80.2,4 • Michael Peuckert, Lörrach: 82.4 • Miele, Gütersloh: 46.4 (Miele & Cie. KG, Gütersloh) • Oberammergau Tourismus, Oberammergau: 9.2 • Panther Media GmbH, München: 82.2 (RF/Andrea Knoblich); 82.3 (RF/Mike Essandoh); 82.6 (RF/Wolfgang Röhrl); 85.2 (RF/Hans Eder); 105.3 (Viola S.) • Picture-Alliance, Frankfurt: 62 (Jörg Lange); 86 (epa/pa); 110 (Zucchi, Uwe) • Tchibo GmbH, Hamburg: 46.3 • Team Gerolsteiner, Gerolstein: 53.3 • ullstein bild, Berlin: 51 (ecopix); 104 (Hellgoth); 137 (Bauer)

Textquellen und Hörtexte

S. 18: Die ungleichen Regenwürmer aus: Franz Hohler: Wegwerfgeschichten © Zytglogge Verlag, Oberhofen am Thuner See • S. 47: Geschichte der Uhr © http://de.wikipedia.org/wiki/Uhr • S. 68: Wörterbuchauszug aus: PONS Großwörterbuch Deutsch als Fremdsprache, Ernst Klett Sprachen GmbH, Stuttgart 2006 • S. 82/83: Die Natur als Ingenieur: Was ist Bionik? © Bayerischer Rundfunk, München • S. 105: Was es ist, aus: Erich Fried, Es ist was es ist. © Verlag Klaus Wagenbach, Berlin 1983, NA 1996 • S. 118: Kurzinformation Internationale Jugendgemein-schaftsdienste Bundesverein e. V. © ijgd Bundesverein, Bonn • S. 122: ping pong © Eugen Gomringer, Institut für konstruktive Kunst und konkrete Poesie, Archiv Eugen Gomringer, Rehau • In der Nacht die Sterne funkeln aus: Karl Valentin: Gesammelte Werke in einem Band © Piper Verlag GmbH, München • S. 123: Nachweise International, erstellt nach Informationen aus der Homepage vom Internationalen Jugendaustausch- und Besucherdienst der Bundesrepublik Deutschland (IJAB) e.V., Bonn • S. 125: Auslandstätigkeit © Dr. Ulrich Brötzmann, Mainz, in: Frankfurt Allgemeine Zeitung, 05.08.06, Frankfurt • S. 146: Störe meine Kreise nicht © Julia Lohrmann, Brühl • S. 162: Emanzipation der Männer noch weit zurück © Berliner Zeitung 29.09.2006, Berlin • S. 165: Interview mit Götz Werner © Arno Luik, STERN 17/2006, Hamburg • S. 167: Netzwerken © Kirsten Reinhardt, taz 14.10.2006, Berlin

Trotz intensiver Bemühungen konnten wir nicht alle Rechteinhaber ausfindig machen. Für Hinweise ist der Verlag dankbar.